♀먼스
플레인

이선옥 지음 | 김용민·황현희 도움

모두가 평등하고 행복한 올바른 젠더의식을 위해!

P 필로소픽

낯선 개념에 휘둘리지 않기

〈우먼스플레인〉을 25회 진행하면서 '낯선 개념어에 휘둘리지 않고 사고하는 방법'에 주력했습니다. 최근 5년 사이 유례없는 성별 전쟁이 일어나면서 우리 사회는 큰 갈등에 휩싸였습니다. 강남역 살인사건, 메갈리아와 워마드의 탄생, 이수역 폭행사건, 미투 폭로 사건들이 연달아 일어났고, 여성들은 페미니즘 뉴웨이브 시대를 선언했습니다. 누구도 예상하지 못했던 일입니다.

성별 전쟁의 최전선에는 낯선 단어들이 있습니다. '여성혐오' '미소지니' '성인지감수성' '젠더폭력' '정치적 올바름' '펜스룰' '미러링' '데이트폭력' 같은 개념어들이 온라인 커뮤니티와 미디어에 등장하더니, 순식간에 대중문화, 교육, 법률, 정책 영역에까지 반영되기 시작했습니다. 언어의 선점이 운동의 성공으로 이어진 현상입니다. 언어는 그만큼 중요한 도구입니다.

〈우먼스플레인〉에서는 이런 개념어를 제대로 이해하고 판단하는 방법을 주로 다뤘습니다. 페미니즘이 뭔가요? 여성혐오만 나쁘고 남성혐오는 괜찮나요? 이 싸움이 결국 어떤 결과로 돌아올까요? 어떤 공부를 해야 이해할 수 있나요? 성인지감수성은 뭔가요? 방송할 때마다 수백 개가 넘는 댓글이 달렸습니다. 설명해주는 사람은 없는데 모르면 혐오주의자로 몰리거나, 공부하라는 핀잔만 돌아온다는 하소연도 많았습니다. 낯선 용어가 등장하면 섣불리 받아들이기 전에 단어가 내포한 진짜 뜻이 무엇인지 판단하는 과정을 거쳐야 합니다. 예를 들어 여혐과 남혐은 다르게 취급해야한다는 주장이 왜 틀렸는지는 여성혐오의 개념부터 제대로 정의해야 합리적으로 대응할 수 있습니다. 사회적 판단 과정을 거치지 않고 페미니스트의 일방적 정의를 받아들인 결과, 동료시민을 여혐, 남혐으로 낙인찍으면서 결국 혐오의 총량만 많아진 사회가 되었습니다.

사회구성원 모두 확실히 인정하고 공유하는 기준, 예를 들어 헌법, 법률, 사전적 의미, 보편적으로 통용되는 규범과 같은 타당한 기준으로 새로운 개념을 검토해야 합니다. 그 과정 없이 언어를 선점당하면 다른 사고를 하기 힘들어집니다. 목소리 높은 사람들의 세상이 되기 쉽습니다. 모든 사안을 판단하는 핵심은 개인의 자유와 권리를 훼손하지 않고, 시민 사이의 동등한 지위를 보장하는 공정성입니다. 〈우먼스플레인〉은 이 기준을 근거 삼아 이슈마다 합리적인 판단과 분석, 대안을 제시하려 했습니다. 독자 여러분도 이 책을 읽으면서 함께 판단의 과정을 경험하시면 좋겠습니다.

성별갈등이 최고조인 상황에서 젠더이슈 전문방송을 진행해보자는 제안을 받았을 때, 잘할 수 있을까 걱정이 앞섰습니다. 김용민, 황현희 님 덕에 걱정을 덜 수 있었습니다. 특별히 감사드립니다. 제작사

데마시안의 스태프들과, 우려 속에서도 출간을 결정한 필로소픽 출판
사에게도 고맙습니다. 시청과 구독으로 격려해주신 분들, 이선옥닷컴
을 통해 후원과 지지를 아끼지 않은 독자들께도 지면을 빌려 머리 숙
여 인사드립니다.

　우리는 좀 더 공정한 방식으로도 약자의 편에 설 수 있습니다. 혐오
의 힘을 빌리지 않고 좋은 변화를 만들어내는 길은 분명 있다고 믿습니
다. 독자 여러분이 함께해 주신다면요.

2019년 5월,
이선옥 드림.

목차

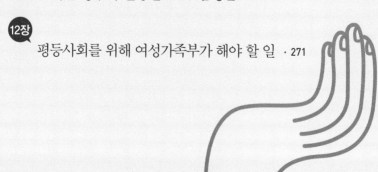

1장

여성혐오는 안 되고
남성혐오는 허용되는가

2018년 09월 12일 2회 방송

김용민 우먼스~플레인! 맨스플레인이 남성이 여성에게 의기양양하게 설명하는 것이라면, 우리 프로그램은 '우먼스'플레인! 여성이 남성 앞에서 당당하게 설명하는 것이다, 이렇게 보시면 되겠습니다. 〈우먼스플레인〉 멤버 소개해드리겠습니다. 오늘의 핵심! 황현희는 매운탕, 김용민은 반찬, 이 분이 바로 회입니다. 여러분 앞에서 의기양양하게 말씀하실 분, 이선옥 작가님 어서 오십시오.

이선옥 안녕하세요. (웃음)

김 그리고 〈까칠남녀〉로 일생일대 최대 위기를 맞이한 황현희 씨.

황현희 안녕하세요. 이제 개그 프로를 안 하니 그냥 방송인 황현희로 인사드리겠습니다.

김 요즘 개그 프로그램이 씨가 말랐습니다.

황 요새 분위기가 안 좋아요. 콩트 코미디도 많이 사라지고……. 공중파에서 할 수 있는 소재 제한 때문에 '웃기는' 아이디어 회의를 해야 하는데, 요즘 아이디어 회의는 그야말로 어떻게 하면 욕 안 먹을까

회의예요. 이거는 이래서 안 되고, 저거는 저래서 안 되고. 표현의 다양성이 굉장히 많이 없어졌습니다.

이 예전 〈개그콘서트〉 보면, 90% 이상이 소재 자체도 그렇고 표현 방식도 그렇고 지금은 방송 못 할 내용이 많지요.

김 생각해보니 어떻게 그런 게 방송에 나갔나 싶습니다. 그때보다 지금 훨씬 더 엄숙해졌어요. 좋은 건지 나쁜 건지 모르겠지만. 코미디 영역에까지 그야말로 칼날이 가해지는, 이른바 여성혐오에 관해 얘기해보면 좋겠습니다.

이 요즘 여혐이라고 줄여서 많이 얘기하는데, 최근 2~3년 사이에 사회적으로 널리 회자되는 용어가 됐죠. 여성혐오라는 말 자체가 정치, 언론, 방송, 문화, 예술 모든 영역에서 우리 사회를 지배하는 키워드가 아닌가 생각합니다.

그것은 미러링이 아니다

김 팟캐스트에서 여성혐오로 인식될 발언을 여과 없이 하는 행위는 잘못이라고 봐야 하지 않겠습니까?

이 저는 이런 문제를 다룰 때 그렇게 선제적으로 결론 내리는 걸 반대해요. 무엇이 여성혐오인지 개념 규정조차 모호한 상태에서 여혐에 더 민감한 사람들이 일방적으로 먼저 만들어놓은 정의를 가지고 '이건 여성혐오니까 니가 잘못했어.'라고 얘기하는 것에 저는 줄곧 비판적인 의견을 개진해왔어요. 그래서 섣불리 결론을 내리기보다 오늘 여기서 차근차근 얘기해보면 좋겠습니다.

황 저는 잘못된 걸 지적하는 문화가 잘못됐다고 얘기하고 싶어요. 자신이 문제 있다고 생각하는 표현을 한 방송인이 있으면 뭘 할 때마다 기사에 좌표를 찍습니다. 그러면 댓글부대들이 몰려와요. 온갖 욕설과 비난을 달기 시작하고 방송을 하건 어디에 나오건 하차 요구가 이어집니다.

김 한마디로 그들이 잘 쓰는 표현으로 미러링 아닙니까? 너희가 먼저 혐오했으니까 우리도 혐오할래, 이런 게 보입니다.

이 미러링은 운동 전략이죠. 미러링은 어떤 세력이 했던 나쁜 행동을 그대로 거울로 반사하듯 보여줘서 그 행동의 나쁨을 인식하게 한다는 전략입니다. 유용한 지점이 있죠. 당해보면 안다는 말도 있잖아요.

> 미러링은 유용한 운동 전략.
> 그러나 엄밀하게 작동하지
> 않을 경우에는 부작용이 크다

3년 전쯤 메갈리아가 생기면서 여성혐오 영역에서 미러링 전략을 쓰기 시작한 것 같아요. 결론적으로 성공한 전략이 되었죠. 운동세력도 잘 모르던 미러링이란 용어를 지금은 많은 사람이 알잖아요. 〈까칠남녀〉 같은 데서도 '여성들이 이렇게 하는 건 미러링이야.'라고 말할 정도로 대중화되었죠. 운동세력의 성공한 전략인데, 미러링의 부작용이나 운동방식이 엄밀하게 작동하지 않는 것에 대한 문제제기는 매우 적습니다.

워마드가 사회적 물의를 일으키고 미러링도 같이 도마 위에 오르면서 이런 상황을 경계했던 우려의 말들이 이제 약간 힘을 받는 정도입니다. 미러링 전략은 정확한 이념적 지향을 가진 운동집단이 전략적으로 매우 좁은 이슈에서 타격을 가했을 때와 달리, 지금처럼 온라인에서 대중에게 썼을 때는 부작용이 크다고 생각해요. 우리가 목도하는 현상도 그렇다고 봅니다.

워마드가 천주교 성체 훼손 논란을 일으켰잖아요. 그게 문제가 되니까 일부 진보 인사들이 미러링이라고 옹호했어요. 미러링이면 원본이 있어야 되는데 도대체 원본은 뭡니까. 천주교에 대고 여성혐오 미러링을 한 건데, '일간 베스트'(일베)가 그동안 천주교 혐오를 해왔다면서 미러링이라고 옹호합니다. 그러면 미러링이 일베를 향해야 하는데 천주교로 향하잖아요. 원본이 없어요.

김 천주교에서 여성 사제를 허용하지 않는다든지 하는 성차별을 공공연히 행해왔다. 그래서 천주교를 상대로 공격하는 것이다, 그럴 수도 있죠.

이 천주교에도 물론 비판점은 있을 수 있죠. 낙태 문제, 여성 사제 문제도 있고. 그렇다면 그걸 알 수 있게 행동해야 맞는 거예요. 그리고 본인들은 미러링이라고 하지도 않았어요. 사후에 옹호 논리로 진보진영이 미러링이라는 개념을 갖다붙인 건데, 그건 방송에서 말할 수 없는, 그냥 배설에 가까운 욕설이거든요. 그런 건 미러링 전략이 아니에요.

오히려 미러링의 부작용이에요. 이런 반사회적 행동까지 모두 운동적으로 의미 있는 것처럼 말하면 사람들에게 혼란을 줍니다. 그리고 그걸 하는 사람들이 보통 전통적으로 진보라 했던 사람들이에요. 그들이 여성은 약자이기 때문에 여성의 이런 행동을 용인하는 걸 넘어서 심지어 정치적으로 올바르다고까지 얘기하니까 지금 문제가 일어나고 있는 거죠.

여성혐오 개념 정립부터

이　지금 사람들이 혼란을 느끼는 것은 이중 신호 때문입니다. 대표적인 예로 요즘 세간에 도는 '만물여혐설'이라는 게 있는데, 한번 읽어보시겠어요?

황　이건 제 생각이 아닙니다. 만물여혐설. '여자를 약자로 대해도 여혐이고, 강자로 대해도 여혐이다. 여자를 여자로 대해도 여혐이고, 남자로 대해도 여혐이다. 여자를 보호해야 할 대상으로 보는 것도 여혐이고 그렇다고 여자를 보호하지 않는 것도 여혐이다. 여자가 할 수 없는 일을 하라고 하는 것도 여혐이고, 할 수 없는 것을 하지 말라고 하는 것도 여혐이며, 할 수 있는 것을 하라는 것도 여혐이고, 할 수 있는 것을 하지 말라고 (이거 언제까지 읽어야 돼요? 다 똑같은 얘기 아닌가요?) 하는 것도 여혐이다. 여자에게 의무와 권리를 요구하는 것도 여혐이고, 요구하지 않는 것도 여혐이다. 그래서 남자는 무슨 말을 해도 여혐이며 그렇다고 침묵하는 것 역시 여혐이다.' 누가 썼는지 시조 같네요.

김　이러니 펜스룰이 나오는 거예요.

황　펜스룰도 여혐이라는 거죠,

이　그러니까 만물여혐설이 우스운 말 같지만 이게 남성들이 느끼는 혼란을 단적으로 보여준다고 생각합니다. 이것도 여혐이고 저것도 여혐이다. 혐오 개념에 대해서 사람들이 모르는 거예요. 모르는데 정확히 알려주지도 않으면서 그냥 모든 행위와 표현을 다 여혐으로 규정해버리니까 답답한 거죠.

김　답답함을 토로하면 그것도 모르냐고, 배우라고 하죠.

이 그래서 저는 여성혐오 개념부터 정립해야 한다는 거예요. 그리고 여성혐오에 반드시 혐오 표현이 따라와요. 여성혐오라는 영역에 헤이트 스피치hate speech와 미소지니misogyny라는 개념이 섞여 있습니다. '여성혐오를 혐오한다'에서 앞의 여성혐오는 미소지니이고 뒤의 혐오는 우리가 보통 인지하는 혐오감정의 혐오예요.

성차별, 여성에 대한 숭배·찬양, 이런 것까지 다 여성혐오라고 넣어버리는 바람에 개념이 무한 확장된 거예요. 그래서 여성이 불편해하거나, 여성을 규정하는 모든 것이 다 여성혐오로 취급되죠. 그래서 저는 개념의 정립, 개념에 대한 합의가 필요하다고 생각합니다.

> 여성이 불편해하는 것, 여성을 규정하는 것은 다 여성혐오? 여성혐오 개념의 무한 확장

황 저는 페미니즘 자체를 부정하진 않거든요. 그런데 우리가 이해하지 못하는 논리를 계속해서 내밀잖아요. 제가 봤을 때는 전체가 아닌 일부가 전체 물을 흐리는 그런 느낌일 수 있다고 생각하거든요.

김 전 단 한 번도 여성을 혐오한 적이 없어요.

이 그 발언이 비판받는 일등 발언입니다.

김 저는 진짜 원한관계가 맺어지지 않은 이상, 특히 여성이라는 이유로 혐오한다? 그런 적 없어요.

이 예술가들이 어떤 여성을 '나의 뮤즈'라고 칭송하고 찬양하면서 예술적 영감을 얻는 존재로 묘사하거든요. 한 3년쯤 된 것 같아요. 트위터에서 아이돌그룹 샤이니의 멤버였던 故 종현 씨가 뮤즈라는 발언을 했다가 엄청난 공격을 받았어요. 그런데 종현 씨가 '나는 엄마와 누

나를 너무너무 사랑한다. 그런데 내가 어떻게 여성혐오를 할 수 있겠느냐.' 이렇게 말을 시작했어요.

김 그런데 그 말이 뭐가 틀리지? 맞는 말인데.

이 여성혐오의 개념을 늘려놓으니까 이런 일이 생기는 거죠. 왜냐하면 남성들은 '내가 이렇게 여성을 사랑하는데 내가 왜 여성혐오자야?' 이해를 못 하는 거예요.

김 저는 누구를 혐오할 마음이 없어요.

이 '그건 네가 규정하는 게 아니야.' '너는 그렇게 주장할지라도 네가 하는 발언이나 행위가 여성혐오야.'라는 게 문제예요. 그래서 종현 씨에게 '당신이 여성을 그렇게 대상화하고 찬양의 대상으로 표현하고 묘사하는 것 자체가 여성을 주체적인 존재로 인정하지 않는 여성혐오의 한 모습'이라고 해서 종현 씨가 결론적으로 '오늘 좋은 얘기 많이 들었다. 나도 앞으로 여러분들이 얘기한 걸 곰곰이 잘 생각해보고 더 이해하려고 노력해보겠다.'라고 했어요.

그런데 그게 끝이 아니라 진중권 씨가 미학을 전공하셨으니까 그것까지 여성혐오로 규정하는 건 맞지 않다고 말해서 또 한참 공격을 받았어요. 이런 논란이 지금도 계속 이어지고 있어요.

김 이해할 수 없네요.

이 그래서 저는 여성혐오를 이야기할 때 크게 세 가지를 지적해요. 개념의 오남용, 남성혐오는 존재할 수 없지만 여성혐오는 존재한다는 이중잣대 문제, 혐오의 언어에 시민권을 부여해주는 진보진영의 문제. 이 세 가지가 문제라고 보고 있습니다.

황 안타깝네요. 이런 일로 고인의 이야기를 다시 꺼낸다는 거 자체가 마음이 아픕니다.

이　여성혐오의 대표적 사례로 꼽는 게 보통 남성이 가진 일반적인 태도거든요. 그러니까 이해를 못하는 거죠. '내가 왜? 내가 얼마나 여성을 사랑하고 존중하는데!'

사실 성차별이라는 용어는 섹시즘 sexism이라고 따로 있어요. 그런데 여성혐오 개념에 성차별까지 다 넣어서 여성에 대한 모든 태도를 전부 포함하는 의미로 지나치게 확장해버렸기 때문에 이런 일이 벌어지는 거예요.

> 여성혐오의 대표적 사례로 꼽는 것이 보통 남성의 일반적 태도

황　그런데 페미니즘 운동을 하는 분들이 일을 자꾸 만들고 이슈화하려고 연예인을 많이 이용하는 게 아닌가, 이런 생각이 들어요.

흥하는 래디컬 페미니즘

이　최근에도 유아인 씨가 대표적 사례죠. 상징성이 크잖아요. 대중적 파급력이 있으니까. 그건 사실 모든 운동집단의 속성이에요. 대중적으로 어필하기 위해 가장 효과적인 방법을 찾는 거죠. 대개 연예인이나 유명인이 가장 효과가 좋으니까. '유아인 애호박대첩'이라고 불리는 사건도 그렇고.

김　그 얘기 잘 몰라요. 무슨 내용입니까?

이　2017년 11월에 트위터에 여성으로 추정되는 유저가 유아인

을 약간 조롱하는 듯한 글을 썼어요. 유아인의 평소 약간 허세 있고 그런 분위기를 비틀어서, '유아인 냉장고에 애호박 하나 있으면 그거 보고 뭐라 할 듯? 코 찡긋.' 이런 식으로.

김　황현희 씨, 해석해주십시오.

황　저도 잘 이해는 못 하겠어요. 유아인 씨가 연기대상 시상식 같은 데서, 뭐랄까요…… 할리우드 느낌? '이 상을 받은 저는' 이렇게 시적인 표현을 좀 써요. 코를 이렇게 찡긋한단 말이에요. 그런 행동을 짚은 것 같아요.

이　거기에 유아인 씨가 '애호박으로 맞아볼래? (코 찡긋)' 이런 식으로 답했어요. 자기를 비꼬는 말을 그대로 캐치해서 돌려준 거죠. 둘이 주고받은 대화가 크게 공격적이거나 험악한 분위기는 아니었어요. 저는 트위터의 유희성 발언으로 봤는데 그게 여성혐오로 번진 거죠. 대첩이라고 표현할 정도로 엄청 회자가 됐죠. 진보진영의 많은 남성 논객들이 정식으로 글을 써서 정말 총공격하듯이 공세를 폈어요.

트위터에서 비난받기 시작하니까 유아인 씨가 굽히지 않고 '나는 페미니스트다.'라고 얘기했어요. 그리고 누나가 있고 엄마가 있고 이런 얘길 하면서, 아까 종현 씨와 비슷한 대응을 했죠. '내가 왜 여성혐오자냐, 나는 심지어 페미니스트다.' 이러면서 얘기하니까 더 공격받은 거예요. 고려대학교 페미니즘 동아리에서는 강간 문화를 철폐하자는 포스터에 유아인 프로필 사진을 썼어요. 애호박도 넣어서.

'애호박 코 찡긋'이 강간 문화로까지 비약된 건데, 저도 '어떻게 한 사람을 당신들 마음대로 강간 이미지로 사용하느냐, 이건 권리침해다.'라고 굉장히 세게 비판했어요. 다행히 그건 비난받고 바로 내려졌어요.

이런 식으로 사안이 확장된 거죠.

황　유아인 씨는 철저하게 대응하신 편이잖아요. 연예계에서는 시끄러워지는 걸 최소한으로 줄이려면 무대응이 상책이라, 사실 대응 잘 안 하거든요. 그런데 끝까지 대응했어요.

이　SNS면 무대응이 가능한데 이건 공론장에 오른 거예요. 유아인의 발언과 후속 대응에 대해 이념적으로 비판하는 공적인 글들이 여러 매체에 올라왔어요. 한두 개가 아니라.

김　SNS에서 설전 좀 붙은 걸 가지고 무슨……

이　굉장히 이념적인 문제로 만드는 거죠. 정치적 올바름의 일환이에요. 이 사람이 사소한 이야기를 하는 것 같지만 이게 함유하는 뜻은 굉장히 정치적이다, 라는 게 정치적 올바름을 주장하는 사람들의 특성이거든요.

김　자꾸 이슈를 만들어야 동력이 생긴다고 보는 건지, 지금 작가님 말씀을 쭉 들어보면 시답지 않은 거 가지고 문제를 키웠다는 느낌을 받습니다.

이　'그걸 시답지 않다고 취급하는 당신 같은 사람이 문제입니다.'라고 합니다.

황　괴벨스Paul Joseph Goebbels 말과 비슷해요. 나한테 한 문장만 달라. 다 조질 수 있다. 그런 것 같아요. 모니터를 어떻게 하는지 모르지만, 저는 이분들이 기사나 TV, 라디오, 팟캐스트 감시하다가 하나 걸렸다 싶으면 좌표를 찍는 게 아닌가 싶어요. 극히 일부분이었으면 좋겠다는 생각이 드는 게 뭐냐면, 1세대 페미니즘 운동이 활발할 때 목표는 참정권이었잖아요. 여성에게도 투표할 권리를 달라는 건데 일부 사람들이 흑인 남성의 참정권은 주지 말라고 주장하기도 했어요. 1세대 페미니즘의 정말 잘못된 부분 중 하나죠.

김 깊이 들어갔네.

황 책 좀 봤어요. (웃음) 저도 데었으니까. OECD 자료들 이런 거 많이 봤어요. 그런 일부라고 여겨야 되는 겁니까? 아니면 전체 페미니즘 문화라고 받아들여야 되는 겁니까? 이게 좀 궁금합니다.

이 저는 페미니즘 일부냐 전체냐 문제로 볼 건 아니라고 생각해요. 페미니즘 자체가 가지고 있는 이념적 내용입니다. 조금 더 과하고 격렬하게 표현하는 사람이 있다고 해서 페미니즘이 아닌 건 아니고, 페미니즘이 다 가지고 있는 내용이에요.

래디컬 페미니즘이라고 하잖아요. 지금 한국 사회에서 흥하고 있는 것이 래디컬 페미니즘이고. 일부에선 저건 페미니즘이 아니라고 자꾸 규정하는데, 사실 의미 없습니다. 좋은 페미니즘과 나쁜 페미니즘을 감별하지 말라는 게 페미니스트의 요구예요. 그냥 페미니즘이 그런 겁니다. 우리가 페미니즘을 성평등, 인권 같은 기본권과 관련된 것으로 인식하고 있다 보니까 혼란이 오는 거죠. 원래 페미니즘은 그렇습니다. 래디컬 페미니즘은 더더욱 그렇고요.

그리고 여성들의 혐오 공격이나 혐오 운동 전략을 우호적으로 대하는 남자들의 두 가지 태도가 있다고 봐요. 하나는 여혐을 대하는 남성 일반의 태도인데, 너그러움, 남자다움을 과시하면서 여자들이 그동안 약자였으니까 저 정도는 이해해줘야지, 받아줘야지, 하면서 예민하게 반응하는 남자들을 찌질하게 취급하는 부류가 있고요. 또 하나는, 정말로 이념적으로 동의하는 부류가 있어요. 아까 유아인 씨 같은 경우를 매우 정치적인 사건으로 취급하면서 유아인을 여성혐오자로 규정하는 진지한 글을 쓰는 사람들처럼요. 주로 진보운동 영역에 있는 남성들이죠.

전자는 우리가 흔히 맨박스Manbox라고 말하는 남성다움의 틀에 갇혀 있는 사람들입니다. 맨박스의 태도를 보이는 사람들은 대체로 586세대가 많아요. 저는 두 가지 태도 모두 문제라고 얘기합니다.

황　'왜 여자를 울리고 그래!' 이런 시기는 이제 지난 것 같아요. 정말 동등한 관계에서 토론해야 하는 거죠. 그런 의미에서 여혐, 남혐 다 포함해서 이야기를 진행해보지요.

보편상식을 벗어난 이중잣대

이　여혐에서 제가 중요하게 얘기할 건 이중잣대입니다. 가장 대표적인 게 여성혐오는 성립되지만 남성혐오는 성립할 수 없다는 말이에요. 강자는 혐오 발언을 들어도 위협을 느끼지 않는다, 남성들이 무슨 위협을 느끼느냐는 논리입니다. 최근에는 인권운동에 관여하거나 법을 전공한 분들, 특히 남성 지식인이 많이 얘기해요. 〈까칠남녀〉에서도 있지 않았나요? '롤리타는 범죄지만 쇼타는 취향이다.'

> 여성혐오는 있지만 남성혐오는 없다는 내로남불

황　그거 유튜브 조회 수가 300만이 넘었더라고요. 롤리타는 성인 남성이 어린 여성에게, 쇼타 콤플렉스는 성인 여성이 어린 남성에게 성적 흥미를 느끼는 건데, 저는 둘 다 성적 취향으로 규정하는 게 맞다고 얘기했거든요. 그런데 그쪽에서는 아니라는 거예요. 여자 쪽은 취향이 될 수 있지만 남성은 범죄라니, 이게 말이 됩니까? 정말 큰 문제예요.

이 이해 안 가시죠? 보편상식의 기준에서 보면 이해가 안 되는데, 지금 이념 차원에서는 큰 힘을 얻고 있습니다. 개독이라는 표현을 흔히 쓰잖아요. 그런데 기독교가 기득권 집단이고 사회에서 힘 있는 집단이기 때문에 개독은 혐오가 아니라는 거예요. 같은 논리로 남성혐오도 성립할 수 없다는 겁니다. 남성은 여성이 아무리 혐오해도 살해당할 위협이나 강간당할 위협 같은 공포를 느끼지 않기 때문에 남성혐오는 성립할 수 없다는 거죠. 하지만 여성은 남성의 혐오 발언으로 위협을 느끼기 때문에, 그리고 범죄로 이어지기 때문에 여성혐오는 범죄라고 주장해요.

김 여성들이 느끼는 성폭력 위협, 폭행 위협은 진짜 맞아요.

이 그것과 혐오 표현은 다른 문젠데 이걸 섞어버린다는 거죠. 그래서 여성들이 하는 워마드류 혐오 발언이나 혐오 행위에 면죄부를 주고 심지어 이념적으로 시민권을 부여해주면서, 남성의 혐오 발언에 대해서는 강한 처벌을 요구하는 이중적 기준이 당연시된다는 거예요. 우리 사회에서 이런 담론을 주도하는 사람들은 전통적으로 진보진영이거든요. 인권 영역에서든 어디서든 그렇잖아요.

여성들의 혐오발언에 시민권을 부여해준 진보진영과 진보매체

우리가 그동안 몰랐던 인권 개념을 새로 짚어내서 사회적으로 환기하는 일을 해온 것이 진보진영인데, 지금은 진보진영이 혐오 발언에 면죄

부를 주고있어요.

심지어 '여성들아, 마음껏 혐오해라.' 같은 말을 공식적인 글에 쓰거나 '초라한 남근 다발들.' 같은 말을 공적 매체에 쓴단 말이에요. 남성들이 느끼는 혐오에 대한 분노나 공포나 위협에 대해서는 어떤 식으로도 취급하지 않아요.

김　혹시 레토릭이 아닐까요? 여성이 그동안 너무 억눌리고 짓밟혀왔기 때문에 충격요법을 통해서 진정한 성평등을 이루기 위한.

여성을 특수계급으로 만들 것이 아니라면

이　레토릭이라고 해도 문제지만, 최근에 인천에서 퀴어 집회 행사를 하려다가 기독교 쪽 반대로 무산됐잖아요. 이런 사안이 있을 때마다 차별금지법 제정하라는 얘기를 해요. 법 제도로 차별을 규제하고 처벌해야 한다고 요구하고 있어요. 여성혐오도 마찬가지예요. 법안을 만들 때 혐오 표현이나 혐오 행위에 소수자 개념을 넣으려고 하는 겁니다. 그냥 레토릭이 아니라 실제로 제도적 처벌로 이어질 수도 있는 거죠.

보통 UN 같은 곳에서 권고하는 포괄적 의미의 차별 금지는 '성별, 인종, 종교, 성 정체성 등으로 인해 다른 사회구성원과 다른 부당한 취급을 받지 않을 권리'라고 명시하고 있어요. 한국도 UN으로부터 차별금지법을 제정하라는 압력을 받고 있고요. 그래서 몇 차례 입법하려다 실패해서 현재는 없는 상태인데 이걸 빨리 제정하라고 요구하는 겁니다. 그러려면 혐오 행위, 혐오 표현, 혐오 발언에 대해 규정해야 하는데, 특별히 소수자에 대한 혐오를 넣으려고 하는 거죠. 문제는 여성을 소수자로 분류하는 거예요. 그러면 여성혐오는 법적으로 처벌받게 되는데, 거기서 혼란이 일어나는 거죠. 여성에 대한 차별적인 혐오 발언은 당연히 문제입니다. 그런데 이미 모욕이나 명예훼손을 처벌하는 규정이 있어요.

황　모욕죄가 있고 명예훼손죄가 있죠.

이　차별금지법에서 법적으로 규제하려는 건 여성혐오라기보다 혐오 표현이에요. 헤이트 스피치, 헤이트 크라임hate crime이라는 영역인데, 한국에는 아직 이 법은 없어요.

김　이를테면, 일본에서 조선인을 혐오하는 발언을 막는 법을 만들고 있죠.

이　일본도 최근에 마련했어요. 헤이트 스피치 관련 법안이 하나 통과됐어요. 일본도 우익들이 재일조선인 대상으로 하는 혐오 행위가 아주 심하잖아요. 처벌 법안은 아니고, 어떤 걸 혐오로 규정하는가 하는 법안이 통과된 걸로 알거든요.

황　작가님은 여성을 소수자 안에 포함해야 한다고 생각하십니까? 아니라고 생각하시는 거죠?

이　이미 성별이라는 규정이 있어요. 여성이든 남성이든 성별로 인한 혐오 발언을 이미 금지하고 있습니다. 그리고 보호 대상이 주로 여성이에요. 그런데 소수자라는 개념에 여성을 집어넣는 순간 소수자 개념을 계속 따져야 해요. 그걸 누가 구별할 겁니까? 예를 들면 예멘 난민 사태가 있었죠. 난민을 승인하면 안 된다고 여성들이 청와대 청원도 올렸어요. 이슬람 문화권에 있는 여성혐오와 여성에 대한 폭력 문화를 우려하면서 예멘 난민이 들어와서 여성을 강간하면 어떻게 하느냐, 이런 공포가 있는 거예요. 저는 실존하는 공포일 수 있다고 생각해요.

황　납득이 갑니다.

이　예멘 난민이 왔을 때 제주도 여성의 안전은 어떻게 책임질 거냐고 물으면, 여기서 누가 더 사회적 약자인지 감별해내야 돼요. 어떻게 할 겁니까?

김　난민도 약자라면 약자인데.

이　지금 세계적인 추세로 보면 가장 약한 사람들이죠. 그런데 여성들이 너희가 아무리 약자여도 우린 너희 한테 강간 공포를 느껴, 라고 하면 이

> 소수자 개념에
> 여성을 넣으면 계속 약자와
> 소수자를 감별하고 판단해야
> 하는 상황에 놓인다

관계에선 누가 약자가 됩니까? 매우 난감한 문제죠. 이런 식으로 계속 약자와 소수자를 감별해내고 판단해야 해요. 가능합니까?

황　쉽지 않겠는데요.

이　쉬운 문제가 아니에요. 그리고 대한항공 재벌 사모님이 경제적 약자인 운전기사나 자기가 고용한 남성에게 폭언을 하죠. 그 관계에서는 누가 약자입니까? 이분 성별은 여성이에요. 이 여성을 소수자라 할 수 있습니까? 사회경제적인 지위는 가변적인데 정체성, 속성으로 분류해서 한 사람을 항상 약자의 지위에 놓고 이 사람만 특별히 보호한다는 취지로 제도를 만드는 건 특수계급을 만드는 거예요. 우리 헌법에서는 특수계급을 만들 수 없어요. 그래서 이건 매우 신중하고 엄밀하게 따져봐야 하는 문제예요.

황　차별금지법 같은 제도는 도덕 규범이나 개인적 대화와는 정말 차원이 다른 이야기군요.

이　미국에서 인종주의 발언은 민권법으로 처벌받아요. 그런데 법적 처벌로 들어가면 매우 엄격하게 따져요. 다중 공간에서 말했느냐, 면대면으로 말했느냐, 발언 수위가 어땠느냐 하는 걸 보는 거죠. 그런데 미국은 표현의 자유를 굉장히 중요하게 여기기 때문에 증오 발언으로 처벌받는 사례가 많지는 않다고 해요.

중요한 건 증오범죄(헤이트 크라임)의 경우, 2016년에는 백인에 대한 흑인의 증오범죄가 처벌받았어요. 흑인이 백인을 대상으로 저지른 범죄, 그러니까 역이 성립되는 거예요. 성별, 인종, 성 정체성, 종교 이런 범주는 보편적이에요. 누구도 여성이라는 이유로 혹은 남성이라는 이유로 차별적인 권리침해를 당할 수 없는 거죠.

황　법이 되려면 이게 맞죠.

이　이런 법안들이 세계적으로 계속 만들어지는 이유는 기본권을 더 충실하게 보완하기 위한 조치예요. 왜냐하면 증오범죄의 대상은 소수자나 사회적 약자인 경우가 많잖아요. 소수자 개념은 지배적인 지위에 있지 못한 사람들이죠. 우리나라 예를 들면 연변에서 온 노동자들이 권리침해를 받을 수 있잖아요. 경제적 약자의 차별에 대해서는 고용관계법이나 근로기준법을 통해 이미 보호는 받고 있어요. 그런데 사회적 환경이 변하니까 이주민이나 소수민족에 대한 범죄를 더 특수하게 보완할 필요가 생긴 거죠. 유럽이 이민자 문제로 골치를 앓잖아요. 보편적인 기본권을 더 충실하게 이행하기 위한 조치가 필요해집니다. 그러나 특수한 어떤 사람들만을 위해 보호하고 처벌하는 조항을 만드는 건 보편 기본권의 원리에 안 맞는 거죠.

김　이중잣대 문제, 생각보다 심각하네요.

이　그래서 저는 한국 지식인들이 너무 무책임한 발언을 하고 있다고 생각해요. 남혐은 존재할 수 없다, 이런 말은 성립되어선 안 됩니다.

황　쉽게 생각할 때 소수라는 건 단어 뜻 자체로 보면 적은 수를 의미하는데, 여성은 인류의 반이잖아요.

이　운동 차원이나 캠페인 차원에서 도덕 규범을 주장하는 것과 제도로 이어지는 건 다른 문제인데, 우리는 지금 이걸 섞어놓고 막 그냥 얘기하는 거예요. 그래서 엄밀하게 들어갈 필요가 있다고 생각해요.

> 도덕 규범을 주장하는 것과 제도로 만드는 것은 다르다 엄밀하게 생각할 필요가 있다

김　그러니까 남혐은 없다. 이게 잘못됐다는 얘기 아닙니까?

이　성별이라는 개념에서는 이미 여성과 남성이 똑같아요. 혐오는 당연히 존재해요. 남성혐오라는 개념 자체를 부정할 수 없어요. 워마드만 들어가도 남성혐오가 어떤 식으로 이뤄지고 있는지 다 보이는데요.

김　그건 미러링이라고 볼 수 없는 거겠죠.

이　저는 이제 미러링 전략은 아니라고 봅니다. 미러링은 그걸 행한 대상에게 보여준다는 건데 이미 일베를 향하고 있지 않거든요. 남성 일반 모두를 혐오 대상으로 하고 있어요. 자신들이 원본이 되고 있는 거죠.

황　저는 개인적으로 미러링을 제일 잘 사용하신 분은 김숙 선배님이라고 생각해요. 예를 들어 '남자 목소리가 어디 담벼락을 넘으려고

그래?' 이런 말 들으면 재밌잖아요. 그리고 맞아, 저런 말은 우리가 옛날에 많이 썼는데 이제 쓰지 말아야 될 말이야, 이럴 수 있죠. 하지만 미러링이 혐오범죄로 가기 시작하고 대상이 없는 미러링으로 가기 시작했어요. 그러면 범죄가 될 수 있다는 말입니다.

이 페미니스트들이 주로 논거로 드는 게 여성들이 느끼는 공포, 불안감, 위협감입니다. 저도 여성이기 때문에 그 불안감과 공포를 이해합니다. 그런데 감정이 처벌의 근거가 될 수는 없어요. 정확히 말하면 처벌의 기준이 될 수 없다는 거예요. 왜냐하면 같은 말이라도 받아들이는 사람에 따라서 위협감이 다 다르거든요. 그런데 페미니스트들은 가장 약자로서 느끼는 극단적 수준의 공포를 기준으로 삼으려고 해요. 만약 어떤 여성이 자기는 말만 해도 엄청난 공포를 느낀다고 하면 그 기준에서 법을 만들어야 됩니까? 아니잖아요. 거기 동의할 수 있나요?

> 여성의 불안과 공포에는
> 공감하지만 감정에 기초해
> 제도를 만들면 안 된다

사회구성원의 보편적 이익과 권리를 보호하기 위해서는 주관적 감정에 기초해 제도를 만들면 안 된다는 거예요. 실존하는 위협이나 처벌 가능한 개념을 명백하게 규정해야 해요. 그렇지 않고 여성들이 불안을 느끼니까 어떻게 해야 한다 식의 논리는 아무 논증도 없는 권리주장인데 용인해선 안 된다고 생각해요.

남성을 옹호하려는 게 아닙니다. 기본권을 훼손하려는 시도에 대해 강력한 문제의식을 가지고 있기 때문에 이런 얘기를 하는 거예요.

성별이 아니라 기본권의 문제

황   이제는 좀 심각하게 받아들일 때가 됐어요. 이제 법으로 가기 때문에 누군가에게 정말 억울한 피해가 생기는 단계일 수도 있어요.

이   대표적으로 지금 법무부가 무고죄 수사를 유예하는 지침을 만들었죠.

황   여성이 고소하면 판결 전까지 무고죄로 고소할 수가 없잖아요.

이   고소는 할 수 있는데 수사를 유예하는 거예요. 제도상으로 보면 무고라는 죄에 해당하는 조치니까 성별은 똑같이 적용되죠. 그런데 지침을 내린 이유는 명백하게 여성 보호를 위해서예요. 여성들이 계속 요구했거든요. 여성들의 목소리가 무고의 덫에 걸려서 못 나간다는 요구 때문에 만든 지침입니다. 법률로 제정은 안 됐다 하더라도 실제로 행사되는 지침인 거죠. 이 문제도 굉장히 심각해요. 성추행범으로 유죄판결 받고 법정구속된 곰탕집 사건이 온라인을 달구고 청와대 청원 4일 만에 20만을 돌파했어요.

저는 찌질한 남성들의 행위로 무시하면 안 된다고 봐요. 우리나라 절반에 해당하는 사회구성원이 동일한 분노나 위협이나 공포를 느끼고 있다면 유의미하게 취급해줘야 돼요. 여성들의 분노나 공포감과 마찬가지로 무시하면 안 됩니다. 남자들의 찌질함으로 취급하면 정말 여성혐오자가 될 수 있어요. 그러면 제가 우려하는 건데 진짜 혐오범죄로 이어질 수 있어요.

황   여기 녹음하러 올 때도 엘리베이터에서 참 스트레스 받았어요. 어떡하면 몸에 안 닿을까? 벽에 붙다 못해 아예 돌아섰습니다. 거울에 제 얼굴이 있더라고요. 내가 내 얼굴과 뽀뽀하고 있는……

이 성추행범으로 몰리지 않으려면 대중교통에서 어떤 자세를 취하라는 등 지침이 돌아요. 이런 대응법이 남성 온라인 커뮤니티에서는 광범위하게 돌고 있어요. '무고에 대처하는 법'이라고 법률가들이 매뉴얼을 만들기도 하고. 워낙 많이 일어나니까 이건 현실적인 문제라는 거죠. 그런데 이걸 남자들의 찌질함으로 취급할 것인가? 저는 아니라고 생각해요.

여성들은 무고를 할 리가 없다. 이렇게 말하는 여성운동가도 있거든요. '성범죄는 여성에게 심각한 낙인인데 어떤 여성이 그걸 감수하고 거짓말을 하겠느냐.' 기사에도 나와요. 그런 논리면 성범죄는 여성이 고소하면 무조건 다 유죄를 내려도 아무 논리적 하자가 없죠. 여성이 거짓말하지 않는데 말이죠. 국민의 기본권을 실제로 침해하는 형태로 나타나는데 단순히 성별 문제로만 취급해서는 안 된다는 거죠. 경각심을 가져야 한다고 저는 생각합니다.

> 기본권이 실제로 침해당하고 있는 상황에 대한 경각심을 가져야 한다

문제는 이걸 이야기해야 할 사람들이 안 합니다. 진보영역에서 인권 담론을 주도해왔던 지식인들이 해야 되는데, 오히려 입을 다물고 있어요. 여성은 약자라는 관념이 굉장히 크게 작용합니다.

황 그런 얘길 하는 것 자체로 본인이 찌질해 보인다고 낙인찍힐까 봐 그런 것 같아요.

이 인권은 기본적으로 약자를 위하는 것인데 거기에 반한다고 생각하는 거죠. 그러니까 흐름을 거스르기 굉장히 힘들죠. 상대적으로

32

저는 더 말하기 편한 게 있어요, 분명히. 제가 여성이기 때문에.

정리하자면, 여성혐오 문제에서는, 첫 번째 개념 정립, 혐오라는 개념에 대한 정립과 오남용에 대한 대책이 있어야 한다. 두 번째, 남혐은 존재할 수 없다는 이중잣대는 문제다, 혐오 발언에 대해서는 누구든 똑같이 취급해야 된다. 그것이 사회통합을 위해서도 필요하고 기본권 정신에도 부합한다. 세 번째, 혐오 발언에 시민권을 부여해주는 진보진영의 문제가 있다. 이 세 가지가 굉장히 중요합니다.

김 그런데 진보언론이 이선옥 작가님의 말을 실어주지 않아요. 저는 이런 게 반지성이라 보고 〈우먼스플레인〉 프로그램을 기획하게 된 것입니다.

이 제가 진보언론에 주로 기고해왔기 때문에 관계가 굉장히 좋았어요. 그런데 한 10년 넘게 해오면서 이 사안처럼 제 의견이나 글이 배제당한 경험을 해본 적이 없어요. 그래서 참 복잡다단한 심경입니다.

김 이른바 남혐은 없다는 논리, 이 논리는 하나의 사상체계가 된 게 아닌가, 그런 생각도 들어요.

이 강자 혐오는 존재할 수 없다, 저는 동의하지 않아요. 더 특수하게 보호해야 할 존재가 있다, 당연히 동의하죠. 이게 차별금지법에 담으려는 정신이고. 그런데 이런 식으로 옹호하는 건 전 반대합니다. 남성 여러분은 여혐으로 대응하지 마시고 제발 논리를 갖추세요.

남성들이 자기 의견을 어디서도 취급해 주지 않으니까 자칫하면 정말로 여성혐오자가 될 수 있어요. 큰 우려가 됩니다.

김 미투 폭로자 관련 기사의 댓글을 보면 수긍이 안 되는 여혐성이 아주 봇물 터집니다.

이　그런데 강자 약자 구도로 봤을 때 최근에 이런 사안에 특히 분노하는 젊은 남성들 있잖아요. 그들은 스스로 강자라는 인식이 없어요. 군대 가야 되지, 도대체 내가 무슨 기득권을 가지고 자랐느냐는 거죠.

김　군대 갔다 왔다고 가산점 주는 것도 아니고.

이　경제가 불황이다 보니 취업도 안 되고, 오히려 경제적 약자인데, 기득권자·강자로 분류돼서 계속 공격받으니까 분노가 쌓이는 거예요. 저는 증오범죄가 나올 수도 있다고 생각해요. 굉장히 우려됩니다.

황　증오를 증오로 푸는 문화가 대결을 더 심각하게 만드는 거잖아요.

이　그 대결을 진보매체 혹은 진보단체들이 부추기기 때문에 제가 늘상 비판하고 있는 거예요. 성별 대결로 계속 가져가니까.

김　오늘은 여혐 남혐의 이중잣대 이야기를 풀어주셨습니다.

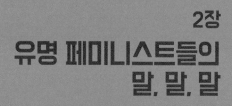

2장
유명 페미니스트들의 말, 말, 말

2018년 11월 13일 10화 방송

황 〈우먼스플레인〉 인사드립니다. 젠더이슈가 언론에서 끊이지 않고 나오고 있어요.

김 오늘 충청도 어떤 학교에서 선생님이 학생과 관계를 가졌다는 뉴스가 있었어요. 여자 선생님인데 결국 이혼했어요. 이게 어느 나라 대통령 이야기하고 많이 닮았습니다.

황 마크롱 아닙니까?

김 기혼녀였던 선생님의 상대가, 말하자면 갑을 권력 관계가 형성되어 있는 학생인데요. 참 경계가 애매해요. 작가님은 어떻게 보셨어요?

이 일단 교사와 고등학생이면 의제강간에 해당하지는 않고요. 나이가 만 13세 이하면 동의하에 성관계를 가졌다 해도 범죄로 처벌받아요. 그걸 의제강간이라고 합니다. 13세 이상의 경우에는 법에서 성적 자기결정권을 인정하고 있어요. 그래서 이 사안이 처벌받을 사안인지 아닌지는 재판에 가야 알 수 있어요. 나이가 의제강간 연령 이상인 사례에서도 아동복지법을 위반했다고 유죄를 선고한 경우도 있기 때문인데요. 언론 보도를 통해서 아는 내용은 피상적이라서 그것만으로 판단할 수는 없습니다. 어쨌든 팩트는 남자 고등학생 둘과 교사가 성관계를 가졌다는 거. 교사의 남편이 학교에 제보해서 사실이 드러났고, 아직 법적인 사건으로 갈지 안 갈지는 모르는 상황입니다.

김　그런데 간음이나 성폭력이 아니라 둘이 정말 사랑하는 사이였다면 어떻게 봐야 하는 거죠?

황　한 가정에 파탄을 일으켰잖아요. 거기에 대한 책임은 져야죠.

이　도덕적 책임과 법적 처벌은 다른 문제예요. 사적 영역에서 책임 여부는 당사자가 해결할 일이고, 공적으로 법적 처벌이 가능한 사안이라면 정확한 사실관계에 근거한 얘기만 할 수 있겠죠.

황　이런 사건이 터질 때마다 언론이 대대적으로 보도하고 선정적인 제목과 자극적인 내용으로 시선을 끌어서 실시간 검색어 상위에 올리기 바쁜 현상이 계속 나타나고 있잖아요. 여기에 대해서는 어떻게 생각하시는지?

이　저는 우리 사회에서 일어나고 있는 문제의 70% 정도는 언론 책임이라고 봐요. 보도할 가치가 있는 사안인지 아닌지 판단하는 기능을 완전히 놓았다고 생각합니다. 자극적인 보도로 굳이 몰라도 될 일까지 중요한 문제로 여기게 하고 있어요.

예전에는 언론이 사회 의제를 정한다는 자부심이 있었죠. 지금 언론은 온라인으로 뉴스를 생산하면서 끝없이 낚시질로 독자를 낚아야 하는 구조적 문제가 있어요. 뉴스를 접하는 방식 자체가 포털로 바뀐 영향도 크지만, 그렇다고 저널리즘의 본분을 망각해선 안 됩니다. 공익과 어떤 관련이 있는지 책임감을 느껴야 되는데 그걸 잃어버렸어요. 미리 그림을 그려놓고 거기에 맞는 사실관계만 선별해서 꿰맞추는 식으로 보도하니까 독자들은 실체를 파악하기가 어렵죠. 비난부터 하게 되고.

황   옛날에 정보검색사가 있었잖아요. 정보를 검색해서 찾아줘요. 요즘에는 정보가 너무 많아서 개개인이 분별능력을 키워나가면 좋겠다는 생각이 듭니다.

김   그런데 인상비평으로 결론부터 딱 내려놓고 자기주장을 뒷받침할 수 있는 것만 뽑아서 글을 전개하는 모습이 페미니즘 주장하는 분들 글에서도 많이 읽혀요.

황   그래서 오늘 그 주제로 얘기해볼게요. 그분들의 발언은 과연 정확한 팩트에 기반한 얘기인가, 이걸 짚어볼까요?

김   제가 살면서 얼마나 많은 말을 했겠습니까? '이런 병신.' 이런 식으로 얘기했단 말이에요. 그런 말만 10개 뽑아서 저를 상습적으로 장애인 비하 발언을 하는 장애인 혐오주의자로 만들어버려도 제가 할 말이 없어요.

황   저 역시 마찬가지예요. 〈까칠남녀〉라는 프로그램에서 '애 안 낳으려고 하는 여성은 이기적이다.'라고 얘기했는데 원래 맥락은 서로 합의가 있었는데도 불구하고 결혼 후에 아이를 안 낳겠다고 하면 그건 이기적이라는 거였어요. 그런데 '애 안 낳는 여성은 이기적'이라고만 캡처돼서 방송에 나간 거야. 그걸 또 누가 트위터에 올렸어요. 만쓰, 만들어진 쓰레기가 됐어요.

메갈리아가 일베에 조직적으로 대응한 유일한 당사자?

이 젠더이슈 관련한 페미니스트들의 발언에는 여러 문제가 있어요. 사실관계가 맞지 않거나 이른바 내로남불이라고 하는 이중잣대 등등. 그중에서 몇 가지를 얘기해보려고 해요. 고발하기 위해서가 아니라 이런 사안에서 어떤 태도를 가지는 게 좋을지 얘기해보고 싶은 겁니다.

황 사실관계를 따져보는 시간을 가져볼 텐데요. 정희진 씨가 이런 얘기를 했어요. '메갈리아는 일베에 조직적으로 대응한 유일한 당사자다.'

> 고발이 아니라 태도에 관한 이야기이다

이 〈메갈리아는 일베에 조직적으로 대응한 유일한 당사자다〉, 《한겨레》 기고한 글인데 두 면인가로 크게 났어요. 필자가 자기 이름 걸고 지면에 내보낸 공적인 글에서 사실관계를 왜곡한 것이기 때문에 문제가 되죠. 메갈리아는 일베에 대응한 당사자가 아닙니다. 커뮤니티 이용자라면 대부분 알고 있을 텐데 '일베 대첩'이라는 유명한 사건이 있었어요.

2012년 대선 직전에 커뮤니티 연합군을 결성해서 일베를 퇴치하는 전쟁을 한 번 치렀는데, 그때 메갈리아는 있지도 않았어요. 일베라는 커뮤니티에 우리 사회의 커뮤니티들이 어떻게 대응했는지는 이미 객관적으로 다 나와 있는 사실이에요. 정치혐오, 지역혐오, 여성혐오를 조장하는 반사회적 패륜 집단이라는 이유로 일베를 고립시켰어요. 사실 메갈리아와 워마드가 나와서 한 건 일베를 미러링한다고 선언하고 일베 말투를 그대로 따라 한 거예요. 그걸로 일베가 퇴치된 건 아니거든요.

일베에 대항한 조직적인 당사자들은 사실 '오늘의 유머'(오유)를 필두로 한 여러 커뮤니티의 연합군이었어요. 커뮤니티 활동하는 사람이라면 대부분 아는 내용입니다. 기사가 났을 때 정희진 선생이 자기는 온라인 활동을 하지 않는다고 썼어요. 그러니까 온라인 활동도 안 하면서 왜 알지도 못하는 사실을 왜곡하느냐는 댓글이 많이 달렸죠. '우리가 일베랑 어떻게 싸웠는데……' 하는 감정이 있는 거예요. 당사자들이 빤히 있는데 전혀 사실과 다른 얘기를 한 거죠.

김　뭐뭐 했노. 그거 다 노무현 대통령 조롱하는 거 아니에요?

이　네, 미러링이 일베를 향했다기보다 일베를 그대로 따라 하면서 한남이라 칭하는 남성 일반으로 방향을 설정했거든요. 그러니까 메갈리아가 일베에 조직적으로 대응했다는 글을 쓰면 안 되죠. 설사 필자가 그렇게 제목을 뽑았다 해도 편집진이 그렇게 쓰면 안 되는 건데, 사실관계를 왜곡한 대표적 사례입니다. 오유 유저들이 그때 엄청 화냈죠. 역사를 왜곡하니까.

황　기고 내용을 살펴보면 일베 현상을 연구하자는 동료들이 많은데 모두 공포 때문에 발을 뺀다는 내용이 있습니다.

이　그분 주변 연구자들은 그럴지 모르겠는데 일베는 너 나 할 것 없이 모두가 사회적으로 고립시켰죠. 오히려 진보진영 일부는 그때 일베를 폐쇄해야 한다는 여론에 반대했어요. 폐쇄로 답할 문제가 아니라는 식으로.

황　연예인들은 그렇거든요. 메갈리아랑 워마드에서 발을 빼요. 건드려봤자 프로그램도 그렇고 난리가 나니까 오히려 편을 들면 들었지 방송에서 언급조차 안 합니다.

　이　일베가 우리 사회에서 어떤 취급을 받습니까? 취업 후에도 일베 유저였단 걸 알면 난리가 나잖아요.

　김　일베 유저였던 KBS 기자 한 명은 이름과 얼굴이 알려져서 회사 안에서 희망이 없어요.

그때그때 성별따라 달라요

　이　사실관계 왜곡 외에 또 하나는 이중잣대 문제가 굉장히 크죠. 페미니즘 비판하는 분들이 꿀빠니즘, 뷔페니즘 같은 말을 많이 써요. 좋은 것만 골라서 꿀을 빤다는 건데, 현희 씨도 있잖아요. 〈까칠남녀〉 때 유명한 사건.

　황　롤리타 콤플렉스는 범죄고, 쇼타 콤플렉스는 취향의 문제다.

　이　그게 맥락에서 따로 떼서 편집한 게 아니라 실제 그렇게 말한 건가요?

　황　방송할 때도 제가 너무 화나고 어이가 없어서 따졌었잖아요. 말도 안 되는 소리에 몇몇 분들이 고개를 끄덕이고 있어서 제가 얘기했는데, 방송에서는 많이 편집됐죠. 사실 더 말이 안 되는 얘기를 했어요.

　당시 초등학교 교사가 만두 사주겠다며 어린아이를 유혹해서 성관계를 맺은 사건이 있었어요. 그런데 그걸 남성의 아동성범죄와 똑같은 잣대로 들이대면 안 된다, 어떤 부분에서는 취향으로 존중받을 수 있다, 이런 논리로 얘기하는 거예요. 너무 어처구니없어서 대본 찢어 던지고 집에 갈 뻔했어요.

이 그런 이중적인 기준이 문제가 되죠. 아동에 대한 성범죄는 어떤 경우든, 아동이 남자든 여자든 그리고 어른이 여성이든 남성이든 똑같이 단호하게 아닌 건 아니라고 해야 되는 겁니다. 그렇게 이중잣대를 가지고 얘기하니까 사람들이 페미니스트들을 비판하게 되는 거예요. '어떻게 저렇게 이중적으로 생각할 수가 있지?' 그걸 혼자 생각만 하는 게 아니라 공적인 방송에 나와서 공공연하게 주장하니까 비판을 많이 듣는 거죠.

황 그분들과 얘기 나눌 때 안타까웠던 점이 이중잣대가 문제라는 걸 전혀 못 느낀다는 거예요. 그리고 데이트할 때 남성이 여성보다 7대 3, 또는 6대 4 정도로 많이 쓴다, 그러면 대부분 동의하잖아요. 그런데 그분들은 '그런 사람들만 만나세요?' 이런 식이야. 당신이 이상한 사람 만나고 와서 왜 여기서 그런 얘기를 하느냐는 거죠. 아니, 자기는 그러지 않는다는 것도 아니고 아예 그런 사람은 없다는 거예요. 그래서 느꼈죠. 진짜 대화가 안 되는구나……

이 이중잣대 사례 하나를 더 들자면 지난 7월에 몰카 사건으로 혜화역 시위가 있었을 때, '문재인 재기해!'라는 구호가 나왔어요. 그게 일베에서 하던 짓이에요. 혜화역 시위에서 그런 구호가 나온 게 언론에 보도되니까 녹색당 공동운영위원장 신지예 씨가 이렇게 말했죠. '그 구호가 큰 문제는 아니다. 집회 전체 맥락을 봐야 한다. 그동안 여성들이 당해온 게 있기 때문에 일부 여성이 그런 구호를 했다고 큰 문제는 아니다. 본질을 봐야 한다.'

황 재기해는 죽으라는 뜻이에요.

이　　그리고 노회찬 전 의원이 비극적으로 돌아가신 후에 '회찬하다'라는 말이 워마드에서 돌았어요. 남성의 비극적인 죽음에 대해서 누가 됐든 그걸 조롱해요. '회찬하다' '또 한 명의 한남이 죽었다' 같은 말은 남성의 죽음에 대해 늘 따라오는 워마드의 일반적인 수사예요. 그런데 회찬하다는 말이 워마드에서 나왔을 때 신지예 씨가 '그건 사람이 사람으로서 할 수 있는 소리가 아니다.'라고 말했어요.

노회찬 의원은 진보진영에 있고 자신이 지지하고 좋아했던 분이니까 거기 대해서는 어떻게 사람이 이런 소리를 할 수 있느냐고 강력하게 비판하고, 다른 이의 목숨에 대해선 맥락을 보라고 옹호하는 거예요. 이런 식의 이중잣대가 문제죠. 아무리 정치적 구호라 해도, 타인의 생명을 경시하는 구호를 붙이면 안 되잖아요.

공정한 기준을 가지고 일관된 태도를 보여야 하는데 이렇게 일관되지 않으니까 비판을 받아요. 그리고 비판하면 '여혐러들이 날 욕한다.'라는 식으로 대응해요. 페미

> 페미니스트들의
> 원칙과 일관성 없는
> 이중잣대에 대한 비판

니스트들이 혜화역 집회에 대해서 본질을 보라고 얘기하듯이, 자신들의 행동에 대한 비판에 대해서도 표면적인 것을 보지 말고 본질을 봐야죠. 원칙 없음, 일관성 없음, 이중잣대, 이걸 비판하는 거거든요. 본질을 살펴볼 필요가 있다고 봐요.

황　　경주마 같다는 생각이 들어요. 옆을 못 보게 가리고 내가 생각하는 목표만 보고 뛰는 사람들 같아요.

김　　훌륭한 비유입니다. 다음으로 신지예 씨가 했던 말 중 강서구 피시방 살인사건에 대해 얘기해보겠습니다. 신지예 씨가 피시방 살인

사건의 피의자 얼굴과 신상정보가 공개된 것과 관련해서 무죄추정원칙에 따라 이 사람을 범죄자로 단정하면 안 된다, 신상 공개에 신중해야 한다, 그랬어요. 그런데 미투운동 피의자에 대해서는……

이 　일단 피의자는 아니고요, 저는 그 사건에서 신지예 씨의 발언은 의미 있었다고 봐요. 무죄추정원칙을 그 사건에 붙이기에는 좀 모호하긴 하지만, 범죄자라고 생각하는 피의자의 신상을 공개하는 문제에 대해서는 인권운동 진영에서 꾸준하게 반대해왔어요. 잔혹한 범죄가 일어나면 신상을 공개하라고 요구하잖아요. 범죄예방에 효과가 있다기보다는 일단 분노해 있기 때문에 그걸 원합니다. 그런데 국가가 그 사람의 신상을 공개해서 얻는 실익이 무엇인가, 라는 질문을 인권운동 진영에서 늘 던졌죠.

신지예 씨가 그 사안에 가해자 혹은 범죄자의 인권 문제로 접근했다면 설득력이 있었을 텐데 무죄추정의 원칙을 갖다놓은 거예요. 해당 사건의 당사자가 범행 사실을 인정했고 증거물이 다 확보된 상태였잖아요. 그리고 법 조항에 신상정보를 공개할 수 있는 예외조항을 둬서 어떤 사례에서는 공개할 수 있다고 되어 있어서 공개한 거죠.

폭로 즉시 가해자로 특정되고 범죄자로 규정되는 미투운동의 본질적 한계와 위험성

그러면 법 조항에 따랐다 하더라도 범죄자의 신원을 공개하는 것은 인권 차원에서 신중해야 한다, 이렇게 말했어야 하는데, 무죄추정원칙을 가져왔단 말이죠. 재판이 끝날 때까지 무죄추정원칙을 지켜야 한다, 좋아요. 맞는 말이에요. 그런데 그동안 미투운동에 동참했던 신지예 씨는 미투운동이 가지는

근원적인 문제, 즉 폭로 즉시 가해자로 특정되어서 범죄자로 규정되어 버리는, 무죄추정원칙이 적용되지 않는 것에 대해서는 왜 한 번도 문제 의식을 가동하지 않았는가, 얘기할 수 있는 거죠.

무죄추정의 원칙은 국가가 가장 강력하게 지켜야 할 기본 원칙이에요. 그러면 사인들 사이에서는 지키지 않아도 되느냐, 전 그렇지 않다고 생각해요. 개인 사이에서도 동료시민을 함부로 범죄자로 단정하고 여론으로 처벌하는 행위는 신중해야 하고, 하지 않아야 합니다. 미투운동이 가지는 본질적인 한계와 위험성이 여기에 있죠.

그런데 신지예 씨가 과연 미투운동에 동참하면서 무죄추정원칙을 한 번이라도 강서구 사건에서처럼 생각했는가. 그런 면에서 안타까움이 있죠.

황　신지예 녹색당 서울시장 전 후보가 그런 부분도 생각하고 얘기를 했으면 좋겠습니다. 그러면 좀 더 멋진 정치인이 되지 않을까요?

이　훌륭한 정치인이 되길 바랍니다.

남성이 하면 혐오, 여성이 하면 미러링

이　다음으로 중앙대학교 이나영 교수가 '군무새'라는 비하 발언에 대해서, SNS에 흔히 있는 일이고 일종의 미러링이라며 긍정적 현상이라고 말했지요.

김　군무새가 뭐예요?

이　군대 갔다 온 남자가 군대 경험을 앵무새처럼 반복한다고 해서 비하하는 말이에요. 군무새라는 용어를 많이 써요. 그런데 군무새처럼 여성이 남성을 상대로 비하하거나 혐오하는 발언에 대해서 이 여성학자는 긍정적 현상이라고 주장합니다. 여성의 미러링 덕분에 그동안 남성이 해왔던 잘못된 행동을 되돌아보게 한다는 논리예요.

김 마초를 상대로 하면 모르겠는데, 아니 왜 군대 갔다 온 사람들을 상대로 미러링을 하죠?

이 〈까칠남녀〉에서도 군대 얘기 했었잖아요. 페미니스트들은 군대가 한국 사회에서 남성 권력과 밀접한 연관이 있고 남성의 폭력성과 가부장성을 재현하고 답습하게 하는 구조적 원천이라는 생각이 있어요. 이런 인식 때문에 군대 문제에 대해 많이 얘기하는데, 여기서 우리가 얘기할 건 여성이 남성을 상대로 하는 비하나 혐오 발언은 미러링이란 이유로 다 용인되고 남성이 여성에게 행하는 표현은 혐오로 문제 삼는 태도예요. 이런 이중잣대가 문제인 거죠.

황 남성이 하는 건 다 혐오고 여성이 하는 건 다 미러링?

이 미러링의 원본이 없어진 지도 오래됐고요. 미러링이라는 말로 옹호할 수 있는 시기는 이미 지났다고 봅니다. 최근에 일베도 '노체'를 버렸대요. 유일하게 쓰고 있는 게 워마드예요. 일베도 버린 걸, 유일하게 미러링이라고 주장하는 사람들만 일베 문법, 일베 행동을 그대로 답습하는 거예요. 그래서 이제 미러링은 사실 의미 없다고 봅니다. 그만하셔야죠.

원본이 없어진 의미 없는 미러링, 이젠 그만할 때

황 혐오를 혐오로 이길 수 없는 것 같아요. 혐오도 너무 이슈가 돼서 혐오란 단어가 이제 닭살 돋아요.

이　　예전에 홍대 몰카 사건 때 피해자가 남성이었잖아요. 누드 모델로 활동하는 남성이 몰카 범죄 피해자였는데 워마드에 사진이 배포되면서 문제가 됐고 그 사건으로 혜화역 시위도 벌어졌던 일이 있었잖습니까? 그때 섹시 콘셉트의 잡지 모델이자 편집자이고, 《맥심》의 표지 모델로도 활동한 페미니스트 정두리 씨가 SNS에 뭐라고 썼는지 한번 읽어드릴게요. '학부 때 처음 남성 누드크로키를 했다. 정말 몸이 너무 아름답고 예쁜 남자 모델이 나왔고 얼굴도 예쁘장했다. 그때 처음으로 남자 몸이 예쁘다는 생각을 했다. 학생들에게 이런 좋은 기억은 못 줄망정 저런 초라하고 볼품없고 부피감도 없고 그리기는커녕 처다보기도 싫은 모델을 내세운 건 학교 측 잘못이다.'

김　　이 양반, 《맥심》 모델을 했으면 비난받아야 되는 거 아닙니까?

이　　성 상품화라는 비판에 '나는 주체적으로 선택한 사람이다. 그건 성 상품화와 다르다.'라고 인터뷰했던 분이에요. 그런데 섹시한 콘셉트의 모델, 노출 있는 모델 활동을 한 자기 행위에 대해서는 직업에 자부심 있다고 인터뷰한 분이 누드모델로 일하는 남성의 몸, 더구나 불법적 범죄행위로 커뮤니티에 올라간 사진을 보고 이런 글을 쓴 겁니다. 페미니스트라는 사람이. 어떻게 이런 말을 할 수 있습니까?

제가 이야기한 사례들이 그냥 SNS에 떠도는 말이 아니라 자기 영역에서 자기 이름 걸고 활동하는 페미니스트들이 한 말이에요. 공적인 발언을 하는 분들이 범죄 피해자에 대해 이렇게 말하는 게 진짜 2차 가해죠. 그런데 어떤 페미니스트도 비판하지 않아요. 이렇게 인권 의식이 없다는 게 놀라울 정도입니다.

황　　흥분하시면 안 됩니다. 내로남불 때문에 그러신 것 같은데.

이 특정인을 대상으로 한 인권유린이죠. 심각한 문제입니다. 그때 홍대 몰카 사건이 재판에 들어갔잖아요. 가해자가 워마드 회원인 동료 여성 누드모델로 밝혀졌죠. 징역 10개월을 받았는데 그때 여성들이 난리가 났습니다. 남성 판사라서 여성에게 가혹한 판결을 내렸다면서 막 들고 일어났었는데 여자 판사였어요. 그러니까 이번에는 판사가 대법원에 이용당하고 있다고 하는 해프닝이 있었어요. 남성이라는 성별 자체에 대한 뿌리 깊은 증오와 혐오가 도를 넘어섰습니다.

도를 넘은
남성이라는 성별에
대한 증오와 혐오

황 어이없네요.

신중하고 일관되고 관용하길

이 마지막으로 사례 하나 더 얘기하자면, 얼마 전에 세계적으로 떠들썩한 사건이었는데 한국에선 조용히 지나갔어요. 할리우드 여성배우들이 하비 와인스타인Harvey Weinstein이라는 거물 제작자에게 당한 성폭행 피해사실을 고발하고 나서면서 미투가 촉발되지 않았습니까? 미투를 촉발한 당사자인 아시아 아르젠토Asia Argento라는 여성이 있어요. 배우이면서 감독이기도 한데, 역으로 17세 남성과 성관계를 했고 그 남성이 성폭행 당했다고 폭로했어요. 남자 쪽에서 미투를 촉발한 여성을 대상으로 미투를 한 거죠. 그래서 4억을 주고 입막음을 했어요. 아르젠토가 인터뷰에서 합의한 성관계였다고 주장했는데 남자는 합의가 아니있다고 주장하면서 돈을 주고 입막음하려 한 사실을 폭로했어요. 그러니까 아르젠토가 '돈을 준 건 문제 삼지 않으려고 한 거지 범죄 사실을 인정해서 준 건 아니다.'라고 했어요. 이 사건이 외신에 많이 보도됐는데 한국에서는 조용히 지나갔습니다.

황   왜 그랬을까요?

이   미투운동에 흠결이 되는 사안이니까 진보매체에서 다루지 않았다고 생각해요. 그 사건을 다룬 진보매체도 제목에서 이 사람이 미투운동가라는 게 드러나지 않게 그냥 할리우드 가십처럼 다뤘어요. 제가 이런 얘기를 하는 건 사람들한테 알려서 조롱하자는 의미가 아니에요.

미투를 촉발한 당사자조차 자신이 이렇게 폭로를 당하니까 사실이 아니라고 항변하잖아요. 합의한 관계였다, 사과는 했지만 가해 사실을 인정해서가 아니라 사태를 무마하려고 그랬다, 몰랐지만 미안하다. 당시에 자기가 한 일이 가해나 범죄라고 전혀 생각하지 못하고 있다가 폭로를 당하니까 항변하잖아요.

남자들의 경우엔 항변이 아예 다 묵살당하죠. 가해자는 입 다물라고 하니까. 그런데 누구라도, 여성이어도 그런 폭로를 당했을 때 이렇게 반응할 수 있다는 거예요. 성범죄라는 게 그만큼 내밀하고 사적이고 경계가 모호하단 말이죠. 미투 사건도 그런 특성을 감안해서 신중히 판단해야 하는 거예요. 당해보니까 알잖아요.

황   이 17살 남성이 합의하에 성관계를 했다고 쳐봅시다. 그러고 나서 미투 기사가 났어요. 여자가 '너 왜 그래? 합의하고 했는데 왜 나한테 미투를 해?' 하니까 이 남성이 그러는 거죠. '미러링이야. 당해보니까 어때?' 그러면 페미니스트들은 어떤 리액션을 할까요? 그게 궁금하네.

이 　최근에 미국에서 유명한 페미니스트 여교수를 상대로 한 남학생이 미투를 했어요. 그런데 페미니스트들이 그 교수를 위해서 전도유망한 연구자의 삶을 이렇게 평가하면 안 된다며 구명운동을 하고 있어요. 여성이 미투를 당했을 때 당사자의 특수성을 고려해야 한다면 남성도 똑같이 고려해야 합니다. 잘잘못을 따지자는 게 아니라, 이런 특성이 다 고려되고, 그런 기반에서 사실관계를 확인한 다음 사후적인 처리로 가야지, 여론의 장에서 마녀사냥으로 처단할 문제가 아니라는 겁니다. 미투를 지지하는 분들이 이 문제에 대해서 생각해보셨으면 한다는 간곡한 부탁 말씀드립니다.

황 　요즘에는 논란 자체에 초점을 맞추는 시선이 많아 보여요. 실제 성범죄나, 인종차별이나, 범법 행위라는 사건의 본질이 아니라, 성추행 논란이라든가 인종차별 논란에 더 많은 시선을 주는 것 같아요. 문제의 본질에 시선을 두고 대화를 나누면 좋겠다는 생각이 듭니다.

김 　엄청 좋은 말이었어.

이 　한 사례 더 얘기할까요. 미투운동가로 활동하는 탁수정 씨가 성폭력 사건을 폭로하는 운동에 가담했다가 사실관계를 잘못 얘기해서 허위사실적시명예훼손으로 기소당하고 벌금과 수강명령을 받은 적이 있어요. 그걸 비판하는 여론이 있으니까 이분이 '내가 잘못된 폭로 때문에 허위사실적시명예훼손으로 처벌받은 것 맞다. 비싼 수업료를 치렀는데 이 경험이 내 운동에 소중한 자산이 될 것이고, 잘못을 거울삼아 앞으로 더 잘할 거다.' 그러면서 '남자들은 무슨 잘못을 해도 다 용서되고 기회를 주는데 왜 여자한테만 이렇게 가혹한가. 나는 남자처럼 할 거다. 물러서지 않겠다.' 이런 얘길 했습니다.

김 남자들이 무슨 용서를 받았어요?

이 사회가 남성에게는 관대하고 여성의 잘못은 더 가혹하게 비난한다는 거예요. 그런데 자신의 폭로가 허위였고 그걸로 한 사람의 삶이 타격을 입었잖아요.

김 박진성 씨 말하는 겁니까?

이 박진성 씨 아니고 다른 시인 사례를 폭로했다가 그 시인에게 고소당해서 결국 처벌받았어요. 탁수정 씨가 그 일을 수업료로 삼았다면 다른 사람에게 관대하거나 관용적으로 기회를 주는 게 맞잖아요. 그런데 자신이 주장한 운동에서 자신이 잘못 지목한 사례가 나왔음에도, 남성에게는 어떠한 기회도 관용도 없는 태도를 고수하고 자신에게만 관대합니다. 미투운동에서 너무나 치명적인 잘못을 저질렀음에도 그에 대한 자기 성찰보다 '왜 남자한테는 관대하고 나만 욕해?' 하는 태도를 보인 거죠. 자신에게 엄격하려면 타인에게도 엄격하고, 자신에게 관용적이려면 타인에게도 관용적인 일관된 원칙을 지켜야 합니다.

물론 저는 관용적인 태도로 나가야 한다고 봅니다. 왜냐하면 개개인이 사실관계를 정확히 다 알고 있다고 아무도 확신할 수 없거든요. 우리가 알고 있는 진실이 얼마나 허무한지, 또 사실과 다를 수 있는지, 긴장감과 두려움을 가져야 한다고 생각해요. 내가 알고 있는 게 사실이 아닐 수도 있다. 그리고 내가 잘못하면 타인의 삶을 훼손할 수도 있다. 이런 공포와 책임감을 가

> 잘못하면 타인의 삶을 훼손할 수 있다는 긴장감과 책임감을 가져야 한다

저야 한다고 생각합니다.

　　김　　당연한 말씀이고 뼈 때리는 말씀입니다. 자, 저희는 다음 시간
에 뵙겠습니다. 고맙습니다.

3장
〈나의 아저씨〉는
여성혐오 드라마인가

2018년 10월 02일 4회 방영

김　안녕하십니까? 〈우먼스플레인〉입니다. 연휴 잘 보내셨고요?

이　네. 놀고 일하고 잘 보냈어요. 명절 전에 동네 미용실에 다녀왔거든요. 동네 아주머니들이 모여 계셨는데 '우리는 당연히 시부모님 모시고 살았다. 지금은 우리가 장 다 보고 음식 준비 다 해놓으면 자식들은 명절 당일, 기껏해야 전날 와서 전 몇 장 부치는데, TV 보면 우리를 1년 내내 며느리 부리는 나쁜 시어머니로 묘사한다. 자식들 눈치 보랴 얼마나 힘든데, TV에서 그런 얘기는 안 한다.'면서 엄청 화를 내시더라고요.

김　어떤 여성 변호사가 있어요. 이분이 추석 연휴에 가출을 했답니다. 큰일은 아니고 시어머니에게 잔소리를 듣는 상황에서 남편이 뭐라 하니까 폭발한 거죠. 그런데 시어머니가 나름대로 노하우가 있더라고요. 전어를 가져와 불판을 피워서 연기를 냈더니 곧 돌아왔습니다. (웃음)

이　공교롭게도 지금 하신 말씀이 오늘 주제와 연관돼요. 가을 전어는 집 나간 며느리도 돌아오게 한다는 속담 있잖아요. 그런데 전어 따위에 돌아올 집이면 나가지도 않는다, 이런 식으로 여성들이 속담을 재해석하거나 비판적으로 얘기하는 것들이 있거든요. 속담은 생활에 자연스럽게 녹아 있는 것인데, 이게 얼마나 차별적인지 PC주의적Political Correctness으로 검열하기 시작했죠. 오늘은 대중문화에 대한 PC주의적(정치적 올바름) 검열 이야기를 할 거예요.

황　방송과 대중문화에는 표현의 자유가 있는데, 자체적으로 검열하고 표현을 제약하는 것에 대해 이야기를 나눠보고 싶어요. 저는 현직으로 뛰었기 때문에 이런 일을 많이 겪었거든요.

김　80-90년대 할리우드 코미디 영화 〈총알탄 사나이〉 있죠. 레슬리 닐슨Leslie Nielsen이라고 그 아저씨 영화를 제가 정말 좋아했습니다. 돌아가셨을 때 별이 하나 졌다는 안타까운 마음을 금하지 못했어요. 지금 다시 봐도 너무너무 재밌는데 지금 한국이라면 바로 매장당하죠. 아주 노골적인 섹스어필 코미디를 지금 한국 사회에서 소화할 수 있겠는가. 한 10년, 20년 전만 해도 이런 코미디가 널브러졌습니다. 그런데 지금은 감히 시도도 못 하는 엄숙주의에 찌든 사회가 돼버렸어요.

자기검열로 이어지는 PC주의 검열

황　코미디뿐만 아니라 대중문화 전반적으로 표현하고 창작하는 모든 장르에 제재가 들어옵니다. 소위 프로불편러라고 하는 분들이, 뭘 하기만 하면 뭐 때문에 안 된다 그래요.

저번에 말씀드린 것처럼 아이디어 회의가 예전에는 웃기는 포인트를 찾는 회의였는데 요즘은 바뀌었습니다. 어떻게 하면 욕 안 먹을까, 어떻게 하면 지적받지 않을까. 개그맨들이 모여서 아이디어 회의를 하면 옆에서 '그건 뭐 때문에 걸릴 거야.' 하면서 잡아냅니다.

이　프로불편러의 시각으로 자기검열을 하게 되는 거죠.

PC주의 시각으로
자기검열을 하게 된다

황　'어떤 할아버지가 이런 얘기를 했는데' 그러면, 노인 비하라고 안 된다고 해요. 애들 분장하고 어른처럼 행동하는 걸 하자고 하면, '야, 그거 아동학대에 걸릴 수 있어.' 이런 식이에요. 여성에 대한 건 아예 할 생각이 없고요.

이　점점 범위가 넓어지죠.

황　어느 정도는 맞는 얘기라고 생각해요. 옛날에 이런 개그가 있었어요. 어떤 연인이 여자는 못생겼는데 남자가 잘생겼으면 여자가 돈이 많네, 남자는 못생겼는데 여자가 예쁘면 남자가 힘이 좋네, 여자도 못생기고 남자도 못생겼으면 둘이 정말 사랑하는 사이네, 이런 개그는 이젠 아예 못합니다.

그런 방향으로 가는 건 바람직하다고 생각해요. 사람을 비하해서 웃기는 건 지양해야 할 점이에요.

김　지금 보니까 바보 연기가 사라졌어요. 바보 연기의 계보가 있는 거 아닙니까? 배삼룡 씨 있었고, 영구 심형래, 맹구 이창훈, 또 누가 있었지?

황　빡구, 안어벙도 다 바보예요. 〈개그콘서트〉 코너가 15개 정도 구성되면 하나는 무조건 바보 코너였어요. '바보 3대'라는 코너도 있었고.

이 지금은 '바보 3대' 같은 제목은 못 쓸 것 같은데요.

김 왜 안 되는 거예요?

이 장애인 비하잖아요.

김 도리어 바보가 정상이라고 불리는 사람들의 위선적인 삶을 풍자하고 또 다른 의미의 즐거움을 줄 수 있는 거 아닌가요?

이 이런 사례는 한도 끝도 없을 거예요. 드라마 〈나의 아저씨〉가 20대 여성과 40대 남성이 주연으로 등장한다는 이유만으로 여혐 드라마로 규정되고 엄청 비난받은 일도 있잖아요.

김 40대 여자와 20대 젊은 남성이 연애하면 괜찮나요?

이 〈밀회〉도 있었고, 예전 드라마에 얼마나 파격적인 소재가 많이 나왔느냐면 여고생과 교사의 사랑, 지금 보면 완전 패륜으로 엮일 소재죠. 동성애 드라마도 있었어요. 퀴어 소재도 다뤘고. 드라마가 계속 다른 주제인데 지금은 러브라인을 해명해야 하는 상황까지 왔어요. 도대체 이걸 왜 해명해야 하는지……

〈나의 아저씨〉에는 40대 남자와 20대 여주인공의 러브라인이 없어요. 그냥 둘이 위로하는 관계예요. 애틋함도 없었어요. 그런데 둘이 분명 사랑할 거라는 전제로 왜 20대 여자가 40대 남자를 위로해야 되느냐, 우리 사회 가부장 구조가 만들어낸 영포티 환상을 재연한다, 이런 비난을 한 거예요. 영포티라는 거 아시죠?

김 모릅니다.

이 영포티라고 40대를 얘기하는데, 처음에는 성별 구분이 없었어요. 그런데 지금은 '개저씨'처럼 40대 남성을 비하하는 용어로 쓰여요. 90년대에 대학생이던 남성들이 40대가 됐는데 자기가 개인주의자이고 쿨하다. 그래서 여전히 여성한테 잘 먹힌다는 환상에 빠진 한심한 남자들을 가리키는 말이에요. 〈나의 아저씨〉가 영포티를 위무하는 드라마라는 해명이 나오니까 왜 20대 여성이 위무해야 되느냐고 합니다.

편의상 정치적 올바름을 추구하는 분들을 PC주의자로 칭하겠습니다. PC주의자들은 한 장면, 한 대사, 한 표현으로 창작물을 규정하고 검열하려고 들어요. 그 한 장면 때문에 드라마 전체가 가치 없다는 듯이 폄훼하면서 보이콧을 주도하거나 해당 출연자에게 사적인 테러를 가하고 엄청나게 욕을 합니다.

황 얼마 전에 〈VIP〉라는 영화에 북쪽에서 여성을 심하게 성폭행하고 살해하는 장면이 나왔어요. 악역 주인공이 잔인하다는 걸 보여주려는 의도였을 거라고 생각되는데, 여성을 잔인하게 옷 벗기고 성폭행하고 살해하는 모습을 왜 보여주느냐, 여혐이다, 이런 식으로 프레임을 씌우더라고요. 영화를 보이콧하겠다, 감독 자체가 문제라며 과거를 털기 시작하고……. 계속 문제가 일어나는 겁니다. 영화라는 건 방송과 달리 내가 선택해야 볼 수 있는 매체인데도 이렇게 표현을 못 하게 하는 건 문제 있지 않나……. 표현의 자유가 없어진다고 봐도 무방해요.

이 창작의 자유에 관해, 개인에 대한 사적 비판을 넘어서 플랫폼 자체를 규제하려고 드는데, 그게 소비자 운동의 외형을 띱니다. 플랫폼의 성격이 다르고 플랫폼에 따라 소비하는 대중들의 선택 행위가 다른데 그런 건 다 무시해요. 영화 〈VIP〉도 여성 평론가들이 페미니즘 기준으로 여성혐오와 여성폭력을 잔인하게 재현했다고 비난하는데, 한 여성 평론가는 심지어 영화를 보지 않았다고 하면서 글을 썼어요. 언제까지 우리가 이런 영화를 봐야 되느냐고.

그리고 또 한 여성 평론가는 '표현의 자유를 이야기하는데 여성을 이렇게 표현하는 자유는 억압해도 좋다.'고 말했어요. 〈무고수사금지? 기본권 어디에!〉 편에서 박노자 씨 얘기했잖아요.(129쪽 참고) 성범죄에 대해서는 유죄추정원칙을 적용해도 좋다고 한 말. 저는 똑같은 논리라고 봅니다. 자신이 추구하는 가치는 자기 신념체계일 뿐이에요. 그런데 그 가치에 따라 자의적으로 타인 혹은 모든 구성원이 누려야 할 기본권을 훼손해도 된다는 거예요. 이게 PC주의자들의 문제라고 생각합니다.

> 자신의 신념체계에 따라 기본권을 훼손해도 되는가

특히 대중문화는 취약해요. 요즘엔 온라인 시대이기 때문에 바로바로 소비자 반응이 오고 시청률에 영향을 받으니까 웹툰 작가, 드라마 배우, 제작진이 압력을 무시할 수 없는 거예요. 부당해도 항변할 수 없습니다. 소비자와 싸울 순 없잖아요. 다른 영역에선 이 정도까지 압력이 먹히지 않지만 대중문화는 소비자에게 굉장히 약자예요. 이게 심해지기 시작한 게 2016년부터입니다.

우리의 검열은 올바르다?

김 시기를 특정할 수 있어요?

이 할 수 있죠. 2016년에 이른바 메갈리아 사태*가 벌어졌는데,

메갈리아 사태 2016년 7월, 여성주의 커뮤니티 메갈리아 후원 티셔츠를 인증한 게임 성우에 대한 남성 유저들의 하차 요구로 촉발된 사태. 웹툰 작가들이 서로 대립하고, 정의당과 《시사IN》 후원자들의 탈퇴가 이어지는 등 이후 성별갈등의 분기점이 된 사건.

그때부터 대중문화 영역에서 여성에 대한 혐오 표현을 중심으로 PC주의적 대중 검열이 굉장히 활발해졌어요. 여혐 웹툰 작가 리스트가 만들어지고, 반대편에서는 더 이상 규제로부터 작가를 지켜주지 않겠다며 정부검열에 찬성하는 예스 컷 운동이 있었어요.

드라마 〈또 오해영〉에서 여성의 강간 공포를 밋밋하게 처리했다, 〈용팔이〉에서 성폭행 피해자 여성에게 꽃뱀이라고 추궁하는 대사가 나왔다, 영화 〈1987〉에 여자가 없다, 민주화운동 역사에서 여성을 지웠다, 이런 논란이 있었고요. 《맥심》이라는 잡지가 주로 악역을 하는 남자 배우가 여성을 납치하듯 묶어서 차 트렁크에 넣는 장면을 표지로 썼다 전량 회수하고 사과하는 일도 있었고요.

그리고 문학작품 속 여성혐오를 발굴한다며 고전이라 불리는 많은 작품을 소환해 여성혐오적인 표현을 발췌하는 작업이 있었어요. 정현백 전 여성가족부 장관이 〈선녀와 나무꾼〉의 나무꾼은 성폭행범이라는 발언을 하기도 했죠. 그동안 그렇게 해석하지 않았던 것들을 젠더 관점에서 재해석하고 비판적으로 봐야 한다는 얘기가 있었죠. 박근혜 대통령을 묘사한 〈더러운 잠〉 논란도 있었고. 이런 식으로 각종 문화예술에 PC주의적 대중 검열의 시대가 왔죠. 극히 일부 사례만 꼽은 건데, 드라마, 영화, 개그, 광고, 잡지, 문학, 심지어 동화, 신화, 속담 등등 굉장히 많잖아요.

예전에는 국가권력이 언어와 표현의 규제로 창작자를 검열하고 억압했다면 지금은 소비자라는 대중의 이름으로 검열이 들어옵니다. 국

> 예전에는 국가권력이 창작자를 검열했다면 지금은 소비자 대중의 이름으로 검열한다

가가 검열하면 차라리 싸우기 쉬워요. 내가 정치적으로 올바르니까. 그런데 이건 대중이 정치적 올바름이라는 명분으로 들어오니까 싸우기 굉장히 어렵죠. 그리고 주로 진보매체들이 스피커 노릇을 하면서 계속 확산하는 역할을 하고 있습니다.

황   확실히 《한겨레》나 《경향》 쪽에서 페미니스트 의견에 귀 기울이는 게 많아요.

이   그리고 성차별적인 호칭 없애기, 어떤 것은 대화의 주제로 삼지 않기 등등 생활 속에 빡빡한 규제를 도입하려고 해요. 사실 전통적으로 진보가 수호해온 가치가 표현의 자유, 창작의 자유잖아요. 국가권력이 표현을 규제할 때 열심히 싸워온 매체들이 오히려 이 영역에서는 앞장서서 검열과 규제와 압박을 선동한다고 봐요. 선동이라는 표현도 과하지 않다고 생각하는 게, 사례를 부풀리거나 심지어 왜곡하면서 보도하거든요.

예를 들면 드라마 〈용팔이〉의 대사 하나를 문제 삼은 《한겨레》 기사가 있었어요. 한 남성이 성폭력 피해자로 보이는 여성에게 '네가 그때 호텔에 스스로 들어갔던 것도 잘못 아니냐.'고 말하는 장면이 있는데. 그걸 문제 삼은 거예요. 성폭력 피해 여성에게 책임을 떠안기는 것이다, 얼마나 상처가 되는지 아느냐, 대중문화에서 이렇게 내보내면 안 된다는 얘기를 하면서 전문가 의견을 덧붙여요. 대중문화가 이러면 실제 여성들에게 피해를 준다는 한국성폭력상담소 코멘트를 따오는 식으로요.

예술에 대해 무지한 거죠. 예술은 현실을 재현하기도 하고, 상상 속에 있는 것을 구현하기도 하고 먼 과거나 혹은 아직 도래하지 않은 미래의 모든 것을 표현할 수 있는 거예요. 당대 규범대로만 움직인다면 예술이 예술일 필요가 없는 거죠.

황 독재정권 때 진보매체에서 표현의 자유를 얼마나 외쳤습니까?

이 이들의 논리는 자기들의 검열은 국가와 다르다는 겁니다. 왜냐하면 자신들은 올바르니까. 이 차이가 있는 거예요. 자기들의 검열은 정의라고 보는 거죠. 그래서 이것에 대해 우리가 설명할 수 있어야 돼요. 그렇지 않으면 그냥 짜증 내는 것밖에 안 되는 거예요.

김 어떻게 설명할 수 있을까요?

기준을 생각한다

이 일단 예술, 창작, 표현의 자유에 대한 개념을 정확히 이해해야 합니다. 지금 PC주의자들의 검열이나 압박의 기준은 그냥 '내가 보기 싫은 것' '내가 보기에 불쾌한 것'이에요. 약자에게 고통스러운 감정을 줄 수 있는 표현이 대중문화예술에 있어선 안 된다는 거죠. 그런데 감정은 규제의 기준이 될 수 없습니다. 대중문화로 표현되는 모든 것에서 누군가는 불편함을 느낄 수 있기 때문이에요.

> 감정은 규제의 기준이 될 수 없다

우리가 흔히 정상가족이라고 부르는 이들이 밥상에 앉아서 행복하게 밥 먹는 장면만 봐도, 정상가족 이데올로기를 싫어하거나 자신이 정상가족 환경에 있지 못한 사람은 보기 싫은 거예요. '왜 세상은 저렇게 행복한 사람들의 모습만 보여주지? 나는 고통스

리워.' 그러면 정상가족의 밥상머리 모습을 없애야 합니까? 이렇게 치면 이성 중심의 연애도 왜 방송에 이성애자들만 나오느냐고 할 수 있어요. 그래서 유튜브 같은 콘텐츠 시장에서는 PC주의를 비판하거나 비꼬는 내용이 많아요. PC주의자들의 규제 때문에 피로한 거예요. 피로한 대중들의 콘텐츠로 시장이 하나 형성되어 있어요.

유튜브만 가도 그렇잖아요. 제가 어제 본 게 개그맨 이상준 씨 유튜브인데 이제 할 게 없다고 해요. 〈사망 토론〉 참 재밌었는데 지금 하나도 못 해요.

황 나도 깔창 낄 테니까 너도 뽕 넣어라, 이런 식의 개그였죠.

이 그게 불과 4년밖에 안 된 개그예요. 아주 빠른 시간에 이런 변화가 왔어요. 페미니즘 열풍과 밀접한 관련이 있는 거죠.

김 진보언론을 보니까 말이죠. 페미니즘에 대해서는 계급장 다 떼고 남녀 이런 거 다 떼고 지성인지 반지성인지 토론해보자, 이런 문화 자체가 아예 없는 것 같아요.

이 예전에는 《한겨레21》 '쾌도난담'도 있었고, 최보은 씨가 박근혜 대통령론을 주장해서 김규항 씨랑 지면에서 논쟁하고 그랬어요. 그런데 지금 진보매체를 보세요. 그런 기사는 나오지 않아요.

김 남성 데스크들은 괜히 토론했다가 꼴마초로 몰리느니 그냥 주장하는 대로 해, 이런 건 아닐지.

황 그런 마인드로 가면 안 되죠. 합리적으로 대화를 통해서 해결해야지. 페미니스트들과 토론할 때 남자가 여자보다 데이트 비용을 더 낸다고 얘기하면 그런 사실 자체를 부정하잖아요.

이 여성에게 불리한 건 얘기하면 안 되는 거예요. 그리고 데이트

비용을 여성이 덜 내는 이유에 대한 페미니스트들의 논리가 있어요. 여자는 더 적은 임금을 받는다, 데이트를 위해서 여성은 꾸밈 노동 비용을 낸다. 이 얘기는 다음에 하는 걸로 하고요.

표현의 자유란 도대체 어떤 것인가? 우리는 자유라는 개념에 늘 대립 항을 놓을 수 있어요. 뭐냐면, 네가 창작으로 그것을 표현할 권리가 있듯이 나는 그게 싫다고 말할 권리가 있다는 거예요. 동성애도 마찬가지잖아요. 동성애자들이 나는 권리가 있어, 하면 나는 그걸 반대할 권리가 있어, 이런 상황인 거예요. 그러면 여기에서 우리가 생각해야 할 것은 기준이죠.

그런데 모든 권리나 자유가 같은 등급으로 놓일 수 없는 상황이 있어요. 예를 들면 도서관에서, 나는 원하는 환경에서 공부할 수 있는 권리가 있어요. 그런데 나는 여기서 떠들 권리가 있어, 라는 건 같은 대립 항이 될 수 없죠. 그러면 어떻게 조정할 수 있을까요? 떠드는 공간과 공부하는 공간을 분리하는 거죠. 휴게실이 있잖아요. 떠들 사람은 휴게실에 가서 떠들라고 하면 조정이 가능해요.

그런데 한 저자가 어떤 책에서 어떤 표현을 했어요. 그에 대해서 나는 네가 책에 쓴 표현이 너무 싫고 불쾌하기 때문에 그 책이 세상에서 없어졌으면 좋겠어, 라고 말한다고 해요. 그럴 때 내가 불쾌감을 느끼는 책이 세상에 없게 할 권리가 표현의 자유와 동등하게 대립 항으로 성립할 수 있느냐는 거죠. 도서관에서 떠들 권리처럼, 우리가 주장하는 권리는 사실 같은 등급에 놓을 수 없는, 그래서 기준점을 찾아야 하는 것들이 대부분이에요. 그런데 우리는 기준점을 찾는 노력을 하기보다는 다수의

기준점을
찾는 노력

혹은 내가 당장 실행할 수 있는 사적인 제재 방식을 통해서, 압력을 통해서 주장을 관철하려고 하죠.

이것은 민주시민으로서 자기가 가진 권한을 넘어선 과도한 권한을 행사하려는 태도예요. 그것은 과거 국가권력이 행했던 것과 맥락상 똑같아요. 내가 힘을 가지면 언제든지 그렇게 할 수 있다는 거니까요. 그래서 배우를 퇴출시키고 배우가 활동하는 플랫폼을 없애려고 하거나 실제 삶에 타격을 주려는 행동을 하고 있어요. 사회적인 대화로 설득하고 타협하고 새로운 규범을 만들어야 하는데, 그게 아니라 직접 타격으로 압력을 행사하고 위력을 과시해서 타인을 지배하려는 부당한 욕망에 근거한 것이기 때문에 옳지 않습니다.

> 제재나 압력으로 주장을 관철하려는 것은 과도한 권한을 행사하려는 것

김　그건 어디까지나 폭력이죠. 자기 생각과 다르다고 사람을 매도하는 건 잘못된 건데, 이른바 페미니스트 지식인들은 이런 현상에 대해서 뭐라고 안 하나요?

촘스키와 지젝의 PC주의 비판

이　한국에서 담론을 생산하는 논객들은 거의 PC주의 쪽에 쏠려 있어요. 세상이 올바르게 되기 위한 불편함을 얘기하는 것이기 때문에 프로불편러들의 비난이 올바르다고 주장해요.

그래서 여성에 대한 억압적이고 폭력적인 표현은 규제되어도 좋다, 이렇게 말합니다. 그러면 표현의 자유라는 근본적인 권리 개념 자체가 형해화하는 건데, 그런 심층적인 고찰은 어디서도 볼 수 없어요. 한국 지식인들이 많이 추종하고 인용하는 슬라보예 지젝Slavoj Žižek이라는 세계적으로 유명한 학자가 있어요. 한국에 와서 강의도 해요. 슬라보예 지젝이나 놈 촘스키Noam Chomsky라고 혹시 아세요?

김 전 만나기도 했습니다.

이 지젝이나 촘스키가 PC주의 비판을 계속하고 있어요. 'PC주의가 도덕적 우월함에 기반해서 대중을 압박하는 것은 결코 좌파나 진보진영에 전망을 가져다주지 못한다. 독자적인 전망을 가진 세력으로 대중들을 설득하는 게 아니라 끝없이 대중을 규제하는 데서 존재가치를 찾기 때문에 이 전략은 실패할 것이다.' 라고 경고하고 있거든요.

그런데 지젝이나 촘스키가 무슨 말만 하면 진보매체들이 실어줬는데 이런 말은 싣지 않아요. 미국에서도 표현의 자유를 규제하려는 PC주의자들에 대한 대중의 피로가 트럼프 당선으로 이어졌다는 분석이 많습니다. 미국에는 리버럴이라 불리는 진보진영 내에 PC주의자들이 많은데 여성이나 소수자, 약자에 대한 표현을 많이 규제하려고 해요. 한국도 비슷하죠. PC주의자들은 거의 진보진영이니까.

그 말이 옳은지 질문하고 비판할 수 있어야 한다

김 PC들이 하는 말이 다 옳은 건 아니지만 그동안 옳은 말이라고 다들 인식했단 말이죠.

이 제가 오늘 얘기하는 건 그게 옳은 말이라는 '편견'을 버리라는 겁니다. 자유와 권리에 대해서 다시 이야기해야 합니다. 그들의 논리, '우리가 말하는 게 옳은 거야. 정의를 위한 거야. 약자를 위한 거야.'라는 말이 과연 옳은지 질문하고 비판할 수 있어야 합니다. 그리고 'PC에 대한 비판이 혐오주의자들을 돕고 강화하는 거야.'라는 비판에 맞설 수 있어야 됩니다. '그렇지 않아. 우리가 당신 말에 비판적이라고 해서 혐오주의자인 건 아니야.' 제가 페미니즘에 비판적이라고 해서 성평등주의자가 아닐 필요는 없잖아요. 비판에 위축되면 안 된다고 생각해요.

그리고 PC주의자들의 비판은 굉장히 중요한 기본권 문제를 담고 있어요. 사람들은 당대 규범에 영향을 받잖아요. 〈선녀와 나무꾼〉에서 나무꾼을 성폭행범으로 볼 수도 있어요. 지금 기준에서 그렇게 볼 수 있다면 이제 성평등한 동화를 쓰면 됩니다. 우리가 다 〈선녀와 나무꾼〉이야기를 읽고 듣고 자랐지만 전부 성폭행범이 되지는 않잖아요. 우리가 영향을 받는 건 당대 규범이지 동화 속 나무꾼 이야기가 아니라는 말이죠. 그런데 이걸 구분하지 않는 거예요.

사회적 지위를 평등하게 보장받지 못하는 '현실'이 약자를 비참하게 만드는 것이지, 대중문화와 예술이 사람을 표현하는 방식 때문에 약자가 불행한 게 아니에요. 이것을 구분해서 봐야 합니다. 그렇지 않으면 예술이 존재할 기반이 무너지는 거예요.

유튜브 보면 PC주의자들이 말하는 대로 만든 콘텐츠가 나와요. 흑인과 여성과 장애인이 등장하고, 등장인물은 '이 말은 이래서 안 되지.' 하면서 바로바로 자기 언어를 교정하고, '너는 여성이라는 표현을 쓰

> 대중문화와 예술이 사람을 표현하는 방식 때문에 약자가 불행한 것은 아니다

면 안 돼. 왜냐하면 성 소수자도 있는데 그 표현에는 여성 남성밖에 없어.' 이러기도 해요. PC를 풍자하는 콘텐츠가 많고, 많은 사람들이 그걸 보고 있습니다.

그런데 거기에 대응하는 PC주의자의 논리는 멈춰 있어요. 우리만 옳다. 대중은 혐오주의자다, 라고 간단히 취급해버리는 거예요. 이런 것들이 《시사IN》 정기구독자들을 떠나게 하고 정의당에서 당원들을 탈당하게 만든 거예요. 진보진영의 타격으로 돌아오는데도 자기성찰이 없어요.

> PC주의적 검열이 진보진영의 타격으로 돌아오는데도 자기성찰이 없다

김 PC주의자들은 끊임없이 대중을 계몽하고 훈계하는 것에서 존재감을 찾는 것 같아요.

이 도덕주의자들이 갖는 자기 우월감이 있어요. 그리고 그게 가장 잘 먹히는 영역이 대중문화예요. 하차하거나 사과하거나 폐지하는 식으로 피드백이 바로 오니까 계속 대중문화를 타깃으로 삼는 거예요. 대중문화계가 대응을 못 하니까 계속 먹힌단 말이죠.

황 여가나 즐거움을 위해 TV를 보는 게 아니라 하나만 걸려라, 하나만 잡자, 이런 마인드로 보는 것 같아요.

이 그 정도 되면 굳이 잡으려고 하지 않아도 다 잡혀요. 그 프리즘으로만 보기 때문에. 제가 걱정하는 건 창작자들이 자기검열을 한다는 거예요. '뭘 하면 안 걸릴까?' 고민하는 문화에서 어떤 창작물이 나올 수 있겠습니까? 정치적으로 올바른 대사만 하고.

김 독재정권 때를 보면 딱 맞아떨어져요. 박정희 정권 때 코미디

도 규제 대상이었어요. 코미디가 아이들 교육에 도움이 안 된다, 너무 저속하다. 그래서 때마다 한 번씩 코미디언들 방송 출연 못 하게 하고 그랬어요. 당시에 코미디 연출가였던 김경태 씨라고, 〈웃으면 복이 와요〉 만든 분이 있어요. 그분이 지나친 탄압과 개입 때문에 죽겠는 거예요. 그래서 어느 날 코미디언 다 빼버리고 탤런트로 코미디 드라마를 만든 거예요. 그나마 그건 괜찮았다 하더라고요. 광풍이 사라지고 난 다음에 코미디언을 복귀시키자니 난리가 날 것 같으니까 어떻게 했느냐. 동물 복장을 입혀서 코미디를 했는데 황소가 쩔뚝거리는 코미디를 했어요. 다 뒤집어지고 웃었는데, 공화당 상징이 황소였던 거죠. 연출자가 불려가서 '공화당을 풍자했어?' 추궁당하니까 그다음에는 어떻게 했느냐면, 조선 시대로 가는 거예요.

이　국가가 노골적으로 검열하고 압박하면 창작자들은 위축되지만 거기서 어떻게든 저항하는 의미의 창작물을 만들어내거든요. 그런데 PC주의자의 검열은 고약한 게 그게 불가능해요. 이상준 씨가 〈사망토론〉 다시 못 하듯이 공식 플랫폼에서는 이 현상을 비꼴 수가 없어요.

〈SNL〉 같은 프로도 굉장히 수위가 높았는데 지금은 못 하잖아요. 〈마녀사냥〉도 지금 다시 보면, '저게 불과 3년 전에 가능했었단 말이야?' 할 정도로 굉장히 짧은 시간에 변화가 크게 왔어요. '어~' 하는 순간 확 바뀐 거죠.

황　창작자 스스로 지치게 만드는 게 새로운 콘텐츠가 나올 수 없는 가장 큰 이유 중 하나입니다.

이　요즘 드라마 보면 '일부러 페미닌한 대사를 넣었구나.' 하는 느낌이 드는 게 많아요. 그런 대사 하나 나오면 막 칭송하거든요. 창작자가 자유롭게 창작하고 대중적인 평가를 받고 소비자가 즐기는 게 취향인데, 취향을 검열하는 시절이 온 거예요.

<나의 아저씨> 때, 유병재 씨가 정말 명작이라고 개인 계정에 썼어요. 그랬다가 페미니스트들이 여혐 드라마를 칭송한다고 항의 댓글을 달았습니다. 유병재 씨가 사과문을 썼어요. 취향에 대해 사과한 최초의 사과문이었는데, 어떤 드라마를 좋다고 말한 것 때문에 사과문을 써야 하는 시대인 거예요.

지젝이나 촘스키 같은 세계 석학의 비판을 허투루 들을 수 없어요. 진보주의자들이 끝없는 도덕적 우월감에 빠져서 정치적 올바름이라는 명분으로 계속 규제와 압박을 하는 것이 결코 우리에게 좋은 것이 없고, 세상을 진보하게 하지도 않는다는 거죠. 그것에 대해 대중이 어떤 선택을 하는가가 우리에게 닥친 문제라고 봐요. 다행히 우리 사회 보수 진영이 아직 한심한 수준이기 때문에 이들을 끌어안을 만한 세력은 안 된다고 보지만, 제3세력이 나타났을 때 피로에 지친 대중들이 어떤 선택을 할지 경각심을 가져야 된다고 봅니다.

김 　트럼프 같은 제3자를 선택할 수 있다?

이 　그렇죠. 트럼프를 선택한 사람들이 다 혐오주의자가 아니에요. 사람들이 착각하는 겁니다.

김 　PC주의자들의 이야기를 하나의 의견으로 받아들일 수 있겠지만, 그 실체를 알고 권력화되는 것에 문제의식을 갖고 휘둘리지 말아야 될 것 같아요.

PC주의는 절대 선도, 절대 악도 아니다

이　그런데 실제로 영향력을 휘두른다는 말이죠. 한 프로에서 어떤 문제적 발언을 했다고 다른 프로그램까지 못 하게 압력을 행사하고 배우나 제작진, 창작자 개인에게 타격을 주면, 당사자가 하차하는 식으로 압력에 굴복해요. 아이유 이지은 씨 같은 경우도 〈나의 아저씨〉 출연 전부터 이미 이런 문제가 있었어요. 롤리타 논쟁부터 계속 공격받았어요. 하지만 아이유나 유아인의 경우에는 PC주의자들이나 페미니스트들의 압박에 굴복하지 않았어요. 자기가 생각해보니 잘못이었다 혹은 표현이 서툴렀다고 하면 그건 인정하지만, 그밖의 비판에는 굴복하지 않고 자기 길을 갔거든요.

황　드라마고 탑 배우급이잖아요. 여기서는 먹힐 수 있는데 그보다 급이 낮은 예능을 한다거나 개그를 하는 친구는 당장 잘라버립니다. 아무도 책임지지 않아요. 제작진 의식도 바꿔야 하지 않을까 생각합니다.

이　저도 창작자와 제작자들이 압력에 굴복하지 않으면 좋겠다고 생각하는데, 쉽지 않죠. 일반 개인의 책임도 강조해야 하지만, 평론가들이나 매체에 글을 쓰는 지식인들은 사회적 영향력을 가진 사람들인데 너무 책임감 없이 성찰 없는 얘기를 계속 쏟아냅니다. 그리고 이 경우에는 이념형 혹은 신념형이라서 더 어려워요. 자기 신념에 의거한 주장을 펴는 거라서 굽히지 않죠.

그래서 비판적인 의견이 같이 나오면 좋겠는데 한쪽 의견만 내보내니까 마치 그것이 전부인 양 보이는 착시 효과가 있어요.

김 예전에 모 탤런트가 70년대 드라마에서 아주 엄청난 악역을 했어요. 당시에 길을 가다가 돌 맞고 그랬대, 나쁜 놈이라고. 저는 이거하고 PC주의자들의 행태하고 크게 다르지 않다고 봅니다. 예술은 예술로 봐야지. 자기 취향과 PC를 적용한다는 것이 말이 됩니까?

황 옛날에 악역한테 돌 던진 게 지금 와서는 아주 우습잖아요. 이것도 마찬가지예요. 시간이 좀 더 지나면 옛날에 그런 거 하나 꼬투리 잡아서 욕하고 다녔대, 분명히 웃음거리가 될 수 있습니다. 올바른 방향이 어느 쪽인지 잘 생각해보셨으면 좋겠습니다.

이 이게 가치와 규범을 구분하지 않는 데서 오는 현상이거든요. 가치는 누구나 가지고 있어요. 어떤 것에 가치를 두느냐 하는 신념이 각자 다 있어요. 그런데 각자의 가치가 충돌하잖아요. 권리나 자유는 계속 대립 항을 만들어낼 수 있거든요. 누구나 다 가지고 있는 생각과 의견과 신념이 있는데 이 가치를 조정하는 규범이 우리한테 필요한 거예요. PC주의자들은 자신의 규범을 모두의 규범으로 강제하려고 하고, 심지어 강압적이고 물리적인 타격을 주는 방식으로 하고 있어요.

PC주의는 가치와 규범을 구분하지 않는다

이것이 옳지 않다는 비판 의견이 분명히 존재하고 대중에게 많은 피로감을 주고 창작자들에게 블랙리스트만큼 심한 압박을 주고 있습니다. 이것이 과연 진보적인 사회인가, 그리고 예술을 대하는 올바른 태도인가 다시 생각해봐야 합니다.

김 너무나 말하고 싶었지만 생각이 가다듬어지지 않아 어떻게 얘기해야 될지 몰랐는데……. 규범과 가치를 헷갈리지 말자!

이　가치는 각자 신념에 따라 다를 수 있어요. 그리고 규범은 그 가치들이 충돌할 때 우리 모두가 합의할 수 있는 기준이어야 해요. 그리고 그 기준을 정할 때는 권리나 자유에 대한 개념 이해, 설득해가는 과정, 설득하는 방식의 올바름 같은 것이 전제되어야 됩니다. 그걸 건너뛰고 다중의 압박이나 개인에 대한 타격으로 창작자의 자유를 제한하는 행위는 우리가 그동안 쌓아왔던 공동체의 가치를 훼손하는 결과로 돌아옵니다.

그리고 창작자나 제작자들에게도 부탁드리고 싶은 건, 힘드시겠지만 부당한 압력에 굴하지 않고 이전과 다름없이 열심히 예술적 소양을 발휘하시면 좋겠습니다.

김　PC주의자들은 그런 주장을 펼 수 있어요. 권력을 쥐고 있는 방송 제작자들, 문화 콘텐츠와 돈을 가지고 있는 투자자들이 여기 휘둘리지 않았으면 좋겠다는 생각이 들어요.

이　한국 영화가 '알탕 영화'라는 비판이 한 3년 내내 있었어요. 흥행작 대부분이 그러니까. 페미니스트들과 PC주의자들이 왜 영화에 남자들 무리만 나오느냐고 비판하는데, 제가 여성 제작자가 만들고 여성이 프로듀싱하고 여성이 마케팅하고 감독만 남자인 영화팀과 만나서 얘기한 적이 있어요.

그 자리에서 그런 비판에 대해 어떻게 생각하는지 물으니까 여성 제작자가 이렇게 말해요. '여자들이 좋아해요. 한국 영화 시장에서 영화의 선택권은 철저하게 여성에게 있어요. 남자 관객이 있어도 여자가 선택하는 영화를 보기 때문에. 그 남자배우들을 여성들이 보고 싶어 해요. 영화는 철저한 시장논리예요.'

현장에서 뛰는 여성들이 그렇게 얘기해요. 이걸 가지고 페미니스트들이나 PC주의자들은 영화에 왜 남자주인공만 나오느냐고 비판하는데 현실과 동떨어진 비판이죠.

김　마치 좌파들이 영화계를 장악해서 좌파영화만 나온다는 주장 같네요.

이　심지어 〈1987〉에서 강동원을 남자주인공으로 내세운 게 '영화계 남성 카르텔이 만들어낸 고의'라고 얘기한 여성 평론가도 있어요. 제가 캐스팅 비화를 들었는데 그때 박근혜 정권 시절이라 배우 섭외하기가 힘들었대요. 강동원 씨가 흔쾌히 하겠다고 해서 촬영 들어갈 수 있었다고 하더라고요. 현상을 면밀하게 파악하려는 노력 없이 자기 이데올로기로 판단하는 거죠.

현상을 면밀하게
파악하려는 노력 없이
이데올로기로 판단한다

전에는 여론을 선도하는 진보진영이 PC주의의 역할을 자청했다면 지금은 온라인 문화 때문에 PC주의가 대중화됐어요. 개개인이 다 PC주의자가 된 거고 세력이 커지니까 무시하기 어려운 상황이 됐죠. 그렇지만 창작의 자유, 표현의 자유는 인류가 문명을 발전시키면서 구축해온 권리입니다. 이걸 쉽게 훼손하려는 시도에 대해서 지금보다 수준 높은 토론이 필요하다고 생각해요.

PC주의가 무조건 악은 아니에요. 우리가 그동안 발견하지 못했던 인권 가치를 발굴하는 역할을 했어요. 미처 알지 못했던 것들을 새롭게 환기하는 역할을 했기 때문에 소중한 운동은 맞아요. 그런데 선의 없이 이런 식으로 계속되면 부작용이 생기는 거죠. 지금은 부작용에 대해 이야기해야 하는 시기라고 생각해요. 그런데 그 이야기를 안 하기 때문에 여기서 하는 겁니다.

김　알겠습니다. 오늘도 〈우먼스플레인〉 이선옥, 황현희 두 분과 함께했습니다.

📺 이념형 악플러의 등장

2018. 10. 23. 7화 방송 중에서

아이유는 20대의 나이에 아티스트로서 정상에 오른 여성입니다. 하지만 어린 여성이 이룬 놀라운 성취에 오히려 여성들의 비난이 따라붙는 사태가 계속되고 있습니다. 다른 연예인들이 겪는 유명세와는 다른 양상입니다. 이른바 사이버 불링cyber bullying이라고 하는 온라인 폭력이 있는데 아이유의 경우에는 기존 악플러와 달리 '이념형 악플러'들이 등장합니다. 기존 악플러들이 인신공격이나 욕설, 허무맹랑한 얘기를 지어내서 퍼트린다면, 이들은 '페미니즘적이지 않다. 다른 사람들이 페미니즘 공부할 때 너는 여성혐오 공부하고 있느냐!'는 식으로 자신의 이념에 근거한 악플을 달고 공격합니다.

이념형 악플러의 예로는 민족주의와 페미니즘을 들 수 있습니다. 류승완 감독의 영화 〈군함도〉나, 배우 이승연 씨가 곤욕을 치른 위안부 화보집 사건 등이 민족주의 유형이었죠. 보통 악플러들은 자신의 행동이 나쁘다는 걸 알지만 유혹을 참지 못하거나 순간의 쾌락 때문에 합니다. 그런데 이념형 악플러는 일반 악플러와 달리 자신이 정의를 수행하고 있다고 생각합니다. 그래서 자신의 행위를 성찰하지 않습니다. 일베와 워마드의 예를 보면 알 수 있습니다. 일베는 자기들이 하는 짓을 정의라고 포장하진 않아요. 낄낄대면서 찌질함을 공유하는 문화임을 스스로 드러냅니다. 사회가 자신들의 문화를 어떻게 인식하는지 알고 있습니다. 그러나 워마드는 스스로를 정의의 전사로 인식합니다. 같은 패턴의 행동이라도 이념으로 무장했기 때문에 연예인을 공격하고 악플을 달면서도 정의구현이라고 생각합니다.

또 한 가지 특징이 있어요. 이념형 악플러 중 민족주의 유형은 우리의 특수한 역사적 상황에서 온 반일감정에 가깝습니다. 그래서 연예인을 친일파나 반민족주의자, 반민족 행위자로 규정하기보다 행위에 대한 비난이 주를 이룹니다. 반면 페미니즘 유형은 해당 연예인이나 유명인을 반여성주의자나 여혐러로 낙인찍습니다. 아이유뿐 아니라 유아인, 설리 등 여러 연예인이 페미니스트에게 공격을 받았습니다.

이념에 입각한 온라인 유저들은 자기들 이즘의 기준에 맞지 않는 상대가 유명인이면 파급력을 말하면서 이렇게 논리를 펍니다. '아이유가 앨범에서 롤리타 콤플렉스를 자극하고 어필하는 것은, 남성이 가진 롤리타 욕망을 긍정하고 사회적으로 용인하는 데 기여하기 때문에, 결국 소아성애범죄로 이어지고 그 피해는 어린 여자아이들이 본다.' 음란물을 보면 성범죄를 저지르고, 게임을 하면 폭력범이 된다는 국가의 규제 논리와 같습니다. 이념형 악플러들은 대중문화 영역에서 창작자를 통제하고 사상적으로 인간을 개조하려고 합니다. 이들의 특징이자 가장 큰 문제입니다.

그렇다면 이념형 악플러에 어떻게 대응해야 할까요? 선을 넘는 인격모독 행위에는 불관용의 원칙을 적용해야 합니다. 그리고 자신의 이념을 타인에게 강요하는 행위에 대해 꾸준히 문제제기 할 필요도 있습니다. 인간을 특정한 이념에 맞게 개조하려는 시도는 더 나은 미래가 아니라 현재의 불행을 야기할 뿐입니다. 또 하나 짚어야 할 문제는 진보매체의 이념적 편향입니다. 10대에 데뷔해 20대에 놀라운 성취를 이룬 독보적 여성에 대해서, 젠더 관점을 강조하고 여성을 중요하게 여기는 진보매체의 평가는 인색합니다. 페미니스트들의 편향된 비난을 그대로 실어줍니다. 이념이 아이유라는 아티스트 자체를 평가하는 균형 감각을 잃어버리게 만들었습니다.

4장

진보언론의 책임을 묻는다
: 이수역 폭행사건

2018년 11월 20일 11회 방송

황　젠더이슈를 이야기합니다. 김용민 씨, 이선옥 작가님과 함께 합니다.

김/이　반갑습니다.

황　젠더이슈를 생방송으로 해야 하는 이유가 또 하나 생겼습니다. 지난주 빅이슈가 터졌죠. 간략하게 설명해드리면 11월 13일 사건이 발생했는데, 14일 '네이트판'에 한 여성이 글을 올렸어요. '머리가 짧고 화장을 하지 않았단 이유로 메갈년 등의 욕설과 함께 머리뼈가 드러날 만큼 폭행당했다. 경찰은 30분 늦게 왔고 조사도 여경이 없어서 많이 두려웠다.' 이게 청와대 청원 하루 만에 30만을 돌파하는 일이 있었습니다.

김　여성혐오 폭력에 희생당했다, 이런 상황에 동의하는 분들이 30만을 넘었다는 것 아니겠어요?

황　그렇습니다. 그래서 이수역 폭행 피해자 인스타 공식 계정, 이수역 폭행사건 공론화팀 계정을 열고 제보와 응원 요청을 했는데, 하루 만에 반전을 맞이합니다. 상대방 남자가 유튜브에 영상을 올렸는데, 남성을 비하하는 심각한 욕설이 들어 있었어요.

소추라는 단어를 쓰고 성기 길이를 얘기하는 영상이 게재되면서 상황이 반전되고 난리가 났어요. 어떻게 생각하세요, 작가님?

이　사건이 하루 만에 청와대 청원 30만 명을 돌파할 만큼 큰 이슈가 됐어요. 사건 동영상이 공개된 후에는 상대 여성들을 명예훼손과 모욕으로 처벌하라는 맞불 청원도 올라와서 14만인가 참여한 상태고요. 해당 여성들이 한남 운운하면서 욕설하는 동영상 때문에 여론이 뒤집어지니까 여성 측에서 자신들이 실제로 계단에서 폭행당한 근거를 제시하겠다며, 밀지 말라는 말이 담긴 영상을 공개한 상황이에요.

현재 객관적 사실관계를 보면 양측 사이에 다툼이 있었고, 그 과정에서 혐오 표현이 등장했다. 아직 밝혀지지 않은 사실관계는 여성들은 계단에서 남성들이 폭행하고 밀어서 부상당했다고 주장하는데, 계단에 CCTV가 없어서 경찰 수사를 기다리는 상황이죠. 경찰이 발표한 수사 사실로는 남성과 커플 일행이 있었는데 여성들이 먼저 시비를 걸었고 몸싸움도, 신체 접촉도 여성 쪽에서 먼저 했다는 거죠.

술집 주인과 다른 손님들이 조용히 해달라고 했는데 여성들이 아랑곳하지 않고 계속 소란을 피웠고. 지금 현재는 자극적으로 편집된 동영상 때문에 여성 피해자들이 오히려 2차 가해를 당하고 있다며, 해당 가게에 항의와 욕설 전화가 끝없이 오는 상황이라고 합니다.

김　그 가게는 난동이 생겨서 1차 피해를 입었고 전화로 2차 피해를 입었네요.

이수역 폭행사건을 보는 시선들

황   이 사건 어떻게 봐야 하는 겁니까? 남혐 여혐 문제로 봐야 하는 건가요, 아니면 단순 주폭 사건으로 봐야 하는 겁니까?

이   첫 글이 가장 크게 작용했죠. 술집에서 흔히 보는 일상적인 시비 사건에 불과한데 글이 오르고 청와대 청원이 하루 만에 30만 명 돌파했어요. 그 폭발력 때문에 여성혐오나 남성혐오 사건으로 자리매김한 거고 아직도 이슈가 가라앉지 않는 건데요. 사건을 둘러싼 정치권과 언론 반응 몇 가지를 얘기해볼게요.

김   정치권 반응도 있었어요?

이   있었어요. 이건 아마 다른 데서는 볼 수 없는, 〈우먼스플레인〉에서만 볼 수 있는 종합 분석이 될 것입니다. (웃음)

김   기대됩니다.

이   정치권 반응은 먼저 15일 민주당 김한정 의원이 민갑룡 경찰청장이 참여한 국회 행정안전위원회 전체 회의에서 공권력이 피해 여성에 편파적이지 않았는지, 성실하게 대응 못 한 건 아닌지 잘 살펴보고 피해 여성들이 분노한 요인을 최대한 살피라고 요청했어요. 여성들의 청원글을 보면, 경찰에 신고했는데 30분 넘게 오지 않았고 보호해줄 여경이 없어서 두려웠다는 내용이 있었거든요.

거기에 대해 경찰청장이 이례적으로 브리핑을 해서, '신고 4분 만에 도착했고 피해자·가해자 쌍방 분리해서 조사도 따로 진행했고, 부상을 입은 여성은 병원으로 후송했다. 경찰은 최대한 조치를 다 했다.'고 발표했어요. 경찰의 말이 사실인 걸로 드러나면서 네이트판에 오른 첫 글이 상당히 과장이었다는 게 밝혀졌죠.

황 30분 늦게 왔다는 말은 사실이 아니다?

이 4분 만에 도착했다는 걸 경찰이 입증했어요.

황 시작부터 틀린 말이었네요.

이 몇 가지 사실관계에 과장이 있었다는 게 경찰 발표로 드러났고요. 또 이번 사건에서 민주당은 별다른 당 차원의 반응을 보이지 않았고, 바른미래당이 돋보였어요. 이준석 최고위원이 시사 프로에 출연해서 녹색당 신지예 씨, 정의당 김종민 씨와 대담을 했는데, 신지예 씨는 이 사건을 명백한 여성혐오범죄라고 규정하고 분노를 표현했어요. 이준석 최고위원은 하나씩 사실관계를 짚으면서, 경찰 발표에 근거하지 않고 피해자라고 주장하는 여성의 말에만 근거해서 주장을 펴는 건 안 된다. 이런 식으로 반박했어요.

신지예 씨 발언이 상당히 신뢰도가 떨어졌죠. 이준석 씨가 중요하게 얘기한 게 '일상적으로 발생할 수 있는 갈등에 남녀 프레임을 먼저 얹은 쪽이 어디냐? 사건을 이렇게 키운 게, 자극적인 문구로 청와대 청원까지 가고 남녀대결로 만든 게 누구냐? 이걸 생각해야 한다.'였어요. 신지예 씨는 '욕설과 폭행은 별개다. 여성들이 그런 언어를 쓴 게 맞을 이유가 될 수는 없다. 폭행은 분명 있었다.' 이준석 씨가 폭행 사실이 밝혀졌느냐고 하니까 신지예 씨가 '아직 그건 밝혀지지 않았고 피해 여성이 그렇게 주장했다.' 그러니까 이준석 씨는 '사실관계가 밝혀지지도 않았는데 피해자 말이라고 여성 말만 사실로 단정하고 경찰 발표는 믿지 않는 건 뭐냐.' 이렇게 공방을 했어요.

정의당 김종민 씨는 '여혐·남혐으로 가면 답이 없고 핵심은 성차별이 있나 없나이다.'라고 했어요. 그런데 그건 여혐·남혐 구도는 안된다고 얘기하는 사람들이 계속 여혐·남혐 구도로 가는, 성차별 프레임으로 몰고 가는 상황이 벌어지는 거고요. 바른미래당 장진영 씨는 '여성들이 성기를 지칭하는 욕설을 수차례 반복한 것만으로도 폭행이 될 수 있다.'라고 말했습니다.

우리나라는 아직 혐오 발언을 처벌하는 법이 없지만, 바른미래당 하태경 의원과 장진영, 이준석 씨 등이 당 차원에서 혐오방지법을 발의하겠다고 했어요. 그리고 '혐오 발언에 성차별이 있을 수는 없다. 혐오범죄라고 주장한다면 오히려 남성에 대한 여성의 혐오 발언이다.'라고 하면서, 다른 정당들이 입을 닫거나 뚜렷하게 발언하지 않는 것과 다른 대응을 보여서 눈에 띄었습니다.

그다음 진보언론이나 여성운동 진영의 반응을 보면,《한겨레》는 중립적인 사설을 썼는데 사건 보도에 신중한 편이었어요. 동영상을 보고 나서 무작정 편들기 힘들기 때문에 한 발 떨어져서 보려고 한 것 같아요. 그러나 결국 이 사설도 '청와대 청원의 폭발적인 반응은 여성들이 느끼는 일상의 공포에서 기인한 거다. 미러링엔 동의하지 않지만 여혐과 남혐은 동일 선상이 아니다.'라는 기존 주장을 반복해요. 그러면서 남녀를 떠나 모두 깊이 고민하자며 유체이탈 화법을 씁니다.

황   약자가 누군가를 혐오하는 것은 괜찮다고 얘기하는 거잖아요.

이   진보진영이 모두 언더도그마underdogma에 빠져 있습니다.

김   언더도그마가 뭡니까?

이   강자는 무조건 악이고 약자는 무조건 선이다, 라는 도그마예요. 언더독underdog이 약자라는 뜻이잖아요. 도그마dogma는 독단적인 신념이라는 뜻이고 두 단어의 합성인데 사실 미국 보수 정치인이 진보 진영을 공격하려고 만든 용어예요.

황　보수언론은 어떤 반응을 보였나요?

이　이번 사건에서는 보수언론이 초기부터 사실관계 확인에 주력하는 모습을 보였습니다. 《조선일보》는 머리가 짧아서 맞았다고 네이트판에 오른 글을 하나하나 확인하는 기사를 썼고요. CCTV 확인 보도나 후속 보도도 사실관계 확인에 중점을 뒀어요. 《중앙》이나 《동아》도 혐오나 성차별, 성별 대립 구도보다 일단 사실관계를 확인하는 태도를 보였고요.

약자는 옳다는 언더도그마에 빠진 진보진영

여성운동 진영에서는 윤김지영이라는 여성학자가 사건이 나자마자 바로 자기 페이스북에 '탈코르셋 한 여성에 대한 한국 남성의 전면 공격이 시작됐다. 그런 공격으로 탈코의 시계는 절대 멈출 수 없을 것이다. 이것이 가부장제를 무너뜨리는 가장 효과적인 창이다.'라는 발언을 했고요.

역사학자 전우용 씨도 말씀하셨는데, 이분은 4년 전부터 페미니즘 바람이 불고 미러링 사건이 일어날 때 자기 이름을 걸고 글 쓰는 진보적 남성 지식인 중에 메갈리아나 페미니스트들의 혐오 발언을 공개적으로 비판한 유일한 분입니다. 모두 입 다물고 있을 때 꾸준히 가장 상식적인 수준에서 이런 운동이 역사적으로 어떻게 실패했는지 사례를 들어 비판해온 분이에요. 전우용 씨는 '혐오에 혐오로 대등하게 대응하는 게 일반화되면 분명히 이런 일이 일어날 거라고 경고했다. 힘센 자에게 대등하게 힘으로 맞서라는 말은 결코 평등을 바라지 않는 자들이

다. 차별을 없애는 게 평등이다. 차이를 없애려 드는 건 폭력이다.'라는 발언을 했습니다. 이 외에 장외에서는 래퍼 산이와 제리케이 사이에 디스전이 있었고요.

김　이거는 문화사적 사건이라고 봅니다. 서로 이야기하고 반박하고 재반박하는데 그거를 랩으로 발표하니까 내용을 떠나서 보기 좋습니다.

황　산이 씨가 〈페미니스트〉라는 노래를 발표했는데 '너도 군대가, 니가 우리 할머니라면 이해하지만 너가 얼마나 불평등을 받았다고' 이런 가사가 있어요. 그런데 산이 씨가 미국 시민권자여서 '시민권자 너나 군대 가라.' 이렇게 조롱이 시작됐어요.

이　제가 이번 사건에서 주목한 점은 바른미래당의 대응입니다. 기사에 보니 '다음에 너네 찍겠다.'는 댓글이 달렸어요. 정치권에서 공정하게 보려는 시선이 드디어 등장했다는 거죠. 지금 민주당에 대해 남성들의 분노가 있어요. 그동안 정당, 정치인이 보여준 태도가 너무 여성 편향적이라는 불만이 있었거든요.

바른미래당의 '혐오나 차별에는 남성, 여성이 따로 있을 수 없다.'는 말에 대중들이 공감하는 거예요. 그리고 포괄적 의미의 차별금지법이 있는데 바른미래당이 그 법과 다르게 혐오방지법을 만들겠다며, 성별을 떠나 혐오 표현이나 증오범죄에 대해 가중처벌을 하는 미국식 법안을 만든다는 정책 제안을 내놨어요. 또 청와대 청원 게시판이 과연 제대로 된 여론 창구 구실을 하는가 문제제기 하면서 개선을 하든 폐쇄하든 조치를 취해야 한다고 얘기했습니다. 다른 당이 침묵할 때 바른미래당이 선전했다고 볼 수 있는 상황이죠.

황　저는 이거 하나 짚고 넘어가야 될 것 같아요. 청와대 청원 게시판이 어떤 이슈를 수면 위로 끌어올리는 역할도 하고 그동안 부당하게 대우받은 일들을 사회적으로 알리는 중요한 역할을 했다고 생각하거든요. 그런데 사람들이 청와대 게시판을 네이트판으로 생각하는 것 같아요. SNS에서 '좋아요' 누르듯이 '동의합니다'를 누르면 어떡합니까.

이　전에 비슷한 게 있었죠, 다음 아고라. '아고라'가 시민의 공론장 역할을 한다고 각광받던 시기가 있었어요. 그러다가 순기능이 더 이상 작동하지 않으면서 자연스럽게 도태됐는데 지금 청와대 게시판이 그 길을 밟는 게 아닌가 하는 우려가 듭니다. 그리고 가장 중요한 건 실질적으로 권리침해를 받는 사람들이 생겼을 때 누구도 책임져주지 않는다는 거예요.

대표적으로 스튜디오 성폭력 사건 때 합정역 어떤 스튜디오를 포함한 글이 청원에 올라왔는데 연예인 수지 씨가 SNS에 공유하는 바람에 엉뚱한 스튜디오가 유탄을 맞고 문을 닫았어요. 그런 일이 일어났을 때 누가 책임지느냐는 거죠. 사실관계 확인도 하지 않은 일로 누군가의 권리가 침해되었을 때 아무도 책임지지 않는데 익명성이 갖는 부작용에 대해 지금까지 대처가 없는 거예요.

그리고 또 심각한 건, 가계정을 활용해서 얼마든지 1인이 청원 수를 조작하고 늘리는 게 가능하다는 겁니다. 이준석 씨가 가짜 계정, 여론몰이, 집단적 명예훼손에 대해 청와대 게시판이 어떤 조치를 할 수 있느냐고 말했죠. 실제로 여기 대

> 사실관계가 확인되지 않은 일로 누군가의 권리가 침해되었을 때 아무도 책임지지 않는다

응하지도 못하고 답변도 선별적으로 하고 있어요. 저는 긍정 기능보다는 부정 기능이 더 심해지고 있다고 봅니다.

황 이준석 씨가 오랜만에 맞는 말을 해주셨네요. 중립을 잘 지켰다고 봅니다.

이 저는 신지예 씨가 아쉬운 게, 내가 편들고 싶은 대상이 있더라도 일단은 사실관계부터 탄탄하게 확인한 뒤에 편을 들어야 신뢰를 얻을 수 있는데, 너무 한쪽에 경도된 채 주장하니까 신뢰를 떨어뜨린다는 거예요.

> 편들고 싶은
> 대상이 있어도
> 사실관계 확인부터

거리로 나온 넷페미

김 그렇다면 이수역 주점에서 여성들이 벌인 행동은 그냥 주사였습니까?

이 주사인데 제가 붙인 이름은 '거리로 나온 넷페미'예요.

황 넷페미. 그동안 인터넷으로만 활동하던 사람들이 사회로 나와서 직접 자기 목소리를 낸 것이다. 저도 현실에서는 처음 봤거든요. 이런 사람들이 정말 현실에 있습니까?

이 《거리로 나온 넷우익》이라는 일본 책이 있는데 그걸 패러디해서 만든 말이에요. 일단 넷페미는 인터넷을 기반으로 온라인에서 활약하는 페미니스트들을 지칭하는 말인데요. 4년 전부터 생성된 개념입니다.

우리나라 페미니즘 운동에서 90년대에 활동했던 분들을 영페미라고 지칭해요. 우리가 흔히 1세대라 부르는 분들은 한명숙 전 총리나 지은희 전 여성부 장관, 현 국가인권위원회 위원장 최영애 같은 분들이에요. 민주화운동과 여성운동을 같이 했던 시대가 지나고, 90년대에 대학가나 일상에서 페미니즘을 내걸고 여성운동을 한 영페미 그룹이 있었어요. 그다음 세대가 넷페미예요. 영영페미라고도 하는데 온라인을 기반으로 '나는 페미니스트다' 선언 운동을 했고 2016년 강남역 살인사건을 분기점으로 급격하게 페미니즘 활동을 하기 시작합니다.

황 　강남역 살인사건도 여혐 범죄라고 지칭하고 주장하죠.

이 　여성 범죄라고 하면서 '여자인 내가 살아남은 것은 우연이다. 여성은 언제나 죽음의 위험에 처해 있으며, 여성혐오범죄 대상으로 일상을 공포 속에 살고 있다.'고 주장하죠.

김 　어떻게 보세요. 강남역 살인사건에 대해서?

이 　저는 여성혐오범죄라고 규정하지는 않습니다. 조현병 환자라는 판결이 나왔잖아요. 조현병을 앓는 사람이 저지른 범죄였는데, 여성을 향했고 여성을 노렸다고 여성혐오범죄라고 이름 지었어요. 많은 전문가들이 여성혐오범죄가 아니라고 했지만 여성계에서는 명백한 여성혐오라고 했죠. 저는 전문가 의견을 지지합니다. 그렇다고 여성혐오범죄가 위험하지 않거나 우리 사회에 존재하지 않느냐, 그렇지는 않다고 봐요.

강남역 살인사건을 분기점으로 공포를 공유하면서 넷페미니스트들이 급격하게 세를 확산하기 시작했어요. 그들의 중요한 특성이 일단 젊고요. 활동 기반이 각종 여초카페와 메갈리아, 워마드, 트위터예요.

진영을 갖추고 플랫폼을 갖기 시작하면서 주요 이슈나 여론을 만드는 과정에서 정말 눈부신 활약을 하기 시작합니다.

이수역 폭행사건 보세요. 여성 두 명과 남성 세 명이 피해자로 올라 있습니다. 그리고 경찰이 접수한 사건은 쌍방이에요. 쌍방폭행이고 양쪽 다 피의자 신분입니다. 그런데 여성들의 대응을 보세요. 여성들은 일단 시작을 여론전으로 했죠.

황 피해자다.

이 게시판에 글을 올리고 청와대 청원을 올리고 인스타그램과 트위터에 계정을 만들어서 2차 가해 제보, 공론화에 필요한 의견을 제보받습니다. 응원도 받고 격려도 받고 수사에 대비하고 재판으로 갈 경우도 대비했어요. 끝없이 여론전을 합니다. 프레임을 짜는데 운동적으로 굉장히 익숙해요.

반면 남성들을 보세요. 변호사 선임해서 경찰 소환을 기다리고 있겠죠. 남성들은 이 문제를 이념으로 생각하지 않고, 여자들하고 시비가 붙어서 곤란한 상황이 됐구나, 어떻게 하면 경찰조사를 잘 받을 수 있을까, 하는 차원이라면 여성들은 공론화를 시킵니다.

황 프레임을 짜는 거죠.

이 프레임을 짜는 거에 대해서 뭐라고 할 수는 없어요. 모든 운동 세력이 그렇게 합니다. 그런데 이들은 온라인으로 연결되어 있고, 조직화되진 않았지만 굉장히 조직적이에요.

제가 '거리로 나온 넷페미'라는 이름을 붙였잖아요. 《한겨레》가 시민단체 '당당위(당신의 가족과 당신의 삶을 지키기 위하여)'의 '유죄추정원칙 규탄 집회'를 《거리로 나온 넷우익》 저자의 말을 빌려서 분석했어요.

저는 그게 악의적이었다고 봅니다. 일본의 재특회(재일 특권을 용납하지 않는 시민모임)가 온라인에서 오프로 나와서 한국인에 대해 혐오 발언을 하고 혐한 시위를 하는데도 놔두니까 일이 커졌다, 그냥 두면 안 된다, 이런 내용인데 이걸로 당당위 집회를 분석한 거예요. 정말 맞지 않는 사례인 게, 당당위는 혐오 집회가 아니었습니다. 누구를 혐오하지도 않았고 여성을 향하지도 않았어요. 성범죄에 대한 사법부의 유죄추정원칙을 규탄하는 집회였어요. 그런데 거기에 재특회 사례를 붙이면서 당당위를 넷우익, 혐오세력으로 분석한 거죠. 전혀 틀에 맞지 않는 분석입니다.

《거리로 나온 넷우익》을 한국에 적용한다면 폭식 투쟁하러 나온 일베 사례가 적합한 거죠. 일베들이 온라인에서 자기들끼리만 향유하던 혐오문화, 정치혐오, 패륜적 문화들을 거리로 나와서 세월호 유족을 향해 한 거잖아요. 명분은 광화문 광장을 시민에게 돌려달라는 것이었어요. 그러면서 단식하는 유가족들 옆에서 폭식 투쟁을 했죠. 그런데 저는 거리로 나오는 것은 오히려 정치화돼서 나온 거니까 더 낫다고 생각합니다. 넷우익이든 넷페미든 정치화돼서 나오면 우리가 볼 수 있잖아요. 보고 비판할 수 있죠. 일베 폭식 투쟁이 결국 어떤 결과를

혜화역 시위에 나온 혐오 표현과 인권유린을 덮어준 진보언론

만들었습니까. 온오프에서 일베는 예전처럼 활개치지 못하게 됐어요.

그런데 넷페미들이 거리로 나온 가장 대표적인 사례가 혜화역 시위입니다. 그때 시위에 나온 구호 중에 '문재인 재기해'가 있었고, 몰카

범죄 피해자 남성을 조롱하는 피켓들을 그냥 노골적으로 들고 나오기도 했어요. 일베 폭식 투쟁만큼 인권을 유린한 행위입니다. 그런데 덮어졌습니다. 진보언론이 다 덮어줬으니까. 시위를 보도하면서 혐오 발언은 다 뺐어요. 혐오 발언을 보도한 것은 개인적인 유튜버 크리에이터, 마이너 언론뿐이고, 진보언론은 사람들이 실체를 알 수 없도록 집회에 나온 혐오와 인권유린 요소를 다 '뽀샵'해줬어요.

누가 혐오의 언어에 시민권을 주었나?

황 남성 행인들한테 혐오 표현도 굉장히 많이 했다고 그러잖아요.

김 나는 어린이를 한남유충이라고 하는 게 너무 충격적이었어요.

이 혜화역 집회 보도를 보면 가려주느라고 애쓴 게 보일 정도였어요. 그런데 그 이후에 정부 7개 부처가 여성들과 면담하고 요구 조건을 들어주겠다며 성심성의껏 대응했어요. 여성들이 들고나온 게 몰카 범죄의 피해자가 여성이 많다는 거니까 귀 기울일 만하죠. 발단은 남성이 피해자인 사건인데 여성들이 프레임을 확 바꾼 거예요.

이번 이수역 폭행 사건도 프레임을 바꾸려는 과정 중인 겁니다. 여성들이 혐오를 했다 해도 여성이 하는 혐오와 남성이 하는 혐오는 분리해서 봐야 한다는 프레임, 그리고 여성이 일상에서 느끼는 공포, 탈코 한 여성이었기 때문에 맞았다는 여성의 피해 서사로 넘어가는 프레임을 짜는 거죠.

김 황현희 씨, 탈코르셋 하는 여성에게 분노하는 마음이 있습니까?

황 왜 분노를 해요? 그 사람의 개성이죠. 축구하는 거랑 뭐가 달라요. 운동장에서 축구하면 축구를 좋아하는 애들이다 생각하는 거지. 탈코르셋 한다는 사람들이면 탈코르셋 좋아하나 보다 생각하면 되지.

김 너무 이상한 게 탈코르셋 했다고 맞았다니, 탈코르셋 했다고 왜 때려. 왜 미워해. 미워할 이유가 전혀 없어요.

황 궁금한 게 그거예요. 온라인에서 글로만 보고 이렇게 얘기하고 생각하는 사람도 있구나 했는데 실생활에서 그런 다툼이 일어났다는 게 충격적인 일 아니겠습니까?

이 저도 동영상 보고 놀랐어요. 일상에 침투한, 내면화된 혐오와 증오가 심각합니다. 이게 어떤 면에서 중요하냐면 온라인 자아와 오프라인 자아의 경계가 없어진 거예요. 이런 사람들이 계속 나올 겁니다. 중요한 건

> 온라인에서 쓰던, 사회성은 없지만 시민권을 얻은 용어를 오프라인에서 쓰기 시작했다

이들이 사회성을 얻지 못했는데 시민권을 얻은 용어를 사용하기 시작했다는 거예요. 사회성이 없는 용어란 온라인에서는 낄낄대며 할 수 있는 말이지만 현실에선 쓸 수 없는 말이에요. 보통 사람들은 그 경계를 명확히 인식하잖아요. 일베들도 '일밍아웃'을 그렇게 오픈해서 하지 않습니다. 적어도 그게 현실에서 타인과 의사소통할 때는 할 수 없는 이야기라는 걸 알아요. 그래서 온라인에 모여 있는 거잖아요. 온라인 언어를 일상에서 쓸 수 있다는 것은 온오프 자아의 경계가 무너졌다는 거고. 경계가 무너질 수 있었던 중요한 원인은 자신들의 발언이 시민권을

얻었다고 생각하기 때문이에요. 시민권을 부여한 게 진보언론과 진보 진영이죠.

황 우리는 이렇게 얘기해도 되는 세대다.

이 여성학자들, 그리고 진보매체들이 초기에 메갈리아가 혐오 언어를 쓸 때 '메갈리안이 실험한 것은 쾌락의 언어와 농담의 에너지를 운동의 에너지로 전환시키는 것이었다. 온라인을 통해 물리적 한계를 뛰어넘어 구조적 폭력 현상을 중단시키는 실질적 효과를 발휘하고 있다.' 이렇게 말했어요. 혐오행위를 우려하는 목소리를 덮고도 남을 만한 말들로 승인했습니다.

그러니까 그들은 이념에 입각해 승인된 언어로 생각하는 거예요. 일베는 적어도 그게 승인된 언어가 아니라는 걸 알아요. 특히 중요한 건 활동하는 연령대가 어리다는 거예요. 사회생활 경험이 아무래도 적죠. 그리고 학생인 경우 일상을 영위하는 삶의 공간에서 이걸 사용하면 안 된다는 개념을 쌓기도 전에, 또래문화라든지 자기가 속한 협소한 사회 경험 속에서 온라인 자아가 오프라인으로 튀어나올 수 있어요.

황 자기도 모르게 나온 거군요?

이 중요한 것은 이게 당신들이 만든 지옥인데 누가 책임지느냐는 거예요. 과연 누가 책임집니까? 그들의 말을 승인하고 시민권을 부여했던 사람들 가운데 하나라도 이런 사태에 책임지는 말을 합니까?

혐오에 혐오로 응수하는 건 혐오의 총량을 늘릴 뿐이다

더 우려되는 건 그 연령이 계속 어려진다는 점이에요. 온라인 언어와 문화가 어린 세대에게 더 빠르게 보급

되다 보니까. 지금 남녀 학생 간의 갈등으로 힘들다는 중고등학교 교사들의 호소가 많이 나오고 있어요. 학교에도 이미 쌍방의 혐오 언어가 난무하는데, '여성들아, 마음껏 혐오해라.' 이런 말을 했던 학자들 책임집니까? 저는 초기부터 얘기한 게 있어요. '혐오에 혐오로 응수하는 건 혐오의 총량을 늘릴 뿐이다.'

김 혐오를 즐겨라, 그렇게 말한 사람도 있어요.

이 있습니다. '더 마음껏 혐오해라, 여성들아.' 진중권 씨도 '내가 메갈리안이다' 메갈 인증하고. 그때 지식인 남성들이 여성들을 북돋웠습니다. 그래서 시민권을 얻고 승인되었다고 생각하다 보니까 현실에서 사용하는 것에도 거리낌 없어진 거예요. 거기에 남성들도 '메갈년', 이런 말을 하고, 혐오의 총량이 늘어나니까 쌍방 혐오가 상승하겠죠. 그런데 여성혐오는 다르게 봐야 한다고 주장하는 것은 결코 해법이 될 수 없는데 여전히 이 소리를 반복합니다.

소수지만 이럴 것을 예견하고 우려하고 비판하는 목소리가 있었는데 거의 모든 매체에서 그 목소리는 잠재웠어요. 그리고 사건이 터지니까 또 기존의 익숙한 패턴으

> 여성혐오는 다르게 봐야 한다고 주장하는 것은 해법이 될 수 없다

로 프레임을 바꾸려고 해요. 이건 안 된다고 봅니다. 우리는 미미한 영향력도 가지지 못한 방송이지만, 이걸 듣는 분들께서는 혐오에 혐오로 대응한다는 전략은 공식적으로 폐기하셔야 합니다. 그리고 그런 발언을 했던 분들은 지금이라도 '우리가 첫 단추를 잘못 끼웠습니다.'라고 책임지는 행동을 해야 합니다.

김 《한국일보》 오늘 자를 보니 요즘 중고등학교에서 메갈년, 소

추 같은 얘기가 오가면서 패싸움이 벌어진답니다. 남자 대 여자로.

이　저도 교사들을 많이 만나는데 그런 호소가 많아요. 실제로 온라인 문화를 너무 빠르게 습득하니까.

황　하나 말할 게, 여성들이 남성들에 대해 공포를 느낀다고 그러잖아요. 밤에 혼자 다니는 여성들이 남자들에게 공포가 있다고 하는데, 이수역 폭행사건을 보면 오히려 남자들한테 더 심하게 받아치던데 그게 어떻게 공포가 있는 사람의 행동인가요.

이　이제 일상의 공포를 더 강한 여성상으로 받아쳐야 한다는 거죠. 그 여성들처럼. 그리고 저는 주사를 부린 거라고 봐요. 주사를 부린 여성들이 우연히 워마드 류 혐오언어에 익숙한 분들이었던 거죠.

황　평소 쉽게 들을 수 없는 단어들이 술술 나오던데요. 진짜로 그 사이트에서 그런 단어를 많이 쓰니까 자연스럽게 나왔다고 받아들일 수밖에 없는 상황이잖아요.

이　이념의 무서움이죠. 남자들이 그동안 키득거리면서 유튜브에서 성적 게시물이나 여성혐오 콘텐츠를 봤다면, 이제 혐오의 언어로 여성들이 되치고 나오기 시작한 거죠. 그러니까 계속 우리의 일상 어디서든 성별 혐오 전쟁을 벌여야 되는 거예요. 저는 우리 시대의 갈등이 계급도 아니고 세대도 아니고 성별로 이렇게 확 퍼질 거라고는 생각 못 했어요. 너무 빠르고 급격하게.

황　지역감정이 가장 큰 서로의 갭이었잖아요. 이제는 세대 갈등과 남녀 갈등이 그걸 넘어섰어요.

김　세대 갈등도 앞으로 우리가 대비해야 되는데. 특히 어르신들, 노인에 대한 혐오도 엄청날 것 같아요.

황 그러니까요. 약자는 강자를 혐오할 수 있다면 노인은 여성을 비하할 수 있는 겁니까? 여성 노인 그러니까 할머니들은 젊은 여성을 비하할 수 있는 겁니까? 노인이 더 약자잖아요, 젊은 여성보다는. 어린이는 여성혐오 해도 되는 겁니까. 어린이가 더 약자잖아요.

이 약자의 강자 혐오가 가능하다고 하면 우리는 끊임없이 약자 감별을 해야 합니다. 그러니까 혐오가 누구를 향하든 명확하고 일관되게 혐오는 안 된다, 라고 규범을 세웠어야 하는 거죠.

그런데 시작부터 패착이 있었어요. 그걸 누가 승인해줬는가. 진보 진영, 진보언론의 책임이 정말 큽니다. 그들이 아니었으면 이렇게까지 시민권을 얻지는 못했을 거예요.

남성이 여성을 향해서 한 혐오 발언이나 행위는 정말 현미경처럼 잡아내서 보도합니다. SNS에서 떠도는 거라도 다 찾아서 시시콜콜하게 보도해요. 여성이 하는 혐오도 마음만 먹으면 굉장히 많이 찾아낼 수 있어요. 그건 안 합니다. 다분히 전략적이죠.

김 자, 마무리 할 시간입니다.

이 거리로 나온 넷페미는 우리가 만든 지옥입니다. 일베 폭식 투쟁처럼 실제 정치화돼서 나타나는 것은 오히려 나아요. 그러면 누구든지 보고 확인하고 비판하고 견제할 수 있으니까. 그런데 이렇게 일상에 침투한 혐오나 증오의 내면화는 증

> 일상에 침투한 혐오와
> 증오의 내면화는
> 증오범죄로 이어질 수 있다

오범죄로 이어질 수 있어요. 증오범죄를 행하는 당사자는 남성과 여성 그 누구도 될 수 있어요. 혐오의 총량이 너무 많아졌기 때문에 범죄로

이어지고 사회구성원 간의 갈등을 유발합니다. 결국 저잣거리 시비가 사회 이슈가 되는 세상이 와버린 거죠. 온오프 자아의 경계가 없어진 현상에 대해서는 지금이라도 책임 있는 사람들이 진지하게 성찰하고 무엇이 문제이고 어떻게 해야 하는지 이야기해야 한다고 생각합니다.

김　오늘 함께 해주신 여러분 감사합니다. 〈우먼스플레인〉 다음 주에 다시 뵙겠습니다.

5장

남성 가해자
여성 피해자 프레임

2019년 01월 02일 17화 방송

황 〈우먼스플레인〉 인사드립니다. 오늘도 이선옥 작가님, 김용민 씨 자리해주셨습니다. 안녕하세요.

이/김 안녕하세요. 새해 복 많이 받으세요.

황 지난주 김용민 씨가 안 나오셨어요. 반응 보셨나요. 지난주? 차라리 안 나오는 게 낫다. 댓글에. 어떻게 하실 거예요?

김 어떻게 하기는. 계속 나와서 헝클어뜨려야지.

이 제가 그 댓글 보고 자리 비우면 안 되겠구나. (웃음)

황 이번 주는 이수역 폭행사건과 숙대 대자보 사건, 프레임 전쟁에 대해 이야기를 나눠볼 텐데요.

김 이수역 폭행사건의 진상이 가려졌죠?

이 지난주 40일 만에 경찰조사 결과가 발표됐어요. 여성 두 명, 남성 세 명이 기소 의견으로 검찰에 송치됐습니다.

김 여성 두 명이 사건을 세상에 알림으로써 널리 알려지게 됐는데 이들의 주장에 허위가 많았다고 알고 있습니다.

이수역 폭행사건, 그 이후

이 경찰조사 발표에 따르면, 당시 네이트판과 청와대 청원에 올라왔던 글에서 몇 가지가 허위로 드러났죠. 사실관계가 드러나면서 결론은 쌍방폭행. 그리고 모욕죄 등으로 기소 의견으로 검찰송치가 됐고요. 40일 동안 경찰조사가 있었어요. 19명으로 사건 전담반이 꾸려졌답니다. 여경 7명 포함해서요.

황 그래요? 굉장히 많은 인원이네.

이 대한민국 주점에서 날마다 일어나는 이런 사소한 폭행 시비 사건에 경찰이 무려 19명의 전담반을 꾸려서 40일 동안 조사하고, 국립과학수사연구소(국과수)가 증거 조사까지 했어요. 여성들은 남성이 발로 차서 계단에서 쓰러져서 머리를 다쳤다고 주장하는데, 계단엔 CCTV가 없으니까 진실을 따져보기 위해서 남성 신발까지 수거해서 신발 흙이 여성 옷에 묻었는지 조사했다는 거예요.

황 이게 무슨 세금 낭비야!

이 결국 흙은 검출되지 않아서, 남성이 여성을 발로 찼다는 증언이 국과수 조사로는 입증되지 않은 거죠. 결과가 나오니까 여성들이 나중에 자기 발언과 사회적으로 물의를 일으킨 것에 대해 경찰에 사과했다고 하는데, 여성들이 쓴 글 때문에 청와대 청원에 36만 명이 동참했잖아요. 이 정도로 여론이 불타오르니까 19명이나 되는 전담반을 꾸리고 국과수 조사까지 한 건데, 도대체 이게 무슨 경찰력 낭비, 행정력 낭비입니까. 이런 엄청난 일을 저지른 것에 대해 여성들이 경찰한테만 사과할 일은 아니라고 생각해요. 자신들의 주장에 거짓이 있었으면서 청원에

갈 때까지 전혀 바로잡지도 않았고. 나중에는 자신들이 쓴 글이 아니라고 얘기했다더라고요. 그 글을 쓰지 않았다고 해도 인스타나 트위터에 공론화 계정을 만들어서 제보도 받고 금전적 어려움도 호소하고…….

김 그래요?

이 예, 수사와 재판에 대비할 수 있게 도움을 요청하는 계정을 열었죠. 그런 행동에 대해서는 말하지 않고 단순히 수사에서 거짓말만 사과할 일은 아니죠. 그런데 경찰에서는 그 여성들이 허위사실을 말한 것에 대해서 책임을 묻진 않겠다고 발표했습니다.

김 왜?

황 이 사람들에게 법적 책임을 물었다가 괜히 또 책잡힐까 봐 그런 것 같아요.

이 저는 다른 사안이었다 해도 경찰이 문제 삼지 않고 넘어갈 수 있었다고 봐요. 그런데 이 사건에 대해서 그 여성들이 반성하는 지점이 거기서 머무르면 안 된다고 봅니다. 그리고 경찰도 단호하게 대처할 수 있어야 한다고 생각해요. 이거는 정말 공권력과 행정력의 낭비잖아요.

황 세금 낭비죠.

이 그렇게 된 건 결국 36만 명의 청원, 중요한 문제라는 언론의 자극적인 보도, 갈등을 부추기는 매체들의 보도 때문이거든요.

김 여기 낚인 페미니스트들이 있어요.

여성 피해자, 남성 가해자라는 프레임

황　《한겨레》 사설, 윤김지영 씨, 신지예 씨, 나임윤경 씨. 이 분들은 이 사건이 젠더 문제이고 여성혐오범죄라고 규정했어요. 도대체 어떤 도덕적 책임을 지시려고 그럴까요.

이　여성혐오범죄고 여성들이 일방적인 피해자라고 주장하는 글들을 섣부르게 쓰고, 결국 성별갈등으로 이 사건을 몰고 간 큰 책임이 있는 분들이 경찰의 조사 결과 발표 후에 아무런 말이 없죠.

황　그러니까, 조용하네요.

이　대표적으로 신지예 씨가 '온라인에서 2차 가해가 이어졌다.'라고 했어요. 청원 후에 그 여성들이 남성들에게 성기를 비하하는 발언을 섞어서 욕설하고 거친 행동을 하는 동영상이 확 퍼졌잖아요. 그런데 그 후에도 신지예 씨는 동기가 무엇이든 머리가 찍히고 피가 나올 정도의 폭행이 있었던 건 사실이라고 주장했어요.

김　그게 왜 사실이야?

이　그걸 뒷받침할 증거는 없어요. 여성들의 진술만 있어요. 남성들과 실랑이가 있었고 남성들이 밀쳤다. 못 가게 멱살을 잡았더니 밀쳐서 넘어진 거라는 주장이고요. 윤김지영 씨는 이건 '여성혐오의 결정체인 사건'이라고 했어요.

황　아, 여성혐오의 결정체다!

이　네. 그 장면을 보고 '여성들이 남성의 공포에 제압당하지 않고 반격할 수 있다는 가능성이 드러나자 이 사회가 강력한 힐난을 퍼붓고 있다.' 이렇게 얘기했어요. 또 한국사이버성폭력대응센터라는 단체에서는 폭행 정도가 살인미수에 가깝다며 가해 남성을 처벌하라는 국민청원 참여를 촉구하고, 여자는 자신이 원하는 머리 모양을 하고 화장하지 않을 권리가 있다면서 여성혐오범죄라고 규정했어요.

《한겨레》 사설도 '어쨌든 남녀 물리력에 차이가 있고 성차별 구조가 여전하니까 남성혐오와 여성혐오는 동일 선상에 놓으면 본질을 흐릴 수 있다.' 또 나임윤경 한국양성평등교육진흥원장은, (동영상을 다 본 후의 얘깁니다.) '타고난 신체조건 자체가 다른 남성과의 싸움에서 이길 수 없다. 여자가 말을 심하게 했다고 남자의 폭력이 정당화될 수 있는 것은 아닌데 사람들이 너무 지엽적인 부분에만 집중하고 있다.' 이런 발언을 했습니다.

저는 이수역 폭행사건을 그동안 여성주의 운동, 페미니스트들이 해온 프레임화의 실패로 봐요. 진보매체나 진보단체 페미니스트들은 이 사건을 어떻게든 여성혐오범죄로 프레임화하려고 시도했습니다. 처음은 아니고요. 그동안 여러 젠더이슈에서 페미니스트와 진보언론이 '여성 피해자, 남성 가해자'라는 이분법적 구도를 부각하고, 페미니즘에 대한 비판은 곧 반동이며 여성혐오 백래쉬Backlash*라고 규정하는 프레임을 짜왔어요. 계속 시도해왔고 대부분 성공했죠.

대표적인 예가 홍대 누드모델 몰카 범죄 사건이에요. 피해자가 남

이수역 폭행사건은
페미니스트들의
첫 패배

백래쉬 반동, 반격이라는 의미를 가진 용어. 기존의 권력이나 질서가 옳은 방향으로 변화하는 데 대한 반감으로 반발하거나 반격하는 상황을 말한다. 페미니스트들은 페미니즘에 대한 비판이나 역풍을 부정적인 의미에서 모두 백래쉬로 규정한다.

성이었는데 혜화역 시위에서 여성 몰카 범죄 피해를 부각하면서, 그동안 경찰이 여성들의 몰카 범죄는 수사하지 않더니 이번에는 범인이 여자라서 빨리 잡았다는 식으로 프레임을 확 바꿔놓는 데 성공했습니다.

이른바 곰탕집 성추행 사건으로 불거졌던 사법부의 성범죄 유죄추정원칙을 규탄하는 당당위 시위가 있었어요. 페미니스트들이 당당위 시위를 여성혐오 시위로 규정하면서 강력하게 비판했고, 남성 페미니스트들이 맞불 시위를 열기도 했어요. 당당위 시위를 여성혐오자들의 백래쉬로 규정하면서 프레임을 바꾸려는 시도를 합니다.

워마드와 메갈리아의 패륜적 행위나 남성혐오 발언, 범죄적 발언들에 대해서도 미러링이고 그동안 누적된 여성혐오 피해에 대한 정당한 행위라는 프레임을 지금까지 가져왔고요.

황   지금까지 성공했는데 이번 이수역 폭행사건은 잘 안 된 건가요?

이   이 정도로 크게 여론화된 가운데 좌초된 첫 사례 정도?

황   관심이 많아지니까 진상을 규명하고자 하는 의지들이 강해졌기 때문이죠. 잘못되었다는 걸 인지하고 자신들의 목소리를 냈기 때문에 진상규명이 된 것이라고 말씀드리고 싶네요.

이   그와 함께 숙명여대 탈브라 게시물 사건이 있는데 사건 개요를 잘 모르시는 분들도 계시니까 현희 씨가 정리해주세요.

대자보 vs 게시판, 지금은 프레임 전쟁 중

황   숙명여대에 '탈브라 꿀팁' 의견을 받는 게시물이 부착됐는데요. 11월 28일, 작년이죠. 캠퍼스 투어에 온 모 중학교 남학생 중 일부 학생이 게시물에 낙서를 했어요. 약간 여성을 비하하는 내용이었죠. 일방형 대자보가 아니라 의견을 적도록 한 게시물이었고요. '한남을 죽인다, 한남 눈을 찌른다, 가랑이를 쭈차뺀다.' 같은 말이 쓰여 있는데 거기에 '응, 그래 너 A', '너도 못생김' 이런 식으로 적었대요. 10대 학생들이에요. SNS에 이 일이 올라와서 해당 중학교에 항의전화와 사과 요구가 빗발치죠. 그리고 12월 5일 중학교가 숙명여대에 공문을 보냈어요.

이   중학교 측이 사과를 했죠. 숙명여대 쪽에.

황   사과했고요. 그리고 숙대생들이 중학생들의 자필 사과문과 인솔교사 사과문을 요구했으나 중학교에서 거부합니다. 그리고 12월 10일, 숙대 총학생회와 중앙인권동아리 '가치'가 사태 종료를 알렸고요. 굴복한 것은 아니라고 입장을 밝혔습니다.

김   5일 사이에 무슨 일이 있었던 거예요?

이   숙명여대 게시판 사건 역시 프레임화에 실패한 사건이라고 봐요. 이수역 폭행사건 하고 겹치는 바람에, 기사는 많이 났는데 사소하게 취급돼서 묻힌 면이 있어요.

황   아니 근데 여대생이 약자입니까? 미성년자 남자 중학생이 약자입니까? 약자 프레임을 잡는다면.

이   여기서 강자 약자 프레임을 잡을 필요는 없죠. 남자 중학생들을 가해자로 묘사한 거거든요.

황   가해자로 묘사한다?

이   네, 숙대 총학생회가 '이번 일은 중학생들의 장난에 대학생들이 뿔난 사건이 아니다. 남성이 여성의 이야기를 지운 사건이다.' 이렇게 프레임화합니다.

황 '남성이 여성 이야기를 지운 사건이다.' 말을 잘 만드네. 웬만한 유행어보다 잘 만들어요. 〈개콘〉 애들보다 더 잘 만들어. 아이디어 회의 한번 해야겠네.

이 이수역 폭행사건을 '탈코르셋 여성이 굴하지 않는 것에 대해 이 사회가 여성들에게 가한 전면공격'으로 프레임화한 것과 같은 맥락이에요. 이게 지금까지 해온 방식이고 계속 성공했기 때문에, 의도하지 않아도 페미니즘에 입각하면 이런 입장을 가지게 됩니다. 그런데 그동안 프레임이 먹혔던 이유는 진보진영 언론과 진보단체들이 지지하고 기사를 써주고 동의해왔기 때문이죠.

페미니스트들이 주장하는 프레임의 스피커 역할을 하는 진보진영과 진보언론

그동안 프레임 전쟁에서 늘 승리했는데 왜 이 두 사건은 성공하지 못했는가? 이수역 폭행사건에서는 사건화되고 나서 여성들의 주장을 반박하는 동영상이 대중적으로 급속하게 퍼진 게 아주 컸고요. 청와대 청원 때문에 갑자기 일반 대중의 주목을 받았잖아요. 그래서 대중들도 사실관계에 관심을 가질 수밖에 없었어요.

제가 이수역 폭행사건 다룰 때 얘기했듯이 진보언론이 상대적으로 보도에 주춤했습니다. 그 뒤에 일어난 산이와 제리케이의 힙합 디스전을 통해서 간접 지지하는 태도를 취했어요. 동영상이 나오고 《한겨레》 사설도 그렇게 썼지만 일방적 옹호를 하기엔 섣부른 감이 있었죠. 오히려 초반에 보수언론에서 사실관계를 파악하는 기사를 계속 내

보냈습니다.

숙명여대 사건에선 대상이 아직 어린 중학생이라는 신분이고, 학부모들도 관련되어 있잖아요. 해당 중학교가 학생들을 처벌하고 엄중하게 교육하겠다는 입장을 취하니까 학부모들이 반발하면서 '숙명여대에서 교생 받지 마라. 거부하겠다. 아무렇지 않게 남성혐오 발언을 하는 학생들이 어떻게 아이들을 가르칠 수 있느냐. 교사의 자질이 있느냐.' 이러면서 바로 항의하기 시작했어요. 그러니까 학부모들 의견도 무시할 수 없었죠.

그리고 이게 대자보가 아닙니다. 참여형 게시물이 더 정확해요. 대자보는 일방적으로 주장하는 거잖아요. 그래서 누가 거기에 의견을 달고 할 수 있는 게 아니지만, 이건 '탈브라 꿀팁'이라고 해서 사람들이 의견을 쓰게 만든 참여형 게시판이에요. 어쨌든 숙대생의 의견을 받으려고 한 것이기 때문에 중학생들이 초대받지 못한 건 맞죠.

사실 중학생들이 어느 학교에 대자보가 있다고 해서 거기 낙서하는 게 흔한 일은 아니잖아요. 그런데 이제는 중학생까지도 한남이니 메갈이니 하는 쌍방혐오 문화를 이미 다 아는 거예요. 탈브라, 탈코르셋 팁 게시판에 한국 남자를 죽여야 된다 같

> 게시물에 낙서를 한 것은 중학생들도 이미 쌍방혐오 문화를 알고 있기 때문

은 남성 비하 발언들이 있으니까 중학생들이 거기에 댓글을 장난스럽게 단 거죠. 그게 우연히 숙대 여학생 눈에 띈 거고. 이걸 대자보 훼손으로 가져간 것도 다 프레임이에요. 이게 대자보는 아니거든요.

그리고 중학교 남학생들이 낙서한 게 학교 대 학교로 문제 삼을 일

인가요? 보세요, 이게 사건화할 수 있는 일인가. 숙명여대 중앙인권동아리가 자신들 명의로 성명을 내고, 나중에 총학생회와 중앙인권동아리, 캠퍼스투어 자원봉사자 일동 공동명의로 중학교 측의 사과문을 받아들일 수 없다는 성명을 내고, 최종적으로 사건 종료 발표문을 냈어요. 그런데 해당 중학교가 항의전화 때문에 일을 못 할 정도로 마비가 됐다고 합니다.

김　그래요?

황　항의전화가 엄청 많이 왔군요.

이　여초 커뮤니티에서 총공격을 했기 때문에 그게 꼭 숙명여대생인지는 알 수 없지만요. 업무가 마비될 정도로 전화를 받고 학교가 말하자면 수습을 한 건데 사과문을 보면 중학교 측에서도 이 사건에 대해 불만을 가진 게 드러나요. 현희 씨, 아까 우리 사과 공문 봤잖아요.

황　공문 보고 빵 터진 건 처음이에요.

이　그 내용 좀 읽어주세요.

황　'숙명여자대학교 학교 탐방 중 참여형 게시판 댓글 작성에 대한 모 중학교 입장 및 사과문'. 사건 개요 가나다라 중 라 2번에 이런 말이 있습니다. '탐방 코스 중 명신관을 소개하는 과정에서 일부 학생들이 명신관 앞 참여형 게시판에 '한국 남자를 죽인다, 관음하는 그 성별의 눈을 찌른다, 한국 남자 못생겼다' 등의 문구를 보고 '지랄', '응, A' '니도 못생김'이라는 문구를 남겼고.' (이게 공문이야) '이를 발견한 인솔자와 교사들이 학생들에게 주의를 주고 즉시 문구를 삭제 조치하였으나 일부 남겨진 문구가 뒤늦게 파악되었음.'

이　학교 학생들이 귀 학교 게시판을 훼손하고 적절치 못한 비속

어를 쓴 것에 대해서 사과합니다. 이렇게 할 수도 있는데 굳이 내용을 다 적은 거예요.

　황　다 썼어요. 이걸 보고 숙명여대 쪽에서 '이거 뭐야?' 이럴 수도 있겠다는 생각이 들어요.

　이　총학생회와 중앙인권동아리에서 이 사과문에 대해서 '받아들일 수 없다. 이건 사과가 아니다.' 그러면서 다시 해당 학생들과 인솔 교사의 공개 사과문을 요구했는데 중학교에서 거부했습니다. 그 이상 사과하지 않겠다고 했어요.

　그래서 숙명여대 쪽에서 엊그제 최종적으로 '이 사건의 종료를 알린다. 하지만 우리가 굴복한 것은 아니다.'라는 입장발표를 했어요. 그러면서 마무리됐습니다.

　숙명여대 사건도 마찬가지로 초반 보도는 굉장히 일방적이었어요. 숙명여대 대자보 사건이라고 했죠. 그런데 중학교에서 보낸 공문에는 '참여형 게시판'이라고 되어 있잖아요. 이런 게 다 프레임 전쟁입니다. 대자보라고 하느냐 참여형 게시물이라고 하느냐, 이거부터 완전히 다른 거죠.

　황　의도가 다르다?

진보매체들의 책임

　이　다르죠. 일방적인 주장을 내거는 대자보에 다른 의견을 적는 게 윤리적이진 않죠. 물론 할 수야 있겠지만.

그리고 '남자 중학생들의 여성혐오'라는 일방적인 프레임을 짰지만, 커뮤니티와 마이너 매체들, 유튜브 등에 공문과 최초 참여형 게시물에 숙대 여학생들이 썼던 말까지 다 같이 돌면서 여성 피해자, 남성 가해자 프레임화에 실패했습니다. 일단 사실관계에 대한 대중의 정보 습득이 있었고, 기존 보도에 대한 피로감과 불신도 가득 찬 상태였어요. 그래서 저는 진보매체들이 섣불리 못 나섰다고 봅니다. 학부모와 학교라는 존재도 있고요.

황 그렇죠. 엄마도 여자 아닙니까?

이 중학교라는 대상, 그리고 학부모라는 대상, 이렇게 구체성 있는 대상들이 대응할 수 있는 조건이 됐기 때문에 프레임화에 성공하지 못했죠. 여기에서 우리가 알 수 있는 건 사실관계를 명확히 알리려는 노력이 필요하다는 거예요. 진보매체들이 프레임화에 조금만 소극적으로 나오거나 혹은 사실관계 파악에 조금만 주력해도 일방적인 성별갈등으로 흐르지 않을 수 있습니다.

> 성별갈등으로 가지 않으려면 사실관계 확인은 적극적으로 프레임화에는 소극적으로

그런데 그동안 프레임화에 기여해온 책임이 있고, 이수역 폭행사건에서 섣부르게 발언했던 사람들과 진보매체들이 숙명여대 사건에 대해서 '매체들이 과도한 성별갈등을 부추겼다.' 이렇게 논평을 합니다. 본인 행동은 돌아보지 않고 이렇게 유체이탈화법으로 얘기하는데, 저는 이에 대해서 강력히 문제를 제기합니다.

황 숙명여대 사건에서 기사 제목들을 뽑아봤어요. 제가 읽어드릴게요. 《허프포스트》에서는 〈숙명여대에 캠퍼스 투어를 온 남자 중학생

들이 학내 대자보에 욕설〉이라고 기사가 났고요.

이 어떻게 프레임을 가져가는지 제목을 한번 보세요.

황 들어보십시오. 《직썰》이라는 매체에서는 〈숙명여대 들어와 '탈코르셋' 대자보 훼손한 중학생들〉, 일요신문에서는 〈숙명여대 '가슴해방운동' 대자보에 '응, A'라고 적은 남자〉, 남자라고 적었네요. 《뉴스원》이라는 매체에서는 〈남학생들 욕설로 도배된 숙명여대 대자보〉.

이 서너 마디 있는 걸 도배라고 쓴 거죠.

황 《한경》에서는 〈여대 대자보 욕설, 캠퍼스 투어 와서 대자보 훼손하는 배짱은?〉, 중학생들에게 배짱이라는 표현을 썼어요. 《국민일보》에서는 〈남중생이 여대 대자보에 가슴 크기 A〉라고 기사가 났고요. 《브릿지경제신문》에서는 〈숙명여대 캠퍼스 투어 중 남중생 대자보 훼손. 성적 욕설·조롱〉, 성적 욕설이라고 해놨네요. 《푸른한국닷컴》에서는 〈여대 대자보 욕설, 중학생들이 탈脫브라 등 여성폄하〉, 《MBN》은 〈숙명여대 대자보 욕설 논란, 탈코르셋 대자보에 '응 A컵' 낙서〉……. 뭐 이런 식이에요.

이 언론이 이런 사건에서 프레임을 어떻게 가져가는지 보세요. 사실 이 매체들은 다 중소매체입니다. 진보매체들은 기사화를 많이 하지 않았어요. 진보매체들이 프레임을 적극적으로 가져가는 건 이념형이고요. 중소매체들은 선정성 위주예요. 요즘에 젠더이슈 내면 클릭 수가 오르니까 이렇게 자극적으로 가는 거죠. 그런 차이는 있지만 《허프포스트》나 《직썰》 같은 데는 진보매체라고 볼 수 있는데, 거기서 기사 제목을 이런 식으로 쓰니까 제목만 보면 '중학생들까지 여성혐오에 찌들어서 이런 짓을 하는구나.' 하고 보게 되잖아요.

한 가지 얘기하고 싶은 게 있어요. 숙명여대 중앙인권동아리와 총학생회가 해당 중학생들과 인솔교사의 공개사과문을 요구했잖아요. 저는 공개사과문을 요구하는 방식에 대해서도 문제의식이 있습니다. 누구에게든 어떤 단체에게든 공식 처벌과 책임 행위로서 공개사과문을 요구하는 것은 양심의 자유를 침해하는 거예요. 공개사과문을 쓰라고 요구하는 행위가 비단 페미니스트만의 문제는 아니라고 봐요.

황 우리나라 사람들 사과문 참 좋아해.

이 대법원 판례도 있어요. 어떤 기업에 공개사과문을 요구하는 것이 양심의 자유에 위반하는 거라는 판례가 있습니다. 스스로 책임지는 행위로 사과문을 쓸 수는 있지만 타인에게 처벌과 책임을 요구하면서 공개사과문을 쓰라고 쉽게 요구하면 안 된다고 봅니다.

그리고 최근 진보매체 이외 매체들에서 젠더이슈에 대해 비판적인 기사들이 조금씩 나오고 있습니다. 《세계일보》에서도 〈'날조'로 드러난 이수역 여혐폭행사건〉이라는 기사에서 '경찰은 19명을 투입한 전담팀까지 구성했다. 가히 연쇄살인범 대책반 수준이다. 그 사이 적재적소에 쓰여야 할 공권력은 낭비됐다.' 이렇게 썼어요. 진보매체가 이런 얘기 합니까? 안 해요. 이 사건에서 우리가 어떤 교훈을 얻어야 하는지 성찰이 없습니다.

프레임 전쟁에 대처하는 법

이 왜 이 사건이 이전 사건들과 달랐는지를 기억하셔야 돼요. 사실관계 파악 그리고 그걸 보도하는 진보매체 이외의 매체들. 그게 중요하게 작용합니다. 또 숙대 사건에 왜 그렇게 선정적인 제목들이 붙었는지도 보셔야 해요. 트위터 발로 기사를 써서 그렇습니다.

김　우리나라 기자들이 말이죠. 아주 편해졌어요. SNS에 올라온 걸 컨트롤 씨, 컨트롤 브이 해서 그대로 싣고요. SNS에도 뭔가 의문점이 있고 더 파고들 뭔가가 있잖아요. 절대 안 물어보고 연락 안 하고 그대로 기사 쓰기만 급급합니다.

황　기자들한테 그런 생각이 들기도 해요. 믿음이 강한 분들인가? 트위터 글, 커뮤니티 글 올라오면 다 믿잖아요. 그대로 기사화합니다.

이　제발 기자들이 SNS만 보고 기사 쓰지 않았으면 해요.

황　일부 기자들이 그런 거고 발로 뛰면서 좋은 기사 쓰는 분들도 많잖아요. 없어요?

김　별로.

이　그리고 사실관계를 확인할 수 있는 내용이 있으면 바로바로 자신이 참여하는 커뮤니티에 올려서 대중에게 널리 알려 바로 잡아야 돼요. 왜냐하면 언론이 안 하니까요. 대신 사실관계 확인을 정확하게 해야 합니다.

두 사건이 프레임화에 실패했다고 얘기했지만 앞으로도 이런 시도는 사라지지 않을 거라고 봐요. 여성이 약자이고 피해자라는 공고한 이분법적 사고에서 벗어나지 않기 때문에 젠더이슈에서는 계속 이런 프레임을 가져갈 겁니다.

그리고 나임윤경 원장이나 진선미 장관이 여성혐오 콘텐츠를 규제하고 교육을 실시하겠다는 발언을 하고 있어요. 그래서 언론이 프레임을 짜지 않더라도, 여자는 피해자이지 가해자일 수 없다는 사고, 똑같은 행위가 있어도 여성이 아니라 남성이 처벌받아야 한다는 사고가 제도로 들어갈 위험성이 있어요. 쉽게 바뀌긴 어렵다고 봐요. 그렇지만 저는 바뀌어야 한다고 생각합니다.

김　여자가 자신의 불편한 과거사를 얘기하는 것은 그게 진실이기 때문에 할 수 있는 것이다, 라는 사고도 바뀌어야 할 것 같아요.

이　그렇죠. 사안마다 개별적으로 판단하는 자세를 가져야 합니다. 그게 안 되니까 무슨 사건이 나면 으레 그랬을 것이다, 하고 그냥 판단하는 거예요. 그렇게 하면 안 되죠.

> 사안마다 개별적으로 판단하는 자세를 가져야 한다

황　그런데 언제부터 사실 확인이 안 되는 주장이 여성 입에서 나오면 다 사실처럼 받아들여지는 사회 현상이 생긴 걸까요?

이　최근에 계속 강해졌죠. 사법부에서도 성인지감수성을 거론한 대법원 판례가 작년에 두 건 나왔습니다. 성인지감수성이 법적으로 어떤 개념인지도 아직 정리되지 않은 상태인데 그냥 판례로 내보낸 거예요. 그러면 앞으로는 하급심에서 성인지감수성을 가지고 성범죄 사건을 판단해야 돼요. 이게 다 최근 3년 사이에 일어난 움직임이에요. 사법부가 매우 심각하다고 봅니다. 입법부에서는 지금 비동의간음죄를 신설하려고 하고 있어요. 여당인 민주당뿐 아니라 자유한국당, 정의당, 바른미래당 3당 다 발의하려고 합니다.

김　비동의간음죄는 어떤 겁니까?

이　비동의간음죄는 여성이 명시적으로 동의 의사를 표현하지 않았을 때의 성행위는 강간이라는 거예요.

김 둘이 눈 맞아서 스파크가 터지고 잠자리까지 갔단 말이에요. 그런데 나중에 난 동의하지 않았어, 라고 하면 처벌이 된다는 얘기죠?

이 비동의간음죄는 여성이 그렇게 얘기하면 처벌될 가능성이 높습니다.

김 남자들이 법정 가서 틀림없이 이렇게 얘기하겠죠. 그때 여성도 적극적이었고 거부 의사는 전혀 느껴지지 않았다. 이게 전혀 안 먹히나요?

이 지금 상태에서는 안 먹히기 쉽죠. 성인지감수성이라는 개념은 예전으로 치면 운동권이 쓰는 용어예요. 성인지감수성, 2차 가해, 피해자중심주의, 다 진보진영 안에서 쓰던 개념인데 갑자기 대중화, 법제화, 제도화되고 있어요. 그래서 우리가 온도 변화를 따라가지 못하는 상황입니다.

비동의간음죄는 예스민스예스Yes Means Yes와 노민스노No Means No, 두 가지 형태가 있어요. 성인지감수성은 성범죄에서 여성의 진술이 일관되지 않거나 모순적으로 보이거나 사건 이후 행동이 전형적인 피해자의 행동으로 보이지 않는다 해도 그 진술 혹은 그 행동을 배척하면 안 되고, 사건이 일어난 전후 관계와 맥락을 다 살펴서 판단해야 한다는 겁니다.

제가 오늘 강조하고 싶은 건 프레임 전쟁이 계속 진행 중이라는 거예요. 기사를 접할 때 일일이 따져가며 문제의식을 가지고 보기가 어렵지만, 그래도 그렇게 해야 합니다. 그나마 지금은 젠더이슈에 관해서는 따져보려는 사람들이 늘어나는 추세예요. 사실관계를 따지고 진보매체의 프레임화에 대해서 비판적인 태도를 견지하시기 바랍니다.

아까 공개사과 얘기를 충분히 못 했는데 페미니즘은 하나의 이즘일 뿐이지, 국가적으로 추구해야 할 가치가 아닙니다. 사상의 자유나 양심의 자유는 우리 민주주의 사회에서 매우 소중해요. 개인에게 철저하게 보장

> 민주주의 사회의 소중한 가치들이 운동의 이름으로 훼손되는 상황에 대한 문제의식

되어야 하는 가치들인데, 이런 가치들이 운동의 이름으로 계속 훼손되는 것에 대한 문제의식 때문에 이 방송을 하고 있습니다. 여러분도 문제의식을 가지고 이 움직임을 막는 데 같이 해주셨으면 하는 마음입니다.

황 제가 항상 말씀드리지만 이제 목소리를 내야 할 때인 것 같아요. 아무것도 안 하면 아무 일도 일어나지 않습니다. 정말 아무것도 하지 못하고 이런 움직임이 법적으로 제도화되면 피해는 고스란히 시청자 여러분에게 돌아갑니다.

이 변화가 너무 빨라서 제동을 걸기 힘들다는 게 느껴져요.

황 정치인들도 이런 내용을 모르는 분들이 많거든요. 그래서 정치인에게 계속 목소리를 전달하는 역할을 해야 할 것 같습니다.

김 저희는 남성 편 여성 편이 아니라 젠더갈등을 반대하는 편입니다. 그렇지 않습니까?

이 갈등을 누가 좋아해요? 하지만 민주주의 사회에서 갈등은 필수예요. 갈등이 사회를 좋은 방향으로 바꾸는 동력이 되느냐 안 되느냐는, 우리가 어떻게 대처하고 해결하느냐에 따라 달라집니다. 저는 기본권이 훼손되고 있다고 보니까 더 나은 사회로 가고 있다는 생각이 안

드는 거예요. 출산율 높이겠다고 하는데 남성과 여성이 계속 갈등으로 가는 상황에서 어떻게 출산율이 높아지겠습니까?

황 사실 제 아내도 걱정하더라고요. 세상이 이렇게 돌아가는데 아들 낳은 게 불안하다. 아들 가진 다른 부모님들도 이런 걱정을 하실 거란 말이에요.

이 요즘처럼 학생부가 진학에 중요한 세상에 남자 중학생들이 여대 가서 낙서했다고 징계당해서 기록에 남는다고 하면 어떤 부모가 잘못했다고 하겠습니까? 진지한 것도 아닌 걸 문제 삼아서 공개사과문 자필로 쓰라 그러고. 이게 둘 다 사건이 될 일이 아니에요. 정말 언론이 반성해야 합니다.

황 하나는 그냥 어느 철없는 애들의 장난이었고 하나는 단순 주폭 사건이었는데 어떻게 여기까지 왔는가, 프레임 논리로 이야기 나눠 봤습니다.

김 아주 유익한 시간이었어요.

황 〈우먼스플레인〉이었습니다. 감사합니다.

6장

기본권이 밀려난다 1
: 성범죄 무고수사유예지침

2018년 09월 19일 3화 방송

황　오늘은 무고죄 관련해서 다뤄보기로 했어요. 지난주 보배드림에서 한참 핫한 뉴스가 있었죠.

이　곰탕집 사건, CCTV 사건이 있었죠. 청와대에 아내분이 올린 〈제 남편의 억울함을 풀어주세요〉 청원이 4일 만에 20만 명을 돌파했고, 현재 29만 명이 넘었더라고요. 사건 이후에 남성들이 주로 이용하는 커뮤니티에 나도 비슷한 경험이 있다, 성범죄자로 지목돼서 어떤 불이익을 받았고 어떤 수사에 올랐다, 이런 무고함을 호소하는 글들이 계속 올라오고 있어요.

황　한 사람의 진술만으로 법을 적용해서 사람을 범죄자로 만든 건데, CCTV를 보면 굉장히 애매하더라고요. 이쪽에서 봐도 그렇고, 반대쪽에서 봐도 그렇고. 어떻게 이걸로 유죄판결이 났을까 하는 생각이 들 만큼 애매했다고 평하고 싶네요.

김　또 중요한 건 피해자라고 밝히는 여성의 진술이 일관됐다, 그 점을 재판부가 유력한 증거로 채택했다는 거죠.

황 성범죄에서 가장 중요한 게 진술의 일관성인데 이제 그것도 너무 많이 알려졌어요. 진술이 일관되면 처벌할 수 있다는 것을 알기 때문에 그걸 악용하는 사례도 있지 않을까요?

김 제가 이 사건에 대해 판단은 하지 않겠습니다만, 3초 정도 벌어진 피해 상황에 대해 진술이 일관되지 않을 수가 있을까요?

이 피해 진술만이 아니라 사건 후의 가해자 행동이나 당시 주변 정황, 이후의 상황들이 있어요. 그에 대해 피해자가 일관된 진술을 했다는 거예요. 사실 청와대 청원에 오르기에는 매우 모호하죠. 청와대가 답변할 수 있는 성질은 아니니까요. 사법부가 판결한 사건에 대해서 청와대가 어떤 입장을 낼 수 있겠습니까? 삼권분립 정신에 따라 사법부 판결에 어떻다고 얘기할 수 없는 건데.

황 개개인이 사건의 실체적인 진실을 알 수 없긴 하지만, 제 의견도 그렇고, 법률가들도 6개월이라는 실형과 법정구속이 적절했는가, 양형의 적절성에 관해 이야기하는 걸 많이 봤어요.

김 일단 청와대 청원도 올라왔고, 뜨거운 반응을 사고 있지 않습니까? 그러면 2심 판사들이 가해자에게 호의적인 판결을 내릴 수 없다, 이렇게 보는 분들도 있더라고요.

이 사법부가 여론에 휘둘려선 안 되고 법리에 따라 판결해야죠. 이 사건이 있기 전 5월에 무고죄특별법 제정을 촉구하는 청와대 청원이 있었고요. 최근 대검찰청에서 '성폭력 수사 매뉴얼'을 개정했는데, 개정안을 중단하라는 청원이 있었어요. 두 청원이 다 20만을 돌파했어요.

그런데 이른바 무고죄특별법은 처음에 양예원법이라는 이름을 붙여서 제가 강하게 비판한 적이 있어요. 유튜버 양 씨가 스튜디오 촬영 사진이 배포돼서 피해를 입었다고 호소했고, 폭발적 반응이 있었어요. 사람들이 스튜디오 실장과 관계자들을 비난하니까 나중에 실장이 양예원 씨와 나눈 카톡 대화를 언론에 공개했죠. 거기에 자발적으로 촬영에 응했다는 정황을 볼 수 있는 대화가 나왔어요.

그러니까 양예원 씨가 원해서 찍어놓고 죄 없는 사람을 범죄자로 만들었다는 여론이 부상하면서 무고에 더 엄중한 처벌을 요구하는 청원이 오른 거죠. 그런데 그분들이 놓친 게 있어요. 양예원법이라고 이름붙이는 순간, 유죄추정의 원칙을 적용하면 억울한 경우가 생긴다고 주장하면서 똑같은 행동을 양예원 씨한테 하는 거예요. 사법부 판결이 나기 전까지는 양예원 씨가 무고를 했는지 알 수 없는 거거든요. 그런데 거기 양예원법이라는 이름을 붙여버리면 자신들이 비판한 행동을 똑같이 하는 게 돼요. 그러시면 안 됩니다.

황 그렇죠.

대검찰청 성폭력 수사 개정 매뉴얼의 무고수사유예지침

이 최근 대검찰청이 내부 지침으로 시행하기 시작한 '대검찰청 성폭력 수사 개정 매뉴얼'이 있어요. 성범죄에 한해, 수사 단계에서 성범죄에 대한 판단이 나오기까지 무고죄 수사를 유예한다는 지침이에요. 그래서 양예원 씨 사건에서 상대 변호사가 무죄추정원칙을 위반하고 있기 때문에 위헌이라고 헌법소원을 청구했어요. 그런데 온 국민에게 적용되는 법령이 아니고 내부적으로 공무원 행위를 규율하는 지침이기 때문에 위헌성 여부를 심판할 사항이 아니다고 각하했어요. 위헌적 요소가 있는지 본안심사를 못 간 거죠.

헌법재판소의 논리는 이런 거예요. 기본권을 침해했다고 하려면 그 지침으로 인해 실제 수사가 개시되지 않거나, 해당인에게 기본권 적용이 안 되는 일이 벌어졌을 때 그 행위가 문제이지, 지침 자체가 제한을 주는 건 아니라는 논리입니다.

그래서 성범죄로 고소당해서 상대방을 무고로 고소하려고 하는데, 경찰이나 검찰에서 내가 제기한 무고죄에 대해 수사하지 않겠다는 통보를 받거나 그 행위가 있었을 때 위헌 소송을 할 수 있는 거죠. 본안 소송 여지는 여전히 남아 있긴 합니다.

김　수사를 아예 안 하겠다는 게 아니라, 선후 관계를 놓고, 성폭행이나 성추행 같은 것들이 있었는지 살펴보고, 그런 일이 없었을 경우에 무고죄를 보겠다는 거 아니겠어요?

황　합리적인 판단이라고 생각합니다.

이　그러십니까?

황　제 생각입니다. 피해자가 '혹시 무고죄를 받으면 어떡하지. 저 사람이 맞고소하면 어떡하지.' 두려워서 성범죄 신고를 못할 수도 있잖아요. 그래서 유죄인지 무죄인지 확실히 듣고 나서 무고죄로 고소하든 말든 하는 것도 합리적인 생각이라고 평가하고 싶어요.

이　김용민 씨도 똑같으신가요?

김　비슷합니다.

이　그 청원에 대해서 청와대 반부패 비서관으로 있는 검찰 출신 박형철 비서관이 답변을 했어요. 여러분과 같은 답변을 했습니다. 원래 사건인 성폭력 사건에 대해서 수사를 진행하고 수사 결과에 따라 무고 여부도 입증할 수 있는 것이므로 위헌이 아니고 기본권 침해도 아니라고 답변했습니다. 또 지침에 허위사실을 신고한 게 명백한 경우에는 바로 무고 사건을 수사할 수 있다는 단서가 있기 때문에 위헌이 아니라고 했죠.

김　예컨대 무고 전력이 많은 사람이 갑자기 아무개한테 성폭행을 당했다고 얘기하면, 무고 전과가 많으니까 성폭행 수사보다는 이게 거짓인지 사실인지부터 규명할 수도 있다는 거 아니에요?

황　그게 예외 조항에 들어간다는 말이겠죠.

이　무고수사유예지침에 따르면 그걸 할 수 없습니다.

김　그래요?

국가권력이 기본권을 훼손한다

이　상대방이 무고 전력이 많은 사람이기 때문에 이번 고소도 신뢰할 수 없으니 무고 혐의를 조사해달라고 할 때, '내가 무고 전력이 있다고 해서 이 사건이 진실하지 않다는 근거가 어디 있느냐. 무고수사유예지침을 어기고 지금 무고수사를 먼저 하겠다는 거냐.'라고 항의하면 그 항의가 받아들여질 수 있어요. 무고수사 적용 예외는 그런 상황을 예방하겠다고 만든 지침이기 때문입니다. 그리고 무고 사건 특성상 그렇게 명백하게 근거가 있는 사건은 무고가 성립될 여지가 없어서 오히려 더 무고를 수사할 필요가 없는 사건이 돼요. 무슨 말인지 이해하시겠어요? 명백한 무고의 근거가 처음부터 드러나 있는 사건은 굳이 무고를 걸지 않아도 원 사건 자체가 무죄가 날 수가 있는 거죠. 그래서 성범죄에 한해서만 이런 예외를 둔다는 것 자체가 많은 문제를 가지고 있어요.

김 그러면 성폭력 수사와 무고수사를 동시에 해야 한다, 이 말씀입니까?

이 동시에 하자는 게 아니라……. 원래 수사라는 건 심판 과정이 아니잖아요. 증거를 수집해서 범죄 구성요소를 경찰이나 혹은 검찰에서 입증하는 단계, 기소할지 말지 결정하는 단계인 거예요. 합리적인 판단이라면, 이것이 범죄사실인지만 볼 게 아니라 범죄사실이라고 추정되는 사실을 기각하는 다른 요소가 있는지도 봐야 합니다. 그래야 범죄사실이 확실한가, 기소 사유가 되는가를 볼 수 있는 거죠. 그런데 무고수사유예는 이것이 범죄사실이 아닐 수도 있다는 가능성을 아예 배제하는 거예요. 그러면 유죄추정이죠. 무죄로 볼 수 있는 여지에 대해 수사를 아예 봉쇄하기 때문에 유죄추정의 원칙이 아니고서는 이게 성립할 수가 없어요.

> 무고수사유예지침은 범죄가 아닐 수도 있다는 가능성을 아예 배제하는 유죄추정이다

2018년 말에 비슷한 법률이 통과되려고 한 적이 있었어요. '성폭력범죄의 처벌 등에 관한 특례법 일부 개정안'이 발의됐다가 입법까지는 못 갔죠. 무고수사유예지침도 있고, 또 고소인의 성 관련 이력 등을 수사할 수 없게 해뒀어요. 증거능력을 초기 단계에서 배제한 거죠. 보통 피해자를 여성이라 보고, 여성에 대한 평판, 성매매 전력이 있다든

지, 동일 전과 전력이 있다든지 하는 것이 해당 사건에 대해 피해자임을 희석시키고 2차 피해를 유발한다는 이유로 증거 수집을 못 하도록 제한을 뒀습니다. 그 법안이 통과되진 못했지만 사실상 이번 법무부 지침으로 강행되고 있는 것이죠.

김　입법화되지 않았지만 지침으로 녹였군요.

이　무고죄와 성범죄는 전혀 다른 유형의 범죄입니다. 성범죄는 내가 무언가를 하지 않았다는 것을 입증하는 거잖아요. 그런데 무고죄는 하지 않았다는 거에 더해서, 상대방이 나를 허위사실로 고소해서 내가 부당한 처벌을 받게 하려고 했다는 것까지 입증해야 돼요.

황　성범죄 고소가 들어와서 조사하는 과정에 만약 이 사람이 유죄라는 증거가 많이 안 나오고 뭔가 이상한데, 이렇게 생각하면 무고수사를 할 수도 있는 거잖아요? 합리적 의심을 할 수 있잖아요?

이　그걸 하지 말라는 겁니다. 그 의심을 하지 말라는 거예요.

황　의심조차 하지 말고 피해자의 입장에서만 생각해라?

이　일단 피해자 입장을 충분히 듣고, 성범죄 사건 수사를 충실히 하라는 거예요. 무고 혐의에 대해서는 수사나 심문을 할 수가 없어요. 수사를 유예시킨 거죠. 원 사건과 무고 사건이 전혀 별개의 사건이므로 문제가 없다고 주장하지만 이 지침은 유죄추정의 원칙이기 때문에 잘못입니다.

또 어떤 위헌 요소가 있느냐 하면, 가해자로 지목된 피의자가 무고 혐의를 상대방에게 제시하고 고소했다고 해봐요. 상대방이 무고했다는 걸 입증하려면, 나와 상대방 사이의 일만이 아니라 사건 정황을 둘러싸고 제삼자와 피해자가 나눈 대화, 통신기록, 위치 등등 많은 증거를 수

집해야 돼요. 때로는 피의자 진술뿐 아니라 공권력이 가동되어야만 수집할 수 있는 증거들이 있어요. 성범죄 수사 기간을 3개월에서 6개월 정도로 볼 때 적시에 무고를 수사해야 되는데 이 사람은 기회를 박탈당하는 거예요.

황　은폐할 수도 있고, 증거가 없어질 수 있죠.

이　그렇죠. 원 사건을 수사하는 동안 휴대폰을 없앤다든지 통신 기록을 없앨 수도 있잖아요. 그 기간 동안 무고수사를 하지 않으니까 공권력이 가동되어야만 수집할 수 있는 증거, 공식적으로 경찰이나 검찰이 수사한 다음에 확보할 수 있는 증거들을 수집하지 못하게 되는 겁니다.

황　그런데 증거 수집 같은 건 어차피 두 사람 다 해야 되는 거 아닙니까?

이　두 사람 다 하지 않는다니까요.

황　남자 쪽만 하는 겁니까?

이　보통 성범죄 사건에서 검찰의 속성이 기소가 될 만한 사실 위주로 증거 수집을 해요.

황　그렇겠죠. 피해자 말을 듣고 증거 수집을 하겠죠.

이　그리고 원 사건인 성범죄가 무죄로 나온다고 해서 곧바로 무고가 성립되는 것도 아니에요. 성범죄가 무죄면 그것이 곧 무고와 같다고 생각하는 경우가 많은데 그렇지 않아요. 수사기관이 인지해서 수사하거나(그동안은 혐의가 포착될 때 인지해서 수사했어요), 피해자가 고소해서 수사하거나 두 가지예요. 두 가지 경우를 다 봉쇄하면 피의자는 국민으로서 마땅히 적시에 수사를 받고 법률적으로 동등한 지위를 가

질 권리를 침해당하는 거예요. 권리침해가 분명하거든요. 그런데 국가
가 이렇게 할 수도 있지, 이런 방법도 있잖아, 라고 계속 핑계에 불과한
변명을 늘어놓는다는 거죠. 국가권력이 명백하게 국민의 기본권을 훼
손하는 겁니다.

법률적으로 동등한 지위를 보장
받을 내 권리가 이미 침해된 거예요.
나는 얼마든지 내가 피해를 입은 범
죄사실에 대해서 국가 수사기관에
고소할 수 있고 수사를 요청할 수 있

남성, 여성의 문제가 아니라
국가권력이 개인을 어떻게
취급하는가를 봐야 한다

어요. 국민 누구나 가진 기본권이에요. 그런데 유독 성범죄에서만 피의
자 신분이라는 이유로 상대방의 범죄사실에 대해서 수사를 요청할 권
한을 아예 제한당하는 거예요. 남성, 여성의 문제로 볼 게 아니라 국가
권력이 개인을 어떻게 취급하는가라는 측면에서 매우 심각한 사안이
라고 봅니다.

황 〈우먼스플레인〉이 이래서 좋은 겁니다. 저도 그냥 단순히 합
리적일 수 있겠다. 무죄 처분을 받은 다음에 무고를 입증하면 된다고 생
각했거든요.

김 법은 선의만 보면 안 됩니다. 악용할 수도 있다는 점까지 감안
해야 돼요.

황 제가 법학과입니다.

김 아, 그러세요? 너~무 미안합니다.

황 그렇다고요.

성범죄는 유죄추정의 원칙이다?

이   오늘은 무죄추정원칙이 심각하게 훼손되고 있다는 얘기를 좀 집중해서 하고 싶어요. 유죄추정의 원칙이 적용되어야 한다는 글 보셨나요? 박노자 씨라고 아시죠? 진보진영에서 알려진 분이죠.

김   그분이 성범죄의 경우 피의자를 유죄추정원칙으로 수사해야 한다는 식으로 말한 거죠?

이   네, 그런 주장을 했습니다. 유죄추정은 부당하지 않다. 남녀 사이의 불평등한 구조는 급진적 접근이 아니면 해결이 불가능하기 때문에 유죄추정의 원칙을 적용해야 한다. 이렇게 주장했어요. 깜짝 놀랐어요. 이런 발언까지 막 해도 되는 세상이 왔구나……. 박노자 씨는 계급 불평등을 많이 얘기하는 분이에요. 우리나라는 계급 불평등이 심각하잖아요. 이 논리대로라면, 양극화 또한 급진적인 방법이 아니고는 해결할 수 없다. 재벌이나 부자들, 집 세 채 가진 사람 걸 뺏어서 무주택자에게 집 한 채씩 나눠주는 급진적인 정책이 아니고 해결할 수 없다, 이런 주장도 왜 못하겠습니까? 기본권이고 뭐고 없는데요.

무죄추정원칙은 형사소송법에, 가장 세게는 헌법에도 근거하고 있어요. 국가기관이 개인의 권리를 침해하지 않도록 하는 기본 원칙입니다. 그리고 무죄추정원칙은 사인 대 사인 간에도 적용되어야 합니다. 왜냐하면 기본권 침해를 꼭 국가가 개인에게 하는 것만은 아니거든요. 개별 인간들도 타인의 기본권을 침해하잖아요. 집회에서 피의자를 유죄라고 단정하는 걸 운동 차원에서야 용인할 수도 있겠지만, 국가는 구성원의 기본권이 침해되면 그것을 제재하고 기본권을 지켜줘야 할 의무가 있죠.

황 무죄추정원칙이 없어진다면 나라에서 쟤 잡아넣어, 이러면 그냥 유죄가 되는 상황이 된다는 건데.

이 무죄추정원칙은 국가의 자의적인 권력 행사를 제한하는 원칙입니다. 그것으로 보호받는 것은 국민 모두의 보편적 이익이고.

황 그런데 이게 없어져야 한다고 지금 말하는 건가요?

이 성범죄에 한해선 없어져야 한다는 거죠.

황 이거 정말 무서운 말이에요.

김 박노자 선생이 유죄추정원칙을 도입하자고 하지 않을 수 없을 만큼 우리 사회의 성폭력 범죄자들이 그야말로 악마의 얼굴을 하고 있기 때문은 아닐까요? 분명히 범죄를 저질러놓고 잘못 없다고 얘기하는 경우가 많았기 때문에.

이 잘못이 없다고 할 뿐만 아니라 우월한 지위나 권력을 이용해서 오히려 상대방을 무고나 명예훼손으로 고소하는 일들이 있었죠.

김 그런 차원에서 검찰 지침이 나오고, 박노자 선생도 그런 제안을 한 거 아니겠는가 하는 분도 있을 것 같아요.

이 당연히 있죠. 저희도 놓치지 말아야 할 것이 있어요. 성범죄가 왜 자꾸 이런 제도 변화를 가져오는가. 성범죄의 특수성이 당사자 둘만이 진실을 알 수 있다는 거잖아요. 대부분 여성이 피해자인데, 피해 여성이 자신의 피해사실을 입증할 방법이 없어서 고통받는 경우가 많습니다. 그런 현실이 존재하니까 여성의 진술을 유력한 증거로 채택하라는 요구들이 나왔고 사법부의 변화를 가져온 거죠.

변화를 가져오긴 했는데, 이제 제도화해서 진행되다 보니 무고 피해자들이 생기고 있어요. 그렇다면 이 시점에서는 무고 피해를 호소하는 사람들의 말에도 귀를 기울여야 하는데, 현실적으로 계속 드러나는 피해에 대해서 지금 우리 정부가 혹은 국가권력이 어떤 신호를 주고 있느냐는 거죠. 청원이 이렇게 단기간에 몇십 만이 된다는 건 유효한 여론이거든요. 그러면 국가가 공정한 신호를 줘야 하고, 어떤 국민의 기본권도 훼손하지 않는 방법을 찾겠다는 정도로 신호를 줘야 하는데, 지금 그게 안 되는 상황인 거예요.

국가는 위헌적인 지침을 만들 게 아니라 기본권을 침해하지 않으면서도 할 수 있는 최선의 방법을 찾는 노력을 계속해야 합니다.

> 국가는 기본권을
> 침해하지 않는 최선의
> 방법을 찾아야 한다

황　저는 궁금한 게, 이게 지침이잖아요. 그러면 법률로 제한을 못하는 거 아니에요?

이　이 지침의 심각한 문제 하나가 법률유보의 원칙을 위배하고 있다는 거예요. 헌법에 국가의 존립이나 공공의 안정과 이익과 관련한 중차대한 일이 있을 때 일정하게 국민의 권리를 제한할 수 있다고 되어 있어요. 다만 반드시 법률에 근거해야 합니다. 법률이 아니면 제한할 수 없다는 것, 그게 법률유보의 원칙이거든요. 그런데 법무부 지침은 상위의 법적 근거가 없어요. 그래서 법률유보의 원칙을 위반하고 있다고 말하는 거예요.

지침 자체가 아무런 근거가 없어요. 어느 날 법무부 산하에 성폭력·성범죄 대책위원회가 구성됐어요. 민간인들을 위촉해서. 이 위원회에서 여성이 무고 위협 때문에 성범죄 사건에서 피해 사실을 쉽게 말할 수 없으니 여성들의 피해 신고를 권장할 수 있도록 조치하라고 권고하니까 지침을 만든 거예요.

작년에 입법안이 발의되었을 때 제 주변 법률가들은 이건 위헌적이라 입법될 수 없다는 의견이 지배적이었어요. 그래서 제가 그때 법률이 통과되지는 않을지라도 어떤 식으로든 시행할 거다, 지금 사회 분위기는 그런 우려가 있다고 얘기한 적이 있는데 우려가 현실로 나타난 거죠.

김   저나 황현희 씨도 처음에는 그럴 수 있는 거 아니냐고 했지만 사안을 너무 안이하게 본 것 같습니다.

무고수사유예는 차별적 지침

이   성범죄가 수사기관을 통하지 않고 일반 대중들이 사용하는 SNS에서 폭로하는 방식을 취하다 보니까 상대 남성들이 자기방어를 할 수 있는 기회가 없어요. 폭로 내용 중에 일부는 사실이고 일부는 거짓일 수 있고, 서로 기억이 다를 수 있잖아요. 이런 여러 가지 사실관계가 존재하는데 확인할 길이 없으니까 가해자로 지목된 남자는 그냥 범죄자가 되는 거죠. 제가 실제 사례를 보면서 심각하다고 느꼈어요. 폭로가 사실이 아니라는 것이 여러 차례 드러나면, 폭로의 진실성이 의심받게 되죠.

여기에서 또 중요한 건 무고죄는 사실 성별을 규정하지 않아요. 남성이 성범죄 피해자가 될 수 있으니까. 무고죄 자체가 성별을 규정하지 않기 때문에 수사유예지침이 성차별이 아니라는 주장이 있어요.

황　그건 맞는 것 같네요. 저는 성범죄뿐만 아니라 모든 범죄에서 무고죄를 강하게 처벌했으면 좋겠다는 생각을 하고 있는데, 그건 성별의 문제가 아니잖아요.

이　그런데 사실은 성별 문제입니다. 제가 예시로 하나 들게요. 예전에 군 가산점 문제가 있었는데, 군 가산점이 문헌상에는 성차별적 요소가 전혀 없어요. 왜냐하면 〈제대군인지원에 관한 법률〉이거든요. 제대군인에게 가산점을 주는 거죠. 소수의 여군이 존재해요. 그러면 이건 성차별적 법은 아닌 거죠.

그런데 헌법재판소에서 문헌상 성별 명시가 없다 해도 이것이 특정 성별에만 적용될 때는 위헌이라고 해서 위헌 결정을 냈어요. 여성계가 강력히 요구한 거죠. 그때는 여성들이 소송 당사자였습니다. 군 가산점제는 위헌이고 여성 차별이라고 했죠.

마찬가지로 무고수사유예지침을 시행하게 된 배경도 보면, 여성들이 미투로 피해 사실을 호소해야 하는데 무고의 덫에 걸려서 못한다는 이유로 여성계가 계속 요구한 거거든요. 그런데 지금 성범죄 가해자는 남성이 압도적으로 많죠. 그러면 성별을 명시하지 않았다 하더라도 실질적으로 특정 성별에 불이익을 가하는 게 됩니다. 제대군인 군 가산점제와 똑같이 성차별적 지침이 되는 거예요. 따라서 이 문제가 성차별적인 게 아니라는 말은 틀린 거죠. 기존 판례에 비춰서도 성차별에 해당하는 지침이 맞아요.

또 하나는 이 지침이 다른 일반 형사범죄 무고죄와 성범죄 무고죄를 다르게 취급한다는 겁니다. 그러면 이것은 평등 원칙에도 위배되는 차별인 거죠. 다른 무고죄에는 적용하지 않는 수사 중단을 오직 성범죄에만 적용한다는 건 상식적으로도 잘못이잖아요.

김 법은 그러한데, 실제 성추행이나 성폭력을 당하지 않았는데도 '나 저 남자한테 당했어요.' 하고 무고하는 경우가 얼마나 될까요?

황 연인관계였다가 남자 쪽에서 일방적으로 이별을 통보하면 여자가 복수하겠다고 그렇게 고소하는 경우도 있더라고요.

이 지금처럼 여성 진술을 유력 증거로 채택하는 게 계속 강화되다 보면 제도를 악용하는 사람이 나타나게 되어 있어요. 자기한테 유리하니까 활용하는 거죠. 사람의 당연한 심리잖아요. 지금 수사기관이 제시한 목적은 여성들이 피해 사실을 좀 더 적극적으로 호소할 수 있도록 하겠다는 거예요. 하지만 목적이 정당하다고 해서 목적을 이루기 위한 수단까지 정당화될 순 없잖아요.

> 목적이 정당하다고 해서
> 목적을 이루는 수단까지
> 정당화될 수는 없다

무죄추정원칙은 이러이러한 특수 경우에만 요구할 수 있는 게 아니에요. 정말로 유죄로 추정되는 자를 무죄판결 내릴 수밖에 없는 안타까운 상황이 생긴다 해도, 그럼에도 지켜야 하는 기본권적 원칙이거든요. 우리가 '그럼에도 원칙'을 자꾸 잊는 거예요. 목적을 위해서. 그런데 목적은 얼마든지 변경될 수 있고 새롭게 추가될 수 있고 남용될 수 있습니다. 좋은 허울을 가지고 할 수도 있죠. 5공 시절 정의사회 구현도 다 목적이었잖아요. 국가가 그걸 시행하는 방식을 어떻게 취할 것인가에는 매우 엄격해야 한다는 거죠.

황 연예인 사건만 보더라도 무죄판결이 났거나, 무혐의판결이 난 경우가 많았던 걸로 기억하거든요. 그런데 나중에 무고로 판결이 나더라도 이후에는 거기에 초점이 맞춰지지 않아요. 대중이나 언론의 관심이 없어집니다. 이럴 때는 그분들을 구제해줄 수 있는 방법도 강구해야 되지 않을까요?

김 대한민국 모든 국민이 모든 사정을 다 속속들이 알진 않아요. 처음에 화제가 됐을 때 저 사람 성폭행 혐의로 조사받고 있다, 이것만으로 그 사람은 성폭행범 되는 거예요. 나중에 무죄판결 나더라도 사람들은 기억해주지 않습니다.

이 이 지침이 있는 한, 만약 무고의 피해자가 결국 무고로 판명이 난다 해도, 경찰이나 검찰이 무고수사를 하지 않은 행위에 대해 손해배상을 청구할 주체가 없어요. 이건 공무원에 대한 공무지침이거든요. 공무원들은 지침에 따랐을 뿐이기 때문에 아무도 책임지지 않아요. 개인의 권리는 어디에서도 되찾을 수 없고 회복할 수도 없어요. 보상을 받을 길이 사실 없는 거죠.

황 나라만큼은 중립을 유지해주는 게 맞잖아요.

이 중요한 건 국민의 기본권을 철저하게 보장해야 한다는

> 국가가 개인들의 권리를
> 충실하게 보장해야 하는데
> 오히려 지침으로 훼손하고 있다

거예요. 국민은 특정 성별이나 특수한 조건에 해당하는 사람이 아니에요. 국가를 구성하는 개인들의 권리를 국가가 충실하게 보장해줘야 되는데 오히려 지침으로 훼손하니까 문제인 거죠.

황 그렇다면 상황을 바꿔보죠. 옛날에 〈폭로〉라는 영화 보면 여자 직장 상사한테 남자가 성폭행을 당하잖아요. 만약 남자가 여자를 성폭행 혐의로 고소하면 이때도 역시 지금 말하는 이 지침들이 성립되

나요?

이 네, 그건 성범죄 수사에서 적용되는 거니까 일괄적으로 적용되는 거죠.

김 그러면 남성의 무고는 아예 가능성을 배제해놓고 여성의 성폭행 가해 여부만 따지나요?

이 그래야죠. 성범죄 수사를 먼저 하고, 무고수사는 미룬다는 거니까. 말씀드린 대로 여성일 경우에도 똑같이 적용되기 때문에 이 지침이 성차별이 아니라고 하는 건데, 그것이 왜 잘못된 발언인지는 말씀드렸죠. 박형철 비서관이 청원에 답변을 했는데, 왜 반부패비서관이 답변했는지 모르겠어요.

김 그분이 검사 출신입니다. 민정수석실 소속인가 그럴 거예요.

이 어쨌든 박형철 비서관이 걱정할 필요 없고 위헌도 아니라는 답변을 했는데요. 이 수사 지침은 무고수사를 하지 않는 게 아니라고 했어요. 기존 성범죄 사안을 수사하고 있기 때문에. 그분 말대로라면 굳이 지침을 따로 만들 필요가 없는 거죠. 무고수사는 충실히 진행될 것이며 무고가 사실이라면 처벌을 받도록 현행법이 존재하기 때문에 아무 변화가 없다. 그러면 지침을 왜 마련합니까? 변화가 없는데. 그건 그 자체로도 불성실한 답변이에요.

반지성을 경계한다

김 이선옥 작가님이 이런 주장을 칼럼으로 표출하셨는데 여성단체나 페미니스트들의 견해는 어떻습니까?

이 페미니스트들은 무고죄 예외적용을 입법화하라고 계속 주장하고 있기 때문에 일관되죠. 몇 년 전부터 무고죄를 폐지하라고 했어요.

황 무고죄 자체를 폐지하라고요?

이 폐지하라는 것은 운동 차원에서 말하는 슬로건이고요. 여성에 대해서 무고죄 적용을 하지 말라는, 지금 법무부가 하고 있는 지침을 요구한 거죠.

김 진짜 무서운 말이네요. 무고죄를 폐지하라.

황 세게 얘기해야 되니까.

이 우리가 전두환을 사형시켜라, 이런 얘기 하잖아요. 그런 것처럼 아주 강력한 조치가 필요하다는 취지죠.

김 전두환은 사형이 가능합니다. 국민을 죽였잖아요.

이 박근혜 탄핵 집회 때도 단두대 들고 나온 분들 있었어요. 박근혜를 단두대에 처형시켜야 된다고. 하지만 우리가 중세로 돌아가자는 것도 아니고, 그런 건 안 되죠. 헌법 정신을 간단하게 훼손하는 이런 주장을 쉽게 하는 것에 저는 동의하지 않아요.

지침 자체가 위헌이라고 생각하고, 위헌의 근거를 오늘 방송을 통해서 몇 가지 말씀드렸는데요. 사실 이것 말고도 더 있어요. 더 있는데 방송 시간 제약 때문에 더 자세히 들어갈 수 없었어요. 제가 계속 이선옥닷컴 leesunok.com에 쓰고 있습니다. 그걸 많이 봐주세요.

황 칼럼을 쓸 때 소신껏 자기 의견을 말씀하시는 거잖아요. 어제 제가 기사를 하나 봤는데 전 아나운서 박지윤 씨가 말한 내용이 기사화됐더라고요. 어떤 행동이 나와 같지 않다고 잘못됐다고 말하는 것은 자유를 침해하는 것이다, 이런 내용이었어요. 예를 들어서 어떤 페미니스트가 탈코르셋 운동을 하면서 다른 여자에게 '넌 왜 탈코르셋 하지 않아? 너도 탈코르셋 해.' 하는 것도 자유에 대한 침해일 수 있다, 그것도 맞는 얘기인 것 같아요.

작가님도 그런 걸 많이 경험하실 것 같아요. '너 왜 여자인데 이런 글을 써? 넌 이렇게 생각해야 되는 거 아니야?' 이런 일도 자주 있나요?

이 많이 있죠. 제가 대표적인 흉자인데.(웃음) 그런데 정식으로 글을 써서 저한테 반론을 제기하는 경우는 없었던 것 같아요. 비난은 있지만 비난이 반론은 아니니까요. 제 의견에 비판적인 분들의 견해를 보면서 어떤 반론을 가지고 있다는 걸 확인하는 거죠. 저는 거기에 대한 제 나름의 논리를 계속 펴는 거고.

황 그러니까 그 사람들이 가진 생각의 다양성을 인정해주는 거네요.

이 당연히 그렇죠. 어떤 의견도 가질 수 있으니까요. 그런데 이 사안은 다양성이나 표현의 자유 같은 영역이 아니라, 국가권력 대 개인의 문제, 그리고 기본권 문제인 거죠.

김 이선옥 작가님을 흉자라고 말하는 그분들은 무고수사유예지침 반대에 대해 어떤 논리를 펴고 있습니까?

이 그분들 논리는, 지침을 반대하는 것은 젠더감수성이 없는 거고, 그동안 여성들이 성범죄 피해자로서 겪은 고통에 대해서 무지하거나 배려하지 않는 것이다. 또 하나는 아까 말씀드린 대로, 누구에게나 적용되는 지침이기 때문에 성차별이 아니라는 얘기를 하죠.

김 젠더감수성이 떨어진다는 지적에 대해서는 어떻게 생각하

138

세요?

이 동의하지 않습니다. 젠더감수성이 모든 인권감수성에 비해서 더 특별하고 우월한 지위를 가지고 있다고 생각하지 않아요. 저는 기본권에 더 방점을 찍고 있어서, 젠더감수성을 가지라는 요구도 기본권을 더 충실하게 보완하고 이행하기 위한 요구여야 한다고 생각합니다.

> 젠더감수성이 모든 인권감수성보다 특별하고 우월한 지위를 가지는 건 아니다

황 그 한마디가 굉장히 인상적입니다. 기본권이 우선이다. 이건 누구나 머리에 두고 생각해봐야 할 문제입니다.

이 기본권은 '그럼에도 불구하고' 지켜져야 하는 것이기 때문에 절대 유보할 수 있는 게 아닙니다. 국가 스스로 훼손할 경우에는 국가가 너무 거대한 권력이기 때문에 개인이 저항하거나 바꾸기 힘들어요. 다행히 아직 이건 지침이고, 저는 이 지침은 폐기되어야 한다고 생각합니다. 대신 여성들이 성범죄 피해에 대해 어떤 제약도, 두려움도 없이 호소하고 처벌을 요청할 수 있도록 하는 제도적 보완이 필요합니다. 그걸 반드시 같이 얘기해야죠.

남성들도 남성 나름대로 분노가 있고 공포가 있다고 생각해요. 그런데 아까 양예원법이란 명칭에 대해서 얘기했듯 균형감각을 잃으면 안 됩니다. 여성들이 압도적인 피해자로 존재합니다. 남성 가해자가 압도적으로 많이 존재하는 거고요. 그것에 대해 균형 있는 시각을 가져야 됩니다. 다만 국가 대 개인 간의 관계는 다르다는 거죠.

김 안티 페미니즘이 아니라 안티 반지성이에요. 이선옥 작가님의

논리는 반지성을 반대하는 지성을 추구하는 것이고.

　이　저는 여성들이 이 방송을 많이 들으셨으면 좋겠어요. 그래서 제가 남자 편을 든다, 안티 페미니스트다, 이런 오해를 좀 불식해주시면 좋겠습니다. 저는 굳이 명명하자면 기본권에 충실하고자 하는, 자유롭고 평등하고 싶은 개인입니다.

7장

기본권이 밀려난다 2
: 여성폭력방지기본법

2018년 12월 11일 14회 방송

김 지금 난리가 났습니다. '여성폭력방지기본법'이 국회 본회의를 통과했습니다. 이게 많은 남성들에게 밤에 카톡을 여러 번 못 보낸다, 집 앞에서 기다리면 잡혀간다, 이렇게 인식돼 있더라고요. 또 여성 스토킹을 방지하는 건데 남성에 대한 스토킹은 전혀 방지해주지 않아요. 뭐, 우리는 경험할 일이 없었기 때문에.

황 우리라니요? 명색이 연예인이라 저도 몇 번 경험이 있어요. 남자는 그런 일이 없을 것이라는 전제는 왜 까는 거죠?

이 충분히 일어날 수 있는 일이죠. 이번 법안에 그런 문제제기가 있는 게 당연합니다. 어떤 한 집단에게 더 빈도 높게 발생하지만, 본질적으로는 모두에게 일어날 수 있는 범죄에 대해 특정한 구성원들에게만 특별히 적용하는 법을 만들었기 때문에 문제가 되고 있어요. 오늘은 〈여성폭력방지기본법〉(이하 여폭법)에 대해서 조목조목 해부하면서 우려되는 점들을 낱낱이 얘기해보도록 할게요.

황 대통령 공약 중에 '젠더폭력방지기본법' 제정이 있었잖아요.

이   원래 있었죠. 경과를 간단하게 말씀드리면, 문재인 대통령의 여성 공약으로 '젠더폭력방지기본법' 제정이 있었어요. 여폭법은 그 공약을 실제로 구현하는 법안이라고 보면 됩니다. 의원입법 형태로 발의됐지만 실제는 정부입법으로 보는 게 맞습니다.

황   의원입법과 정부입법의 차이가 있나요?

이   의원입법은 10인 이상의 의원만 서명해서 발의하면 입법 추진을 할 수 있고, 정부입법은 여러 단계를 거쳐야 돼요. 전문가나 이해관계 당사자들의 의견을 공개적으로 듣는 공청회, 총리실 산하의 규제개혁위원회 규제심사, 법제처의 심의, 차관회의, 법안입법 공포 같은 것들을 해야 행정부의 입법이 가능해요. 그에 비해 의원입법은 중간단계를 거치지 않아도 된다는 장점이 있습니다.

여성폭력방지기본법 제정은 발들이기 전략

이   여폭법은 2018년 2월에 '여성의전화' 대표 경력을 가진 여성운동가 출신의 더불어민주당 정춘숙 비례대표 의원이 대표 발의자로 입안했고, 소관 상임위 법안심사소위와 법제사법위원회 법안심사를 거쳐서 12월 7일 국회 본회의를 통과했습니다. 국회를 통과하면 대통령이 법안으로 법령공포를 해야 해요. 그 기간이 아마 15일일 겁니다. 현재 이 법안 절차에서 남은 것은 문재인 대통령의 사인과 공포예요. 그리고 6개월 후부터 시행되는 거죠. (2019년 12월 25일부터 시행 공포. 현재 개정작업 중.) 그래서 일부에서는 문 대통령에게 거부권을 행사하라고 요구하고 있기도 합니다.

황　그럴 수는 없겠죠?

이　저는 거의 없다고 봅니다. 공약이었잖아요. 그리고 정부가 이 문제에 대한 남성들의 분노를 제대로 못 읽고 있지 않은가 생각해요.

황　그렇군요. 좀 세부적인 얘기로 들어가 볼까요?

이　우선 법 이름이 여성폭력방지기본법인데요. 기본법이라는 형태를 택한 것이 특이하죠. 기본법은 여러 일반 법의 기본이 되는 법이에요. 개별 법률에 영향을 끼치는 근거가 되죠. 국가가 해당 분야의 발전 방향, 지향하는 가치, 보호해야 할 권리들에 대해서 포지티브하게 내용을 담습니다.

예를 들면, 〈협동조합기본법〉〈건강가정기본법〉〈사회보장기본법〉〈청소년기본법〉〈교육기본법〉〈양성평등기본법〉 등 기본법이 여러 개 있어요. 이런 기본법들은 해당 분야에 관련한 다른 개별 법들의 조항, 그리고 정책 설계의 근간이 됩니다.

기본법은 처벌 조항이 없습니다. 그래서 이름부터도 굉장히 포지티브하고 광범위해요. 그런데 이번 법안은 기존 기본법에는 없는 특성이 있어요. '여성폭력'이라는 협소한 개념, 특수한 개념을 기본법이라는 지위에 됐다는 것, 또 '폭력'이라는 형사 처벌과 연관되는 용어, 그리고 폭력 '방지'잖아요. 이건 네거티브거든요. 이런 유형의 기본법은 제가 아는 한 존재한 적이 없어요. 처음 있는 일입니다.

황　아니, 성평등에 관한 기본법이 이미 있잖아요?

이　있어요. 1994년 〈양성평등기본법〉이 제정됐어요. 처음 20년은 〈여성발전기본법〉이었는데, 달라진 시대상을 반영해서 성평등, 양성평등을 지향한다는 의미로 법안의 이름을 〈양성평등기본법〉으로 바꿨죠.

이번에 입안한 법 조항들을 보면 〈양성평등기본법〉으로 포괄할 수 없는 범위가 없습니다. 〈양성평등기본법〉에 근거해서 추진할 수 있는 내용이에요.

여폭법에서 언급하고 있는 성폭력 방지에 대해서는, 〈가정폭력 방지 및 피해자 보호 등에 관한 법률〉 〈성매매 방지 및 피해자 보호 등에 관한 법률〉 〈정보통신망 이용촉진 및 정보보호 등에 관한 법률〉 〈성폭력방지 및 피해자보호 등에 관한 법률〉 등으로 다 처벌하고 보호 조치할 수 있습니다. 데이트폭력 및 신종 여성폭력을 규정했는데, 여가부에서는 현행법체계로는 그런 여성폭력 피해자에 대한 보호나 지원이 곤란해 사각지대가 발생하고 있다고 설명했습니다. 그런데 기존 형법으로도 이미 피의자 처벌이 가능합니다. 신종 폭력이라는 개념으로 추가하고 싶었다면 〈양성평등기본법〉에 추가할 수 있었다고 봐요.

김 개정안을 통과시키면 된다?

이 네. 개념을 추가해서 그동안 폭력으로 인식하지 못했던 행위가 폭력일 수 있다는 얘기는 할 수 있다고 봅니다. 그런데 그게 법정까지 가야 하는 문제인가에 대해서는 회의적이에요. 데이트폭력 같은 경우에도 폭력은 '동의에 의하지 않은 유형력 행사'라는 명확한 법적 개념이 있습니다. 그런데 이번 법안에서 여성폭력의 개념을 굉장히 모호하게 다뤄놨어요.

황 데이트폭력의 범주가 엄청나게 넓더라고요. 남자가 여자 핸드폰을 보거나 비밀번호 알려달라고 하는 것도 데이트폭력에 속하고, 옷

입는 걸로 뭐라 하는 것도 데이트폭력이고.

이 예로 드는 게 다 남성이 여성을 간섭하고 지적하는 거예요.

황 이런 데이트폭력은 남자도 엄청 당하거든요.

이 데이트폭력은 남녀 모두 가해자가 될 가능성이 높은 폭력인데, 저는 그런 것들까지 데이트폭력이라고 규정하는 것에 대해 신중할 필요가 있다고 봐요. 사회운동을 할 때 캠페인용으로는 그럴 수 있죠. 친밀한 관계에서 지나친 사생활 간섭은 안 된다고 할 수 있죠.

김 그러나 법으로 제정하는 것은 다른 문제다.

이 사실 데이트폭력은 어느 법 조항에도 규정된 게 없습니다. 지금 데이트폭력이라 규정하는 것은 여성단체가 만든 데이트폭력 안을 경찰이 그대로 통용하는 상황이에요.

> 이 법안은 '여성폭력방지법에 의거하여'라는 근거를 마련하기 위한 발들이기 전략

그리고 저는 이 법안이 문턱을 쉽게 넘기 위한 일종의 '발들이기' 전략이라고 봐요. 왜냐하면 이런 것들을 일일이 개별 법이나 사회운동으로 제도화하기가 힘들어요. 사회적으로 논박이나 항의가 있을 수 있고, 이해당사자 간 갈등을 조정하는 과정도 거쳐야 하잖아요. 그런데 기본법으로 제정해 놓으면 그런 폭력을 강력히 처벌하라고 요구하는 세력들이 쉽게 문턱을 넘을 수 있는 거죠. 그 법에 의거해서 이런저런 정책을 요구할 수 있는 거고.

황 정책에까지 파급될 수 있다?

이 그렇죠. 그래서 기본법을 만드는 거예요. '여성폭력방지법에 의거하여'라는 근거를 마련하는 거죠.

성별에 기반한 여성에 대한 폭력?

황 그런데 〈양성평등기본법〉이 있잖아요. 일부에서는 이름을 바꿔라, 성이 남자, 여자밖에 없냐? 다양한 성정체성이 존재하는데, 이렇게 말하는 사람도 있어요.

김 지금 제가 소속돼 있는 곳이 한국기독교장로회인데 거기서도 성평등, 양성평등 두 표현 갖고 논쟁이 치열하게 벌어졌어요.

이 기독교계가 특히 민감하죠.

김 성평등과 양성평등의 차이가 뭡니까?

이 양성평등이라고 하면 남성과 여성에 포함되지 않는 성소수자의 존재가 들어갈 자리가 없다는 거죠. 그래서 여성운동계와 인권운동계에서는 양성평등이 아닌 성평등으로 가야 한다고 강력하게 주장하고, 기독교 쪽에서는 동성애자들이 사회적인 존재로 인정된다는 공포나 반감 때문에 민감하게 취급하고 반대하고 있죠.

이번 법안에서도 논쟁이 있었어요. 원안에서는 성별에 기반한 폭력을 여성폭력이라고 규정했습니다. '성별에 기반한 폭력이라고 하면 피해자나 가해자가 남성이나 여성으로 특정되지 않는다. 성별에 기반한 폭력을 새로운 폭력의 개념으로 정의하고, 그런 폭력으로 파생되는 권리침해와 피해를 더 중점적으로 보호할 수 있다.' 이런 취지가 있었어요.

그런데 법사위를 통과해서 본회의에 올라간 최종안에서는 '성별에 기반한 여성에 대한 폭력'으로 수정된 걸로 압니다. 기사도 그렇게 났고요. 본회의를 통과한 최종법안은 국회가 공개하질 않아서 제가 확인할 수 없어요. 아무튼, '성별에 기반한 폭력'이었다가 '성별에 기반한 여성에 대한 폭력'으로 수정되었습니다. 성별에 여성과 남성을 모두 포괄하려다가 논의 과정에서 여성에 대한 폭력으로 한정되고 그 상태로 통과된 상황입니다. 그래서 남성들의 반발도 심한 거고요.

김　자유한국당이 손댔을 가능성은 없을까요? 젠더갈등은 사실 현 정부에게 악재거든요.

이　어제 KBS 뉴스 〈팩트체크K〉에서 자유한국당 의원들이 반대해서 결국 남성을 보호하지 않는 법이 됐다고 했는데 사실과 달라요. 상임위 소위원회 회의록을 봤는데, 자유한국당이 반대해서 자구를 수정한 건 맞아요. 그런데 여성가족부와 민주당 의원이 법안 제목에 '여성폭력'이라는 문구를 넣자고 끝까지 포기하지 않았기 때문에 이렇게 통과가 된 거예요.

김　아, 그렇군요.

이　자유한국당 의원들의 기본 입장은, 양성평등이든 성폭력이든 여성폭력이든 다 용인할 수 있고, 젠더폭력도 용인할 수 있다고 했습니다. 그 제목으로 가면 법안 내용과 제목이 일치하니까 동의하겠다는 거였어요. 그런데 여성가족부는 여성폭력이라는 말이 들어가야 된다고 계속 주장했습니다.

'여성에 대한 폭력이 심각하다. 그 문제를 사회적으로 환기시켜 특수하게 보호해야 할 필요가 있다. 이에 대한 여성들의 요구가 높은데 우리 정부가 응답해야 되지 않겠는가. 이대로 받아들여달라. 이 제목 받아들여달라.' 표창원 의원이 이런 식으로 계속 주장했어요.

이 논쟁에서 자유한국당 의원들 입장은 '여성만을 보호해도 좋다.

대신 법안과 법안 개념 정의를 맞게 일치시켜라.' 이거였어요. 여성가족부에 '왜 여성을 보호하면서 성별에 기반한 폭력이라고 애매한 문구를 넣어서 개념을 혼란하게 만드느냐. 여성을 보호한다면 동의해주겠다.' 그랬어요.

그러니까 여가부나 표창원 의원이 '젠더폭력은 여성폭력만을 얘기하는 개념이 아니다. 현행법들에서도 이미 커버가 된다. 이 법만의 고유한 취지가 드러나지 않는다. 여성폭력에 대한 정부의 의지를 보여주는 법안 취지가 있으니 양해해 달라.' 이렇게 계속 요구해요.

그래서 결국 '성별에 기반한 폭력'을 '성별에 기반한 여성에 대한 폭력'으로 자구 수정하고, 피해자를 여성으로 한정하니까 자유한국당은 '그렇다면 제목과 맞으니까 오케이.' 해서 통과된 겁니다.

제가 볼 때는 여가부가 새로운 젠더폭력 개념을 입안하려고 했어요. 여성운동이 그동안 주장해온 신종 폭력의 개념을 법적으로 만들고 싶은 의지가 있었어요. 그런데 그게 국회 상임위와 법사위를 통과하면서, 자유한국당은 여성운동의 개념 자체가 익숙하지 않으니까 '성별에 기반한 폭력이란 게 뭐지?' '젠더폭력이 뭐지?' 하면서 '왜 알아들을 수 없는 용어를 쓰느냐.'라는 선에서 항의한 거죠.

김 대통령부터 페미니스트라고 이야기하는 정부답게 여성을 위한 가시적인 법안을 만들었다는 걸 확실하게 보여주기 위해서 '여성폭력'방지기본법이라고 한 거네요.

황 그렇게 따지면 약자들을 보호하기 위한 법으로, '장애인폭력방지기본법''아동폭력방지기본법' 다 만들어야 하는 거 아닌가요? 오히려 더 약자인데.

이 　우리가 흔히 법적 약자와 사회적 약자의 개념을 혼동합니다.

이 법안도 여성폭력으로 피해 입는 압도적인 수의 여성들을 보호하자, 사회적 약자를 보호하자는 취지라고 주장합니다.

법 자체가 불평등해서 그 법 때문에 차별대우를 받는 존재들이 있을 때, 그 존재를 법적 약자라고 부릅니다. 그래서 법적 약자를 구제하는 방법은 그 불평등한 법 조항을 개정하는 거죠. 사회적 약자는 법은 이미 있는데 그 법에 따라 보호를 받을 자원이 없거나 방법을 모르는 사람들을 말하는 거예요.

예를 들면 노인의 경우는 신체적 능력이 약해져서 폭력에 노출되었을 때 더 많이 다칠 수 있으니까 보호받아야 할 필요가 있잖아요. 얼마 전에도 여성 노인 두 명이 성폭력을 당했다는 기사가 났는데, 그럴 경우에 바로 경찰과 연결할 수 있는 통로를 만들어준다든지 하는 거죠. 노인은 법 앞에 법적 권리자로서는 평등해요. 그렇지만 사회적으로 보호를 받을 자원이 부족한 거죠. 그럴 경우에 법과 제도로 보완하는 겁니다.

그런데 여성은 법적 약자가 아닙니다. 여폭법은 여성을 법적 약자로 규정하는 거예요. 이 법안의 가장 큰 문제 중 하나가 우리 헌법이 보장하고 있는, 법률적으로 동등한 지위를 보장받을 권리를 위반한다는 겁니다.

그리고 권리 단위를 개인으로 두지 않고 특정한 정체성을 가진 성별 집단에게만 이 법을 적용한다는 것도 문제입니다. 성폭력, 가정폭력, 성매매, 데이트폭력, 스토킹처럼 성별에 기반한 폭력들은 어떤 성별이든 피해자가 될 수 있습니다. 그러면 법은 해당 폭력 행위를 규제하거나 피해자를 보호할 수 있는 법을 만들고, 권리의 적용 단위를 개인으로 해서 명확하게 적용받을 수 있도록 해야 합니다. 어떤 폭력이든 피해자는 개인이잖아요. 이 개인을 구제할 수 있는 게 법적 기능이에요. 그런데 이번 법은 개인이 어떤 성별에 속하느냐에 따라 차별적으로 적용됩니다. 같은 폭력을 당해도 여성이면 법의 보호를 더 받는 결과가 나타난다는 거죠.

황　동일 범죄 동일 처벌이 아니네요.

이　그렇게 될 확률이 높죠.

황　만약 동성애 여성 두 분이 데이트를 해요. 한쪽 여성이 다른 여성에게 폭력을 행사한다. 이런 경우는 어떻게 될까요?

이　일단 형사법으로 처벌 가능해요. 폭력 행위니까.

황　〈폭력행위 등 처벌에 관한 법률〉이 있죠.

여폭법, 그렇게 만들면 안 되는 이유

이　이미 그런 조항이 있는데 왜 이 법을 만드는지 답이 안 되는 거예요. 제가 입법 취지, 제정 이유, 배경을 좀 말씀드릴게요.

우선 제정 이유를 보면 '여성에 대한 차별과 혐오로 인한 여성폭력·살해사건은 끊이지 않고 있음'이라고 되어 있습니다. 그런데 여성혐오라는 개념은 아직까지도 정립되지 않았어요. 여성운동계, 페미니스트들이 주장하는 여성혐오 개념이 있을 뿐이고 우리는 거기에 동의한 바 없어요. 사회적 논의를 거치지 않았으니까요.

우리 사회는 혐오라는 개념에 대한 논의를 이제 막 시작한 단계예요. 차별금지법에서 '혐오'라는 개념을 어떻게 취급할 것인지, 법적 처벌 조항으로 갈 것인지……. 그런데 이런 상태에서 불쑥 '여성에 대한 차별과 혐오로 인한 여성폭력과 살해사건은 끊이지 않고 있다.'라고 선언해서 개념을 혼용하고 있다는 문제가 있고요.

그리고 '검찰청 자료에 의하면 성별이 확인된 강력 흉악범죄 피해자 중 여성이 89%'라는 내용이 있습니다. 이건 맞습니다. 그런데 이 통계에는 착시가 있습니다. 강력 흉악범죄는 살인, 강간, 상해 등등을 말하는데, 대검찰청의 범죄 분류에서 성범죄도 강력 흉악범죄 카테고리에 들어갑니다. 성범죄에는 강간도 있지만 강제추행도 다 들어가요.

사법부가 여성폭력에 민감하게 반응하면서 강제추행의 인정 범위가 예전보다 넓어지는 추세예요. 이를테면 기습적으로 남성이 여성을 껴안은 것도 강제추행인데, 껴안은 것과 살인이 동등하게 강력 흉악범죄 범주에 들어있는 거예요. 거기서 강력 흉악범죄 피해자의 여성 비율이 89%라는 통계가 나오는 겁니다. 통계만 보면 여성이 강력 흉악범죄에 일방적인 피해자로 노출되어 있다, 이렇게 읽히잖아요. 하지만 살인이나 폭행, 살인미수 같은 범죄에서는 남성 피해자 비율이 높아요. 강력 흉악범죄에 성범죄가 들어가 있어서 통계에 착시효과를 주는 거죠.

또 '그동안 국가는 여성에 대한 폭력에 대해 가급적 개입하지 않았고 가해자와 피해자에 필요한 조치를 취하지 않아왔음'이라고 되어 있어요.

황 개입하지 않았다니. 법으로 제재를 했잖아요?

이 개입해왔죠. 기존 법률에서 보완하지 못했다고 해서 성폭력 같은 것은 특별법으로 제정하기도 했어요. 이 주장은 부부싸움을 신고했는데 경찰이 와서 둘이 잘 화해하라고 말하고 가는 경우처럼 관계에서 일어난 폭력을 심각하게 취급하지 않는다, 특히 친밀한 관계에서 그렇다는 거예요. 저도 예전에는 그런 일이 많았다고 보지만 요즘은 아닙니다. 관련 항의가 계속 제기되니까 경찰들도 폭력 신고가 들어오면 이전보다 엄격하게 처리하고 있어요.

이 법안 취지를 보면 여성과 남성을 포괄하느냐 마느냐 하는 논란이 무의미할 정도로, 여성에 대한 폭력을 특수하게 취급하고 이를 방지하고 강하게 처벌하고 보호 조치를 확실하게 마련하겠다는 의지를 명확하게 밝히고 있어요.

여성에 대한 폭력을 특수하게 취급하면 양형도 여성을 향한, 성별에 기반한 폭력일 때는 더 강력한 처벌 조항을 만든다든지 해야 해요. 지금도 여성들이 요구하고 있어요. 더 강력하게 처벌해라, 벌금형을 징역형으로 올려라. 이런 요구들이 법 제도화로 계속 진행 중입니다.

김 법이라는 것은 약자, 소수자, 취약한 사람들을 공적으로 보호할 목적으로 만든 건데, 여성을 약자로 설정해놓고 여성에 대한 범죄는 가중처벌함으로써 여성을 보호하려는 정부 의지가 더 강하게 깃들어 있어요.

이 저는 사회적 약자로서 여성을 보호하려는 조치에 반대하려는 게 아니에요. 말씀드렸듯이 법적 약자와 사회적 약자는 다릅니다. 여성을 법적 약자로 규정하는 것은 차원이 다른 문제예요. 이렇게 되면 사회구성원 사이에 특수계급이 만들어지는 겁니다. 모두가 똑같이 적용받아야 할 기본권, 보호받을 권리와 피해를 입지 않을 권리가 있는데, 특수하게 보호받고 특수한 권리를 누리는 존재가 만들어진다는 거죠. 정부가 그런 법을 만들어서는 안 됩니다. 위헌이에요.

이것이 과연 사회구성원의 조화로운 삶을 고무하는가. 저는 굉장히 회의적이에요. 우리가 재난 상황에서 여자와 아이, 노인을 먼저 보호하는 건 사회구성원이 공유해온 규범이잖아요. 그런데 이런 법안이 만들어지고, 정부가 특수 계층을 만든다는 신호를 주면 그렇게 보호하는 것이 무의미해져요. 오히려 남성들의 반감을 키우고 '내가 왜 그래야 돼?' 하면서 여성을 보호하려 하지 않게 됩니다. 과연 이것이 상호협력하고 연대하고 사랑을 나누는 조화로운 관계를 고양하게 될까요?

또 한 가지, 이 법이 여성 자신의 주체성을 고취하는가를 생각해야 합니다. 데이트폭력이나 성희롱은 특정 관계에서 일어나는 부정적 행위들이잖아요. 물리적인 폭력은 당연히 형사처벌받게 해야 합니다. 그밖에 물리적 행위는 아니지만 정서적인 불쾌감, 뭔가 기분 나쁘고 찜찜함을 느낀다면 여성이 행동을 취할 수도 있는 거잖아요. 연인관계면 헤어지면 됩니다. 헤어지기 싫으면 상대에게 교정을 요구해야죠. 이런 문제는 얼마든지 조정할 수 있어요.

여성을 비주체적 존재로 만드는 여성폭력방지기본법에 반대한다

그런데 모든 행동 영역에서 개인이 선택할 수 있는 여지를 없애고 사법적 판단에 기대고, 법적 처벌의 영역으로 가져가는 건 여성의 주체

성을 사법적 판단에 종속하는 거예요. 여성을 비주체적인 존재로 만든다는 점에서, 저는 여성으로서도 이 법안에 반대합니다.

예전 여성운동은 여성의 주체성을 고무하는 전략을 많이 취했는데, 지금 여성운동은 완전히 바뀌어서 여성을 피해자로만 상정하고 무조건 보호하려는 법과 제도를 요구하고 있어요. 여성들이 많은 관계에서 변수들을 스스로 통제하지 못하고 사법적 영역으로 들고 가는 것은 국가에 개인의 권한을 너무 많이 위임하는 겁니다. 데이트폭력의 영역도 개념을 확장해서 법률로 만들어 놓으면 국가가 자의적으로 해석해서 집행할 가능성을 열어두는 거예요.

지금까지 여폭법이 기본법 개념을 협소화해서 기본법의 이상과 지향과는 맞지 않는 네거티브하고 협소한 개념을 기본법의 지위로 격상했다는 문제적 특성에 대해 말했습니다.

그리고 더 생각할 것은 이 법이 기본권을 훼손하는 위험요소가 있다는 겁니다.

황　기본권을 훼손할 위험요소라면 어떤 게 있을까요?

여폭법의 위헌적 요소

이　헌법 11조 1항이 평등권, 2항이 특수계급을 만들지 않는다는 조항인데,* 이 법이 그 조항을 위반하고 있다고 봐요. 왜냐면 기존 형법과 특별법 등에서 이미 규율하고 있는 여성에 대한 폭력을 특별한 범죄로 규정해서 여성 일반을 특수한 권리의 소유자로 격상한 법안이고,

동등한 법률권 지위 보장에 대한 평등권을 위반하고 있기 때문이에요.

김 헌법재판소 가면 위헌 가능성이 있어 보이는데요.

이 그건 모르는 일이에요. 지금 헌법재판소와 대법원 구성을 보면, 이걸 진일보한 인권 관점이라고 해석할 수도 있지요. 그리고 이 법은 '명확성의 원칙'을 위반하고 있습니다.

황 그건 무슨 의미인가요?

이 기본권을 제한하는 법, 특히 형사처벌이 가능한 법 조항에서 국가는 법규범의 내용을 명확하게 규정해야 할 의무가 있습니다. 규범의 의미 내용에서 무엇이 금지되고 무엇이 허용되는 행위인지 명확하게 알 수 있도록 공포해야 합니다. 사회구성원이 법이 정확히 뭘 금지하고 허용하는지 알 수 없다면, 법 집행기관이 자의적으로 해석하고 집행해서 국민에게 부당한 권리침해를 할 수 있기 때문이에요. 이것이 국가의 의무이고 국가기관은 이를 설명할 의무가 있어요. 죄형법정주의의 기본 원칙이죠.

여폭법이 명확성 원칙을 위반하는 몇 가지가 있습니다. 첫째는 '성별에 기반한 폭력'이라고 하는 모호한 개념입니다. 논의 과정에서 가장 큰 문제였어요. 그게 도대체 뭐냐는 거죠. 의원들도 '그 개념을 나한테 설명해보라.' 그랬어요. 그런데 설명이 안 되는 거예요. 젠더폭력이라는 규정을 대체할 용어가 없으니까 그냥 이걸로 해달라고 표창원 의원과 여가부가 계속 읍소했습니다. 젠더폭력이 더 정확한 용어인데 한

헌법 제11조 ① 모든 국민은 법 앞에 평등하다. 누구든지 성별·종교 또는 사회적 신분에 의하여 정치적·경제적·사회적·문화적 생활의 모든 영역에 있어서 차별을 받지 아니한다.
② 사회적 특수계급의 제도는 인정되지 아니하며, 어떠한 형태로도 이를 창설할 수 없다.

국 사회에서 아직 낯선 단어이니 그냥 여성폭력, 성별에 기반한 폭력으로 용인해달라고 했어요. 표창원 의원이 가장 앞장서서 이 법을 통과시키는 데 공헌했어요. 여성들의 숙원사업이니까 그냥 넘어가 달라는 식으로.

황 설마 그런 식으로 했겠어요?

이 네, 그랬습니다. 여러 차례 그렇게 발언했어요. 명확성의 원칙을 위반한 둘째는 '혐오범죄'나 '2차 피해' 등에 대한 법률적 정의가 없다는 거예요. 혐오나 2차 피해 개념은 법률적인 정의가 아직 없습니다. 개념 정의가 없는 채로, 수사 재판 과정에서 겪는 사후 피해, 따돌림, 불이익 조치를 2차 피해라고 해요.

일반적으로 수사나 재판 과정에서는 피의자, 피고인, 피해자 신분으로 겪는 절차들이 정해져 있습니다. 공정한 재판을 위해 필요한 절차들이에요. 그런데 2차 피해 개념을 이렇게 모호하게 집어넣으면 공정한 수사와 재판을 위해 진행하는 조치들까지도 2차 피해로 규정하게 돼요. 그래서 다른 범죄의 피의자나 피고인이라면 누렸을, 상대방과 동등하게 재판과 수사 받을 권리를 침해하게 됩니다.

황 기본법이나 헌법보다 위에 있는 건 없는데…….

이 이미 사례들이 있어요. 피해를 호소하는 남자들이 있습니다. '여러 증거자료를 제출했지만 경찰이 수사 끝날 때까지 받아주지 않았다.'는 증언도 있어요. 제가 위험하다고 생각하는 건, 이런 위헌적인 제도가 만들어지는데도 이를 위헌으로 감지하는 감각이 사회적으로 후퇴하는 거예요. 수사기관이든 재판기관이든 이런 정해진 절차들을 배제하면서도 그게 위헌적이라는 것을 인지하지 못하는 상태가 되고, 명확하고 일관되게 지켜져야 할 기본권이나 헌법적 원칙에 대한 경각심마저 흐려져요. 그 더듬이가 사라지면 헌법이 사회 최고규범으로 존립하는 기반 자체가 무너지게 되는 거죠.

위헌적인 행위임을 감지하는 감각을 사회적으로 후퇴시키고 있다

또 이 법의 문제는 근본적 물음이 없는 포퓰리즘 법안이라는 겁니다. 위에서 말한 표창원 의원 발언만 봐도 그렇고요. 여가부가 이 법은 개별 법이 보호하지 못하는 사각지대를 여성폭력 피해로 포괄해서 규제하는 법이라고 했어요. 그리고 여성폭력을 '가정폭력, 성폭력, 성매매, 성희롱, 지속적 괴롭힘 행위, 친밀한 관계에 의한 폭력, 정보통신망을 이용한 폭력'으로 규정했습니다. 그런데 이건 다른 현행법으로 처벌 가능합니다. 그게 좀 미진하면 보완하면 돼요. 새 조항을 만들거나 개정해서 보완하면 되는데 그렇게 하지 않은 거죠.

중요한 건, 다른 범죄나 강력범죄 피해자들에게는 적용하지 않는 이런 강력한 지원과 보호제도를 왜 폭력 피해자인 여성에게만 지원해야 하는가에 대해 아무 설명이나 논의 과정도 없었다는 겁니다. 그래서 포퓰리즘적 법안이라고 하는 거예요.

여성폭력의 정확한 개념도 여가부나 발의자가 명확하게 제시하지 못했잖아요. 폭력의 법적 개념은 '동의에 의하지 않은 신체 유형력 행사'예요. 그런데 여폭법에서는 신체 유형력 행사를 넘어서 안전을 위협하는 모든 것까지 포함해요. 그리고 친밀한 관계라는 것도 법적 개념이 없습니다. 이게 무엇인지 설명하지 않아요. 친밀한 관계라고 하면 가족, 연인, 직장동료……. 사람마다 다 생각이 다르잖아요. 어디까지 포

158

함된다고 생각하세요?

황 애매모호하네요. 작가님과 저 정도 관계는 친밀한 관계입니까?

이 제가 그렇다고 주장하면 친밀한 관계가 되죠. 우리가 주 1회 만나서 방송을 같이하고 방송 전후로도 매우 친밀한 대화를 나눠왔다고 하면, 얼마나 안 친밀했는지 입증하실 수 있겠습니까?

황 통화 기록 같은 거 하나도 없는데……. 무섭다, 나 이거 무서운 것 같아.

이 권리의 단위를 개인이 아니라 특정 성별 집단으로 규정한다는 문제도 있습니다. 다른 성별의 구성원을 권리의 대립 항으로 상정하는 거죠. 어떤 개별 법도 성별 명시를 하지 않아요. 그래서 어떤 피해든 성별 구분을 하지 않고 처벌이든 보호든 할 수 있는데, 이 법은 성별을 한정해서 명시함으로써 다른 법들과 다르게 권리 단위로 취급하는 거죠.

그런데 부작용이나 불합리에 대한 예측과 대안이 없습니다. 무죄 추정원칙은? 데이트폭력의 남성 피해자는? 가정폭력의 남성 피해자는? 남성이 남성을 강간하면? 아동학대는 성별에 기반한 범죄일까? 동성에게 폭행을 당하면?

황 요즘에는 남성이 남성에게 하는 것도 많아요.

이 그래서 성별에 기반한 폭력으로 규정하는 게 옳지 않다고 봐요. 데이트폭력도 성별에 기반한 폭

> 권리의 단위를 개인이 아닌 특정 성별 집단으로 규정하는 문제

력인가요? 연인이라는 관계에서 일어나는 거지 다른 성별에 대해서 이뤄지는 범죄가 아니거든요.

그리고 성매매 같은 경우를 보면 여폭법은 여성만을 피해자로 봐요. 그런데 현행법인 성매매특별법은 동의에 의한 성매매도 사회적 법익 침해이기 때문에 둘 다 범죄의 주체로 봅니다. 이처럼 현행법과 명시적으로 어긋나는데 이에 대한 해명이나 조정이 없어요. 당장 이렇게만 얘기해도 구멍이 많잖아요. 도대체 그러면 어쩌자는 겁니까. 그래서 제가 이 법은 근본적으로 문제가 있다는 겁니다.

김 여성들이 바라니까 웬만하면 해줍시다, 이런 말을 하면 안 되죠. 치열한 내부토론 그리고 젠더 문제에 관심이 많은 모든 당사자가 함께 터놓고 얘기해야죠.

이 설명하는 절차를 거치지 않고 법안이 통과됐잖아요. 이것은 힘 있고 정치세력 구조가 유리할 경우에 가능한 전략입니다. 그걸 십분 활용한 거고요. 노동 관련 법안을 예로 들면, 노동자에게 불리한 어떤 법이 발의되면 노동계에서 당장 반발하잖아요. 소위 심의 과정이든 법사위 과정이든 문제를 인지하고 견제할 수 있는 조직적인 세력이 있으니까 집회도 할 수 있고, 의원들에게 압력도 행사해서 법 조항이 통과되지 않게 하거나 개정할 수 있습니다. 그런데 이번 법안은 조직적인 견제나 비판 세력도 없기 때문에 일사천리로 통과됐어요.

오늘 설명한 것은 개괄적인 내용이었고 개별 법률조항은 들어가지도 못했어요. 마지막으로, 여성운동 관련 영역에서 지성의 역할이 죽었다는 점을 말씀드리고 싶습니다.

김 법안의 파급력이나 파장을 떠나서 지금 젠더이슈가, 댐이 무너졌습니다. 그렇다면 밀실에서 적당히 넘길 문제가 아니고, 공론장으로 나오게 해야 돼요.

황 아무것도 안 하면 아무 일도 일어나지 않는다고, 아무도 문제 제기하지 않으면 당연한 것처럼 아무렇지 않게 넘어간다는 게 중요한 것 같아요. 〈우먼스플레인〉 여기서 인사드리겠습니다.

스페인 젠더폭력법 살펴보기 (Gender Violence Law in Spain)

2018. 12. 19. 15화 방송 중에서

〈여성폭력방지기본법〉은 공포와 동시에 개정작업에 들어갔습니다. 스페인에도 우리나라 〈여성폭력방지기본법〉과 매우 비슷한 법안 〈젠더폭력법〉이 있습니다. * 2004년 사회노동당 정권에서 입안한 법인데 구조가 우리나라와 매우 비슷합니다. 여성폭력에 대한 특별한 보호 조치가 필요하다며 혁신적인 인권 조치로 발의한 법인데 도입 사유도 우리나라와 비슷합니다. 이 법을 시행한 후 스페인 사회에서 어떤 일이 일어났는지 분석한 보고서가 있습니다.

스페인에서는 이 법을 시행한 후 하루 평균 400명의 여성이 남성을 고소합니다. 2005년에만 남성 16만 명이 체포됐고, 매년 12만 명 이상이 감옥에 갑니다. 스페인은 유럽에서 가정폭력, 살인, 여성 피해자가 비교적 적은 국가였는데, 법 시행 후 오히려 여성 살해 수가 증가하는 상황이라고 합니다. 남성은 신고 즉시 일단 유죄로 추정되고, 직장, 출근길, 가정 등 어떤 장소에 있든 경찰이 체포합니다. 일단 구금된 후 무죄를 입증할 책임은 남성에게 있습니다. 그런데 남성 피고인 사건의 20%만 유죄판결을 받았습니다. 유죄 선고율이 20% 밖에 되지 않는다는 건 과도하게 기소했다는 의미입니다. 그런데도 스페인 사법부는 유죄 선고율을 80%까지 올려 남성의 폭력을 끝장내야 한다고 말하고 있습니다. 데이터에서 얻는 교훈이 이렇게 다를 수도 있습니다.

유죄가 선고된 20%의 사건에서도 실제로는 5%만이 신체 손상을 준 심각

스페인 젠더폭력법 이선옥닷컴의 〈스페인 "젠더폭력(Gender Violence)"법 시행 첫 8년 분석〉 참조(http://leesunok.com/archives/1020)

한 폭력이었고 나머지는 신체적 손상 없는 정신적 피해 호소나 부당한 대우에 해당합니다. 예를 들어 남편 혹은 연인이 '너 오늘 옷차림이 어땠어? 나 오늘 너 때문에 불쾌해.'라고 말한 경우도 젠더법상 폭력으로 처벌받습니다. 스페인 사회에서는 이 법의 피해자들이 운동단체를 만들어 활동하고 있습니다.

우리의 여가부에 해당하는 스페인평등부에서는 '신고해라. 이건 폭력이다.'라는 캠페인을 통해 신고를 권장합니다. 여성들은 양육권 분쟁 등에서 이 법을 폭발적으로 활용하기 시작합니다. 정부 위탁을 받은 여성단체들은 여성의 피해가 사실이라는 증서를 발급하고, 이를 근거로 여성들은 현금, 현물로 자활이나 생활 지원을 받습니다. 이혼할 때나 사적인 복수에 유리한 도구로 활용하는 경우가 늘어날 수밖에 없습니다. 신고할 유인이 작동하므로 대화와 협의로 처리할 수 있는 사안들까지 법의 판단으로 가져가게 됩니다. 신고된 남성이 무죄이고 여성 측의 무고가 입증됐다고 해도 이미 사회적으로 추방된 남성에게는 어떠한 보호조치, 회복 프로그램도 지원하지 않습니다.

결국 스페인에서 젠더법 위헌 소송이 있었습니다. 한 표 차로 합헌 판정을 받았지만, '근본적으로 성차별적이라는 위헌성이 있다. 법적으로 비대칭적이고 일방적이다. 스페인법과 유럽법과 국제인권법에 다 규정되어 있는, 성별로 차별당하지 않을 권리를 위반하고 있다.'는 비판이 계속 제기되고 있습니다.

이 상황이 먼 미래의 일 같지 않습니다. 우리나라도 성범죄와 관련해서 유죄추정이 적용되는 경우가 많습니다. 명확한 증거가 없는 상황에서 여성이 일관된 진술만 하면, 혹은 진술이 일관되지 않아도 성인지감수성을 적용해 수사기관과 사법기관이 유죄 판단을 합니다. 법안 공포와 동시에 개정작업에 들어갈 만큼 졸속처리된 〈여성폭력방지기본법〉을 추진한 사람들이 이런 문제에 대해 어떤 고민이 있는지 묻고 싶습니다.

8장

펜스룰은
죄가 없다

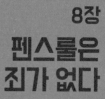

2019년 01월 09일 18회 방송

황 〈우먼스플레인〉 인사드립니다. 제가 모니터링도 좀 하고 그러는데 조회 수가 많이 올랐습니다.

이 그런데 댓글을 보면 '이렇게 좋은 프로그램이 조회 수 눈물 난다, 10만은 넘어야 되는데.' 하면서 안타까워하시더라고요.

김 계속 누적되는 겁니다. 실시간 방송하고 공중에 흩날리는 지상파 시청률하고 달라요. 그렇기 때문에 앞으로 보다 많은 조회 수로 〈우먼스플레인〉 성과가 만방에 드높아질 것이라고 생각합니다.

황 자, 그럼 이제 본격적으로 시작해볼 텐데요. 오늘 내용은 펜스룰입니다.

이 우리가 방송에서 펜스룰밖에 답이 없는가, 그런 얘기를 했었는데 펜스룰을 비판하는 주장들이 많아요. 그 비판이 왜 잘못됐는지 오늘 논리적으로 풀어보도록 하겠습니다.

황 그동안 젠더이슈 관련해서 '정답은 펜스룰이다.' 이런 댓글이 굉장히 많았는데 과연 펜스룰이 무엇인지 어떻게 행동하는 것이 합리적인지 집중적으로 알아보겠습니다. 자, 펜스룰에 대해서 정의를 내려보고 시작해볼게요.

펜스룰에 대한 세 가지 비판

김 펜스는 사람 이름이죠. 마이크 펜스Mike Pence 미국 부통령.

황 좁은 의미로는 아내 외에는 어떠한 여성과도 단둘이 있지 않으며 사적인 만남도 갖지 않는다는 규칙을 일컫죠.

김 예전에 다일공동체 최일도 목사 아시죠? 이게 목사님 철칙이에요. 펜스룰 나오기 전부터 같은 교회 교인, 특히 여성 교인은 절대 옆자리에 태우지 않습니다. 뒷자리 태워요. 그래서 최일도 목사와 관련해서 추문이 전혀 없었잖아요. 펜스룰도 기독교와 무관하지 않은 걸로 알고 있어요.

이 펜스룰에는 좁은 의미의 펜스룰이 있고, 넓은 의미의 펜스룰이 있는데, 좁은 의미의 원조 펜스룰은 빌리 그레이엄Billy Graham 목사같은 기독교 근본주의자들이 개인적인 룰로 갖고 있었던 거예요. 마이크 펜스가 부통령이 되면서 펜스룰이라는 이름이 붙었고, 우리나라에서도 그렇게 말하게 된 거죠.

황 한쪽에서는 다른 의미로 해석하지만 자기수양적인 목적이나 종교적인 느낌이 강한 의미가 있네요. 넓은 의미로는 직장에서 남성과 여성이 꼭 필요하지 않거나 신뢰할 만한 증인이 동석하지 않거나, 불필요하게 성과 관련된 분쟁 발생 가능성을 높이는 접촉은 아예 피한다는 건데요. 뭔가 조금이라도 엮일 만한 일은 아예 만들지 않는다. 이런 의미로 해석할 수 있을 것 같아요.

김   목사님 얘기를 안 할 수가 없는데……. 모 목사가 새벽 예배 마치고 여신도를 불러서 성추행했다는 얘기가 있었어요. 보도가 나가고 수많은 교회 목사님이 뭐 했는지 아십니까? 방에 CCTV를 달았어요. 방에 교인이 들어왔다가 성추행당했다 그러면 오해받을 수 있으니까 자길 보호하기 위해서. 그것도 일종의 펜스룰 아닌가.

이   우리가 오늘 주로 얘기하게 될 것은 넓은 의미의 펜스룰인데요. 이 넓은 의미의 펜스룰에 대한 비판이 많습니다. 꼭 여성들에게서만 비판이 나오는 게 아니고 남성 사이에서도 '찌질하게.' 이런 반응이 나옵니다. 난 이제 여자를 피하고 살 거야, 이러면 '너 여자 있었어?' 하면서 조롱하고.

황   연예인처럼 얼굴 알려진 사람들 입장에서 펜스룰은 이미 전부터 있었어요. 혹시라도 오해 살 만한 행동으로 엮이는 순간 모든 걸 다 잃을 수 있는 직업이니까요.

이   일부 영역에서 남성이 지키던 원칙이 왜 이렇게 전 사회적으로 회자되고 또 실천하려는 남성이 늘어나고 있는지 얘기해볼 필요가 있어요.

> 일부 영역의 남성들이 지키던 펜스룰이 확산하는 이유를 살필 필요가 있다

우선 펜스룰에 대한 주요 비판을 살펴볼게요. 세 가지 정도로 볼 수 있습니다. 첫째, '불필요한 지침이다. 성희롱을 막으려면 남자들이 성희롱 안 하면 된다. 간단한 방법을 두고 왜?' 이런 비판이 있고요. 두

번째는 '펜스룰을 하겠다는 것 자체가 그동안 여성을 성적인 대상으로만 생각해왔다는 것 아니냐, 이것은 여성에게 비인간적인 대우를 하는 거다.'라는 비판이에요. 그리고 세 번째는 펜스룰이 여성을 비공식적으로 차별해서 직업 영역에서 불리한 결과를 주는 차별적 행위라는 비판이 있습니다. 이렇게 세 가지 정도로 정리해볼 수 있는데요. 왜 잘못된 주장인지 하나하나 논파해보도록 하겠습니다.

펜스룰 비판엔 진보 - 보수도 여야도 없다

이   일단 펜스룰을 둘러싼 상황을 보면, 작년 2018년 1월 미투가 있었죠. 서지현 검사의 폭로로 우리 사회에 커다란 파문이 일었는데, 미투 사건이 연달아 터지면서 3월쯤에 펜스룰이라는 말이 등장합니다.

그전까진 우리 사회에 펜스룰 얘기는 없었는데, 미투가 터지면서 남성들이 펜스룰을 한다는 이야기가 언론과 정치권에 부쩍 많이 나왔어요. 대표적인 펜스룰 비판 보도를 몇 가지 말씀드리면, 《한겨레》 칼럼에 홍성수 숙명여대 법학부 교수가 '펜스룰이 대안이라고?'라는 제목으로 '이런 교류 단절이 또 다른 차별로 이어진다. 조직의 상층부를 남성들이 장악한 상황에서 여성과의 개별적, 비공식적 교류가 차단되면 여성에게 불리한 장벽으로 작용할 수밖에 없다. 더 나아가 출장 같은 공식 업무에서 여성이 부당하게 배제되거나 채용 승진에서 탈락한다면 그건 아예 불법적 차별이다.' 이렇게 썼습니다.

황   이런 거 쓸 때 해결책도 좀 제시했으면 좋겠어요. 문제점만 제시하는 건 누구나 다 하는 거 아닙니까?

이 해결책은 대부분 추상적이에요. 여성을 동등하게 존중하고 성평등한 사회로 나아가야 한다, 이런 건데 해결책이 될 수 없죠. 그런데 홍 교수 얘기 중에 '출장 같은 공식 업무에서 여성을 배제하는 것'은 펜스룰에 해당하지 않습니다. 잘못된 비판이죠. 펜스룰에 해당하지 않는 것을 가지고 펜스룰을 비판하는 겁니다.

황 이런 게 펜스룰에 해당하지 않는다는 얘기는 어떤 뜻인가요?

이 펜스룰은 남성 개인의 사적인 지침이지 공적인 영역의 지침이 아니에요. 그런데 이걸 공적인 영역으로 왜곡해서 비난하는 거죠.

황 확대해석하는 거군요.

이 그런 경우가 많습니다. 전제부터 잘못된 거예요. 업무에서 여성을 배제하는 건 당연히 차별이죠. 그런 경우는 처벌받을 수 있습니다. 다음 김현유 《허프포스트》 에디터가 〈펜스룰은 좋은 대안이 아니다〉에서 '아주 기발한 방법을 제안한다. 쉽고 간단하다. 그냥 동료나 후배와 단둘이 식사를 하고 대화를 나누며 성폭력(성희롱, 성추행, 성폭행 모두 포함)을 가하지 않으면 된다. 동등한 입장에서 대화를 한다면 성폭력 문제는 일어날 수가 없다. 그게 그렇게 어려운 일인가?'라고 썼습니다. 이 논리라면 페미니스트들이 무고죄 수사를 여성들에게 적용하지 말라는 말을 할 필요가 없죠. 무고를 안 저지르면 되잖아요.

> 남성 개인의 사적 지침인 펜스룰을 공적 영역으로 왜곡해 비난하는 언론과 정치권

김 그렇죠.

이 그런데 여성에게는 무고죄 수사를 하지 말라고 합니다. 또 '한 번도 도둑질 안 해봤는데 혹시 내가 물건을 훔친 게 걸리진 않을까 걱정하는 경우는 없잖아?'라고 했는데, 이건 그런 문제가 아닙니다. 그리고 성범죄자가 된다는 것이 이렇게 장난스럽게 얘기할 수 있는 문제는 아니에요.

《경향신문》조호연 논설위원의 글도 있어요. 마찬가지로 펜스룰의 개념을 왜곡했습니다. '회식이나 출장에서 여성들을 배제하고 여직원을 대면하지 않는 경우가 늘고 있다. 이는 자기들만 피해 보지 않으면 그만이라는 일부 남성의 이기심의 발로일 뿐이다.' 그러면서 펜스룰은 '남성 위주 사회를 더 공고히 하자는 얘기나 다름없다.'라고 비난합니다.

펜스룰 비판에서는 진보매체나 보수매체나 다를 게 없는 게, 《조선일보》에서도 '여성과 합석하는 자리를 원천 봉쇄해야 미투 논란에서 안전할 수 있다고 생각하는 것은 사고 위험이 있으니까 차를 아예 타지 않겠다는 것과 비슷하지 않을까. 여성을 피하기보다는 동료로 선후배로 서로 인격을 존중하는……'이런 얘기를 또 합니다. 공적인 업무에서 여성을 배제하고 차별하는 게 펜스룰이라는 식으로 얘기하고 있어요.《머니투데이》에서는 〈또 다른 성폭력 펜스룰〉이란 기사를 썼어요.

황 또 다른 성폭력이라니, 어떻게 성폭력이라고 표현을…….

이 어떻게 이런 제목을 쓸 수 있는지 모르겠어요. '여성을 배제하는 방식의 펜스룰이 직장 내 성폭력 대응 방안으로 논의되는 것 자체가 현재 직장 내 권력 구조가 얼마나 남성 중심적으로 짜여 있는지를 방증한다는 지적도 있다.' 이렇게 얘기합니다. 매체들이 일제히 펜스룰을 집중적으로 비판합니다.

　　정치권 반응도 있어요. 펜스룰 비판엔 여야도 따로 없고 보수 진보도 따로 없는데요. 자유한국당 이철우 의원은 펜스룰 때문에 남녀소통이 차단되어서는 안 된다고 했고, 바른미래당의 신용현 의원은 〈위드유를 외치면서 '펜스룰'을 말하는 것은 언어도단이다〉라는 수석대변인 논평에서 '여비서, 여제자, 여자 동료가 아니라 비서, 제자, 동료로서 차별과 구별 없이 동등하게 대우' 받아야 한다고 했어요. 누군들 이런 말을 못합니까?

　　김　나도 할 수 있어요.

　　이　할 수 있죠. 그리고 더불어민주당 표창원 의원이 또 중요한 말을 했어요. '미투에 당황한 일부 관리직 혹은 남성 직원들이 예방책이랍시고 채용이나 업무에 여성을 배제하거나 차별하는 불법적 행위들을 한다고 합니다. 이는 그들이 여성 가까이 있으면 성폭력을 해왔고 할 수 있는 잠재적 성범죄자임을 스스로 드러내는 것.'이라고.

　　김　공포심 때문에 펜스룰을 하는데 그런 사람한테 잠재적 성범죄자다?!

　　이　정현백 당시 여가부장관은 '여성 업무 배제하는 펜스룰의 확산을 막고 금지하겠다.'라는 발언을 했고, 펜스룰을 '미투운동에 대한 2차 가해'라고 표현합니다.

　　김　어떻게 펜스룰을 막죠? 장관이?

　　이　그러니까요. 홍성수 교수가 아까 말한 칼럼에 인용한 셰릴 샌드버그Sheryl Sandberg라는 여성이 있어요. 페이스북 최고 경영자인데 펜스룰을 강하게 비판한 일이 있었어요. '관리자나 상급자 중에 남성이

일방적으로 많은 조건에서 여성에게 펜스룰이 차별로 작동할 수 있다.'
라고 하면서 남성들에게 '여성 동료와 단둘이 식사하고 싶지 않으면 그
누구와도 단둘이 식사하지 말거나 여러 사람과 함께 식사해라.' 이렇게
말했습니다.

사적인 만남을 안 하겠다는 게 펜스룰이고, 기업이 사생활을 강제
할 수 없을뿐더러 펜스룰은 차별대우와 무관한 일인데, 이 발언을 교수
나 다른 지식인들이 인용합니다. 여성이고 페이스북이라는 굴지의 기
업 경영자니까 세계적 영향력을 가진 사람의 의미 있는 발언이라고 많
이 소개했는데요. 이건 펜스룰의 개념 자체를 왜곡하는 발언이에요.

그리고 중요한 건 펜스룰에 대한 설문조사가 있었는데 여성의 절
반 가까이가 펜스룰을 지지했습니다. 연인이나 배우자인 남성이 펜스
룰 하는 걸 여성들이 지지하는 거죠.

황　저도 주변에서 지지하는 걸 많이 봤어요.

이　누구나 자기 남편이나 연인이 성범죄자가 될 위험에 처하는
걸 원치 않잖아요. 오히려 펜스룰이 안전한 방법이라고 생각하는 거죠.
정치권과 오피니언 리더들이 펜스룰을 일제히 비난하지만, 개념을 왜
곡한 잘못된 전제에서 비판을 시작하고 있습니다.

황　펜스룰 자체를 왜곡하면서 문제를 지적하기 때문에 그 지적
자체가 잘못된 것이라고 말씀하시는 거죠?

이　전제 자체가 틀렸습니다. 일부 관리직 남성들이 채용이나 업
무에 여성을 배제하거나 차별하는 건 불법 행위지 펜스룰이 아니에요.
그걸 마음대로 개념화해놓고 비판하는 거죠.

그리고 실생활에서 스스로 펜스룰이라는 개념을 의식하지 않고 자

연스럽게 펜스룰을 실천하는 분도 많아요. 제 주변 남성들만 봐도 회사에서 여직원들과 사적인 대화 안 한다, 같이 있는 자리 피한다, 그런 얘기 많이 하세요.

김　그게 잘못된 건가요?

이　아니오. 잘못된 게 아니죠. 아까 그 목사님처럼 수양 차원에서 하는 분들도 있고요. 펜스룰이 급격하게 늘어난 건 최근 한 3년 정도예요. 페미니즘의 부흥과 무관하지 않죠. 페미니즘이 부흥하면서 성범죄에 대한 얘기가 많이 되고, 성범죄 개념이 확확 변화하면서 펜스룰이 늘었다는 거예요. 그런데 펜스룰이 비판을 받으니, '그래서 어떻게 하라고.' 이런 항변을 많이 하는 거죠.

황　정말 어쩌라는 거예요?

이　펜스룰 비판이 왜 문제인지 논리적으로 설명해드릴게요. '어쩌라고!' 하지 마시고, 그런 비판에 어떻게 대응하면 되는지 이론적인 근거를 말씀드릴게요.

펜스룰 비판에 대응하는 법

이　먼저 '성범죄를 막으려면 남성이 그런 짓을 하지 않으면 된다는 간단한 해결책이 있다.'는 주장을 볼게요. 이게 가능하려면 우선 두 가지 전제가 있어야 합니다. 첫 번째는 어떤 행위를 아예 하지 않을 수 있는 능력이 개별 인간에게 어떤 상황에서든 동일하게 완전히 유지될 수 있어야 하고요. 두 번째, 성희롱 등의 성범죄에 대해 하지 않아야 할 규칙을 모든 사람이 완벽하게 숙지하고 모호함 없이 정확히 인지하고 있어야 합니다. 이게 전제되지 않으면 하나 마나 한 말이 돼요.

인간은 불완전한 존재입니다. 그래서 상황에 따라 규칙을 준수하는 능력이 달라집니다. 예를 들어 100만 원 뭉치 돈다발을 봤다고 해봐요. 그런데 주변에 아무도 없을 때 본 것과 여러 사람이 있는 데서 본 것은 다르죠. 어느 상황이 더 유혹에 노출되기 쉽습니까?

황　혼자 있을 때죠.

이　남의 돈을 가져가면 안 된다는 규칙은 다 알아요. 그렇지만 규칙 준수 능력은 상황에 따라 달라집니다. 알람을 맞춰놓아도 눈 떠서 바로 끌 수 있는 위치에 있으면 끄고 또 잠들잖아요. 그런 사람은 자신이 그럴 것에 대비해서 일어나서 움직여야 하는 위치에 알람을 갖다놓는단 말이죠. 이런 행동 규칙을 스스로 만들잖아요.

> 인간은 불완전한 존재이기 때문에 스스로 행동 규칙을 만드는 것

그건 인간이 불완전하다는 전제에서, 행동 규칙이 어느 상황에서든 동일하게 유지될 수 없다는 걸 알기 때문에 하는 행동입니다.

성범죄자가 되지 않을 규칙을 어느 때고 완벽하고 일관되게 준수할 수 있을까요? 여성과 단둘이 있는 상황은 그렇지 않은 상황에 비해서 성적인 유혹에 노출될 가능성이 크죠. 그러면 그걸 인지한 사람은 그 상황을 피하는 자기만의 대응 규칙을 만들 수 있는 거예요. 인간이 불완전한 존재라는 걸 인식한 상태에서 자신이 취약하다고 생각하는 영역에 스스로 행동 규칙을 만드는 것은, 오히려 그렇게 노력할 도덕적 의무가 있습니다.

황 그럼요.

이 그런 의무가 있어야 음주운전 사고도 예방할 수 있는 거고. 그런 선택은 개인에게 주어진 권리이기도 하고, 도덕적 의무이기도 해요. 사람들이 연애를 기피하느니, 여자를 멀리하는 찌질한 남자라느니 놀리는데, 성범죄자가 되느니 찌질한 남자가 되는 게 백번 낫죠. 성범죄자가 돼서 처벌받는 건 나예요. 비난자가 내 삶을 대신 살아줄 수 없잖아요. 내가 성범죄자 안 되고 찌질한 남자로 사는 길을 선택했다는데 비난받을 이유가 없죠. 그리고 또 하나 중요한 게, 성범죄와 관련된 규칙이 매우 모호합니다.

김 모호해요?

이 네. 어떤 행위가 성적 수치심을 주는 것인지 아닌지 하는 판단 기준은 행위자가 아니라 상대 여성의 느낌입니다. 현재 성희롱에 대한 규정이 이러한데, 개별 여성의 판단을 정확히 알 수 없고, 상황마다 다 다르잖아요. 평균적 여성의 느낌으로 성적 수치심의 기준을 삼는다고 할 때, 이걸 완벽하게 지키는 건 불가능하죠. 기준이 행위자의 의도가 아니라 상대의 느낌에 있기 때문에 남성은 성범죄 규칙의 전모를 알기가 불가능합니다.

그리고 최근에 성폭행 영역에서 강제추행 인정 범위가 굉장히 넓어졌습니다. 기습적으로 상대방 여성의 신체를 만지는 행동이 예전에는 강제추행의 범위에 들어가지 않았어요. 최근에는 입법부를 통한 법 조문 변화나 혹은 사법부에서 대법원 전원합의체를 통해서 판례를 변화시키는 과정도 없이 빠르게 변하고 있어요.

또 사법부까지 가지 않더라도 여론에 의한 재판이 있죠. 미투처럼 폭로하거나, SNS 공론화 같은 경우는 더 광범위하고 변화무쌍해요. 이렇게 빠르게 규칙이 변하는데 어떻게 남성들이 일관되게 규칙의 전모를 다 인식하고 대응할 수 있겠습니까? 이와 같은 전제가 안 되어 있기 때문에 '성범죄를 안 저지르면 되잖아?'라는 비판은 부당한 거죠.

두 번째, '펜스룰 하는 남자들은 결국 그동안 여성을 성적인 대상으로만 바라봤다는 거 아니냐? 이는 여성을 인간적으로 대우하지 않는 차별적인 행위다.'라는 비판에 대해서 말해볼게요.

황 성적인 대상으로 바라보는 것이다?

이 네. 그런데 여성을 성적인 관심을 주는 대상으로 바라보는 것과 인간으로 존중하는 것은 서로 완전히 양립 가능합니다. 모든 인간은 존엄한 존재이면서 성적인 관심을 주고받을 수 있는 존재이기도 하니까요. 이걸 부인해야 가능한 비판입니다. 성적 관심 자체가 문제가 아니에요. 상대방이 내 성적 관심에 동의하지 않을 수 있다는 걸 인지해야 한다는 거죠. 상대방이 동의하거나 동의하지 않을 수 있는 인격적인 존재임을 아

> 여성을 성적인 대상으로 바라보는 것과 인간으로 존중하는 것은 완전히 양립 가능하다

는 것, 인간의 인격이 문제인 것이지 성적인 관심을 둔 것 자체가 문제될 순 없는 거예요. 그걸 비난하는 건 현실을 부인하는 거고 그릇된 전제를 가진 거죠. 인간이 그런 존재라는 가능성을 인식하는 것 자체를 죄악시하는 것이기 때문에 틀린 비판입니다.

또 인간으로 대한다는 건 상대를 있는 그대로 인간으로서 바라본다는 것을 의미하는 거거든요. 그런데 인간은 도덕적으로 완벽하지 않

아요. 여성은 인간이고 도덕적으로 완전하지 않습니다. 인간은 살인도 하고 도둑질도 하고 폭행도 합니다. 그래서 살인죄, 절도죄, 폭행죄들이 있는 거잖아요. 여성도 인간에 포함되고 당연히 이런 범죄의 가해자가 될 수도 있어요. 동시에 인간의 기억은 잘못될 수도 있고 왜곡될 가능성이 높습니다. 한 가지 예를 들어볼 텐데요. 미국에서 거짓기억증후군 사례가 있었어요.

황 거짓기억증후군?

이 1990년대 미국에서 있었던 사건인데요. 많은 여성들이 최면술로 어릴 적에 아버지한테 성폭행당했다는 기억을 되살려서 미국 전역에서 수많은 아버지가 감옥에 끌려갔습니다. 그런데 한 10년쯤 지나서 최면으로 끌어올린 기억이 정확하지 않고 왜곡될 수 있다는 과학적인 실험 결과와, 증언했던 여성들 스스로 자기 기억이 잘못되었다는 증언을 하기 시작하면서 최면으로 끌어올린 기억이 법정에서 증거로서 배제됩니다. 그게 번복될 동안 10년 가까이 아버지들은 감옥에 갇혀 있었어요.

김 나 같으면 진짜 극단적인 선택을 했을 수도 있을 것 같아.

이 이런 사태에서도 볼 수 있듯이 기억이라는 것은 완전하지 않아요. 불완전한 기억 때문에 누군가 피해를 볼 가능성이 존재하기 때문에 여성이 어떤 증언이나 폭로를 했을 때 그 기억이 완전하지 않을 수 있다는 전제를 잊지 말아야 해요. 그런데 법이나 여론이 여성이 도덕적으로 불완전하다는 걸 인정하고 보는 게 아니라 성범죄 사건에서 여성의 증언은 무조건 진실로 받아들이니까 문제가 있죠.

그런 분위기 때문에 남성들이 펜스룰을 하는 것은 전혀 비합리적인 선택이 아닙니다. 다른 집단을 단순히 주장만으로 파멸시킬 수 있는 한 집단이 존재하는 거예요. 그러면 모두는 아니겠지만 일부는 권력을 남용할 가능성도 당연히 있습니다. 가능성이 있다는 걸 인정하는 게 인간에 대한 이해예요. 그렇지 않습니까? 인간에 대한 정확한 이해를 바탕으로 펜스룰을 선택하는 것이기 때문에 펜스룰이 여성을 인간으로 대하지 않는다는 주장은 잘못된 거죠. 주장 자체가 비논리적이에요.

황 어떻게 최면으로 아버지를 딸 성폭행범으로 몰아서 10년을……

이 최면이 과학적이고 완벽한 증거가 될 수 없다는 사실이 밝혀졌지만 중요한 건 그동안 아버지들의 인생은 파멸됐다는 거예요. 한 사회에 어떤 일이 광기처럼 일방적으로 진행될 때는 개인이 대응하기 힘들어요.

펜스룰은 누구의 권리도 침해하지 않는다

이 펜스룰의 주된 목적은 자기 보호이고 자기 보호는 도덕적 권리에 속합니다. 펜스룰은 성범죄를 막는 것에 한정되지 않아요. 그건 펜스룰을 실천하면서 자연스럽게 달성되는 결과이고, 펜스룰 자체는 성범죄 혐의가 제기되어서 자신의 자유, 안전, 삶, 명예, 지위가 파괴되는 것을 방지하기 위한 거예요. 펜스룰은 자기 보호의 정

> 펜스룰의 목적은
> 자기 보호이고 자기 보호는
> 도덕적 권리이다

신을 실천한 것이기 때문에 펜스룰을 페미니즘에 입각해 비판하는 것은 잘못된 도구로 비판하는 겁니다. 사람은 자기 보호를 위해 여러 방법을 쓸 수 있고 그중에는 페미니즘이 권하는 방식도 있고 아닐 수도 있습니다. 이 행위를 페미니즘에 입각해서 여성차별이고 하면 안 되고 부당하다고 비판하는 것은 비판의 도구가 이미 잘못된 거예요.

황 내가 궁지에 몰릴 가능성이 있다면 그 상황을 피할 수 있는 나만의 무기 하나는 있어야 될 거 아닙니까. 그것도 하지 말라고 하면 그냥 벼랑 끝에 혼자 서있으라고 하는 거나 다를 바 없죠.

이 그래서 도덕적 권리에 속하는 일이에요. 누군가가 혐의를 제기하는 것만으로도 이전의 삶과 완전히 다른 나락으로 떨어질 수 있는 경우를 받아들이라고 하는 거잖아요. 이건 스스로 자신의 권리를 포기하고 타인의 자의적인 행동에 의해 내 삶의 자유와 안전이 위협받는 걸 받아들이라고 강제하는 거와 똑같습니다. 누가 이렇게 할 수 있습니까?

펜스룰이 사라질 수 있는 조건은 성평등한 사회가 아니라 이렇게 자의적인 권력을 행사할 수 있는 집단이 사회에 존재하지 않을 때예요. 그럴 경우 펜스룰은 자연히 사라지게 되겠죠. 그런데 지금 사회가 흘러가는 걸 보면 그렇게 될 가능성은 적어 보입니다. 자기 보호를 최우선으로 하는 게 사회계약의 제1원리예요. 어떤 사람도 자기 보호의 권리를 포기하는 사회계약은 체결할 수 없습니다. 체결해서도 안 되고요. 그래서 만약에 펜스룰을 금지하면, 제도적으로 금지할 순 없겠지만 만약에 그런 상황이 발생한다면(그런 얘기를 여가부 장관이 하고 있으니까), 그런 경우는 사회계약의 원리를 위반하는 거예요. 어떠한 계약도 자기 보호 원칙을 위반할 순 없습니다.

이런 부당한 권력 남용할 수 있는 권력을 가진 집단을 해체하거나 혹은 그 권력을 제자리로 돌려놓는 조치는 하지 않으면서 자기 보호의 권리만 금지한다는 건 말이 안 되죠. 그래서 부당합니다.

그리고 중요한 것은, 펜스룰은 그 누구의 권리도 침해하지 않는다는 겁니다.

김 그렇죠.

황 피해를 주는 게 아니잖아요.

이 어떤 사안이 있을 때 제가 그 사안을 판단하는 기준을 가지라고 늘 말하잖아요. 이게 과연 누구의 권리를 침해하는가. 누구의 어떤 권리를 침해하는가, 그 권리는 법적 권리인가 도덕적 권리인가, 규범으로 시행해야 할 일인가 하는 판단 순서가 있어요.

> 사안을 판단하는 기준을 가져야 한다

그런데 원치 않는 상황을 미연에 피하고자 하는 것은 누구나 가진 권리고, 남성이 스스로를 규율하는 것은 자신의 권리 범위 내에 속하는 거예요. 역으로 예를 들어도 똑같습니다. 어떤 여성이 직장에서 원치 않는 분란이나 복잡한 관계를 만들지 않기 위해서 남성에게 어떤 성적인 관심도 두지 않고 만남도 안 하겠다고 스스로 행동 규칙을 정했단 말이에요. 그러면 이 여성은 어쨌든 남성을 성적 관심을 주는 대상으로 바라본 거죠. '사내 연애는 안 할 거야.'라고 규칙을 정한 거니까. 그렇다고 이 여성을 비난할 수 없잖아요.

황 자유죠.

이 누가 비난할 수 있겠습니까. 그리고 이 여성이 남성을 성적 관심을 주는 대상으로 바라본 게 비난받을 일입니까? 아니잖아요. 이렇게 역으로 보면 아주 간단한데 이걸로 남성을 비난하는 것 자체가 부당한 거죠. 이런 결심은 양심의 자유에 속해요. 내면의 영역이고 스스로 양심의 자유를 실천한 행위이기 때문에 직장뿐만 아니라 사적 관계에서도 누구의 권리도 침해하지 않습니다.

김　잠깐. 그러면 래디컬 페미니스트들은 남자가 어떻게 하길 바라는 거예요? 남성들이 직장에서 어떻게 해야 옳다고 하는 거야.

황　너무 챙겨도 챙겨준다고 싫어하고 그렇다고 관심을 안 두면 펜스룰이라고 뭐라 그러고.

이　래디컬 페미니스트들 요구는 그냥 남성 집단이 2등 국민으로 있기를 바라는 것 같아요.

김　여성우월주의.

이　네. 여성이 남성에게 법적으로든 사회적으로든 제도적으로든 자의적으로 무엇이든 다 할 수 있는 존재로 있기를 바라지 않는다면 이런 주장을 할 수 없죠.

김　페미니즘은 성평등, 모두가 동등하자 이런 얘기 아니에요?

이　이갈리타리아니즘egalitarianism이라고 평등주의가 따로 있습니다. '페미니즘=성평등'이라고 생각하는 건 페미니즘을 오해하는 거죠.

김　큰 오해를 했구나. 그럼 페미니즘은 여성우월주의예요?

이　보세요. 인종주의자는 레이시스트racist잖아요. 레이시즘racism이고. 페미닌feminine은 여성이잖아요. 페미니즘은 여성 권리를 위한 운동이에요. 어떤 페미니스트들은 성평등이 여성 권리를 추구하는 방식

182

이라고 보고 어떤 페미니스트들은 여성우월주의나 남성-여성 분리주의가 페미니즘이라고 생각하기도 해요. 페미니즘이란 정의 자체가, 페미니스트들의 주장도 그런데, 실제로는 N개의 페미니즘이 있습니다. 그런데 우리는 그중에서 성평등이라는 가장 좋은 가치로만 페미니즘을 인식해왔기 때문에 지금 계속 오류가 생기는 거예요.

> N개의 페미니즘 중 성평등이라는 가장 좋은 가치로만 페미니즘을 인식해서 생기는 오류

김 남자 어린이를 한남유충이라고 했을 때 이건 정말 아니다. 이거는 뭐 얘기할 가치도 없는 거다.

이 하태경, 이준석 씨가 워마드와 전쟁을 선포하고 워마드 관련 공개 토론회도 하겠다고 제보도 받고 있더라고요. 그런데 워마드만을 문제 삼는 것이 과연 이 사태의 해결 방안이 될 수 있는가, 저는 그렇지 않다고 봐요.

김 여성우월주의가 어떻게 공감이 될 수 있어요? 남성우월주의도 당연히 말이 안 되는 거고.

이 자신이 래디컬 페미니스트라고 생각하는 여성과 래디컬 페미니스트는 아니지만 그 주장에 동의하는 여성들이 상당히 많아요. 페미니즘 자체가 여성에게 유리하다는 인식이 있기 때문에 여폭법도 우리가 문제점을 지적해도 여성의 90%가 동의합니다. 여성들에게 이롭다는 공통 인식이 있기 때문이죠. 그중에는 극단적 이념가들도 있지만 일반 여성들은 페미니즘을 경계하고 비판하기보다 그 페미니즘이 실현됐을 때 나에게 오는 이익, 그게 중요하니까요.

펜스룰은 정당하다

이　펜스룰은 합리적인 선택일 뿐만 아니라 법적 보호와 밀접한 관련이 있습니다. 예를 들면 남성과 여성 단둘이 있었던 자리에서 성적 사안으로 분쟁이 발생하면 양 당사자만 있잖아요. 여성의 진술이 신빙성이 있고 일관될 때는 여성 진술이 유효하게 받아들여집니다. 그렇기 때문에 단둘이 있는 자리가 아예 없었다면 일단 법적 분쟁 가능성이 줄고, 제삼자가 동석했다면 증인이 있는 거죠. 제삼자의 증언이 증거로 작용할 수 있어요. 증인의 증언은 그 자체가 독자적인 증거니까요. 참고로 민사와 다르게 성범죄 형사사건으로 갔을 때 여성 신고자는 증인의 위치가 됩니다. 수사 단계에서는 참고인이고.

김　그러나 남성은 피의자가 되는 것이고.

이　검사 측에서는 매우 유효한 증거를 쥐게 되는 거죠. 형사사건으로 봤을 때 피고인인 상대방 남성 또한 자신의 증언만 존재하는데 남성의 증언은 증거로 인정받기 힘든 거예요. 피고인은 자기 범죄 사실을 부인하니까요. 그래서 그 증언은 유효한 증언으로 받아들여지기 어렵습니다.

이런 상황이기 때문에 법적 분쟁을 피하는 것이 합리적인 선택이죠. 그리고 아까도 얘기했지만 성범죄자가 돼서 형을 선고받고 형을 살고, 그 뒤에도 계속 성범죄자의 낙인을 안고 사는 것은 나입니다. 물론 위험을 감수하고도 사적인 교류를 계속하는 분들의 선택도 존중받아야 됩니다. 그런데 조금 더 예민하게 받아들이고 실천하는 사람을 비합리적이라고 할 수는 없죠.

마지막으로, 언론이나 정치권에서 많이 얘기한, 펜스룰이 여성에게 비공식적인 차별로 작동한다는 주장이 있는데요.

황 그거에 대해서 어떻게 생각하세요?

이 아까 말씀드렸듯이 펜스룰은 공식 집단에서 공적인 규율로 혹은 제도로 강제하는 규칙이 아닙니다. 남성 개인이 자신의 인간관계 영역 안에서 사적으로 설정하고 실행하는 규칙일 뿐이에요.

황 사적인 판단이다.

이 네. 자기가 인간관계에서 무엇을 하겠다, 하지 않겠다는 행동 지침이기 때문에 그 주장 자체가 성립할 수 없어요. 여성들이 차별이라는 용어를 쓰면서 이를 공식적이고 심각한 문제로 만드는데, 이 주장이 도덕적인 의미를 가진 유의미한 비판이 되려면 먼저 '동등한 대우에 대한 권리'라는 전제가 있어야 합니다. 모든 여성은 남성에게 사적인 친목 관계에서도 동등하게 대우받을 권리가 존재하고, 남성 모두는 이를 이행해야 한다는 것을 인식하고 있어야 한다는 뜻이에요.

우리는 연애든 결혼이든 우정이든 사적인 관계를 많이 맺잖아요. 그런데 사적인 관계는 많은 위험성을 가집니다. 왜냐하면 가장 친밀한 관계가 되고, 그러다 보면 서로 실수도 많이 하고 상대방의 가장 예민한 약점도 알 수 있고 그렇잖아요. 용서와 갈등을 계속 반복하는 관계가 되기도 하고.

내가 누구와 그런 사적인 관계를 맺을지 선택하는 것은 전적으로 개인의 영역이에요. 모두와 똑같이 그런 관계를 맺어야 할 의무는 없잖아요. 그런 의무가 전제되지 않는데 이걸 차별이라고 표현하는 것은 부당하죠. 친목은 동등하게 대우받아야 할 권리 영역이 아닙니다. 그런데 이걸 국가가 규제하거나 금지하겠다? 이런 말은 애초에 어불성설이죠.

황　이걸 법적으로 규제할 수 있어요?

이　하겠다는 거예요. 뭘로 막겠다는 건지 저도 모르겠지만. 회식 자리에서 여성을 배제한다? 공적 업무에서 여성을 배제하는 건 차별이에요. 공적 영역과 사적 영역의 개념을 섞어서 말하는 건 잘못이고요. 남성의 펜스룰로 인해서 여성이 보이지 않는 기회를 잃는다는 주장은요. 예를 들면 회사 내 핵심 권력에 있는 유능한 남성과 교류하면 직장생활에 유리할 수 있는데 그 남성이 펜스룰을 쳐, 그러면 사적인 교류를 할 수가 없잖아요. 그런 경우에 실제로 여성들이 잃는 것은 사적인 인간관계에서 부수적으로 기대하는 것을 얻지 못한다는 거예요. 그래서 여성이 차별당하고 배제된다, 이런 말은 애초부터 부당하고 비논리적인 주장이에요.

황　말단직원은 나한테 펜스룰을 하든 말든 상관없지만 고위직에 있으면서 나의 승진이나 이런 데 영향을 주는 사람이 나한테 펜스룰 치면 어떻게 하느냐는 의미로 해석해도 됩니까?

이　사내 친목은 남성 사이에서도 똑같아요. 유능한 사람과 사적인 교류를 통해서 직장생활에서 이득을 얻고자 하는 기대는 남자든 여자든 똑같아요. 그런데 모두가 그 사람과 사적인 관계를 맺을 순 없죠. 그 사람의 마음이고 선택이기 때문에. 그 기대가 사라진다고 해서 여성에 대한 차별이라고 얘기할 순 없는 겁니다.

그리고 펜스룰을 하겠다는 분들에게도, 이건 좋은 소리는 아닌데, 흔히들 간과하기 쉬운 위험이 있습니다.

김　뭐예요?

이 예를 들면 원조 펜스룰도 '아내 외에는'이잖아요. 즉 아내나 연인관계의 여성은 예외로 두게 되죠. 왜냐하면 둘은 특별한 관계고 상호애정과 신뢰에 기반한 관계이기 때문에. 문제는 스페인의 〈젠더폭력법〉 피해자의 경우를 보면 동거 관계나 결혼 관계에 있는 남성의 수가 많습니다. 그래서 이런 경우는 관계가 좋았을 때는 아무 문제도 없지만 끝이 안 좋았을 때 상대방이 쥘 수 있는 무기가 되는 거죠. 그래서 위험이 좀 있어요. 그래서 어쩌라는 거냐, 이런 말이 나올 것 같은데…….

황 마무리를 잘 하라는 건가요?

이 그리고 아직 연인이나 결혼으로 발전하지 않은 관계라도 상대 여성은 더 가까운 관계로 발전하기를 기대했는데 그에 못 미칠 경우 위험 요소가 생기게 되는 거죠. 그래서 경계하지 않다가 일어날 수 있는 이런 위험 앞에서는 펜스룰의 본래 목적, 즉 자신이 성범죄 가해자로 몰릴 위험을 방지한다는 것에 비추어 본다면 이 예외도 효과가 없다는 거죠.

황 어쩔 수 없죠. 많이 알려드려야지.

이 그렇습니다. 그리고 소수가 저지르는 무고 때문에 이성과 상호교류를 안 하는 것은 어리석은 일이라고 하는데 무고 확률이 과소평가되어 있어요. 무고죄로 유죄를 판결받는 경우는 매우 확실한 무고일 경우에요. 그렇지만 무혐의나, 무고죄로 고소를 하지 않은 상태까지를 다 포함해서 본다면 무고의 위험은 매우 높죠.

정말로 나쁜 사람만 무고를 한다, 이런 전제는 틀렸습니다. 말씀드렸듯이 인간은 불완전하잖아요. 어떤 여성이 지하철이나 식당 같은 데서 신체 접촉이 있어서 소리를 지를 수 있어요. 어떤 의도가 있는 게 아니라 그냥 우연한 스침이나 접촉인데 착각해서 소리지를 수 있단 말이에요. 나는 아닌데 그것을 입증할 수 있는 방법이 없을 때는 꼼짝없이 걸리는 거죠.

결론을 말씀드리면, 펜스룰은 남성 개인들의 사적인 실천 규칙이기 때문에 이를 금지하겠다거나 확산을 막겠다는 주장은 틀렸으며 월권입니다. 공적인 업무나 제도에서 여성을 배제하는 일과는 무관한데 같이 뒤섞어서 비난하는 거예요.

남성들이 펜스룰을 선택하게 된 본질적인 이유는 법적지위의 불평등 때문입니다. 법에서 정한 잘못을 하지 않았음에도 상대가 마음만 먹으면, 상대의 말만으로도 내가 잘못을 한 사람이 될 수 있기 때문에 상대는 큰 법적 권력을 가진 거죠. 그런 위험 가능성을 피하겠다는 자의적인 조치이고 누구의 권리도 침해하지 않기 때문에 펜스룰은 정당합니다.

> 남성들이 펜스룰을 선택하는 본질적 이유는 법적 지위의 불평등이다

그렇지만 펜스룰이 완벽한 대안이 될 수 없는 게, 아내나 연인관계처럼 친밀한 관계에서도 마무리가 잘못됐을 경우에는 별로 효과가 없다는 거죠.

황 사석에서 펜스룰이 주제로 나올 때가 분명히 있을 거예요. 같은 과 친구, 직장 동료, 지인들과 대화할 때 펜스룰 얘기가 나온다면, 조목조목 논리적으로 설명해주는 것도 하나의 좋은 방법입니다. 저희는 다음 주에 인사드리겠습니다. 지금까지 〈우먼스플레인〉이었습니다. 감사합니다.

9장

위기의 무죄추정원칙
: 안희정 1심판결

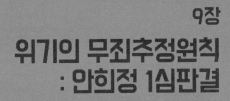

2019년 01월 16일 19화 방송

이　오늘은 2심 진행 중인 안희정 전 충남지사 사건을 다뤄보도록 하겠습니다.

김　항소심 선고가 2월 1일입니다.

이　네. 심리는 다 끝났고 2심 진행이 빨리 돼서 선고를 앞두고 있는데요. 저희가 유무죄를 다루는 건 적절치 않고, 사건을 둘러싸고 일어난 일들을 살펴보면서 우리가 무엇을 놓치고 있는지 얘기해보도록 할게요.

일단 1심 재판 후에 여러 일이 있었습니다. 8월 16일, 당시 정현백 여가부 장관이 입장을 발표했습니다. '피해자의 용기와 결단을 끝까지 지지하겠다. 앞으로도 재판을 지켜보면서 관련 단체를 통해 소송 등 지원에 최선을 다할 것이다. 이번 판결로 피해자에게 2차 피해가 발생하는 일이 있어서는 안 되고, 미투운동 또한 폄훼되지 않고 지속되길 기대한다.'

김　여성단체라면 그럴 수 있다고 봐요. 그런데 여가부가 발표한 거 아닙니까? 정현백 장관 입장문 듣고 이래도 되는 건가 싶더라고요.

이　그렇죠. 이 발언이 문제되지 않고 넘어가고 있지만, 박근혜 정부 때 일어난 일이라고 생각해봅시다. 행정부처 수장이 이런 사안에 대해 자기 가치 판단에 의거해 결론을 이미 내려놓고, 무죄판결을 받은 사람이 아니라 다른 사람을 피해자로 규정하고 정부가 지원하겠다고 한다면 어땠을까요? 그게 문제라는 걸 못 느끼는 게 문제인 거예요.

지원을 하라 마라 차원의 얘기가 아닙니다. 사법부 판단이 나왔고, 두 당사자가 첨예하게 유무죄를 다투는 상황인데, 여성에 대해서 확고한 피해자고 최대한 계속 지원할 거란 성명을 여가부 명의로 발표했다는 게 문제예요. 여가부는 운동단체가 아니잖아요. 이 문제의식에서 굉장히 후퇴했다고 할 수 있고요. 1심판결 후에 여성단체들도 일제히 비난성명을 냈고 진보매체들도 기사와 칼럼을 통해서 강도 높은 비판을 했습니다.

1심은 무죄지만 유죄여야 한다?

황　《주간 경향》은 〈안희정의 가해자다움 김지은의 피해자다움〉이란 글이 올라왔고요. 《한국일보》는 〈남자들이 상상할 수 없는 것〉이라는 기사를 올렸고. 《경향》과 《한겨레》가 제일 많네요. 〈재판부는 안희정에게 묻지 않았다〉〈다시 태어날 수 있는 권력이 만든 무죄〉〈법원은 안희정을 심판하지 않았다〉〈한국에서는 절대 '위력'의 피해자가 되지 말 것〉〈'안희정 무죄'의 세 가지 위력〉〈위력이란 무엇인가〉〈안희정에게 무죄

준 위력 개념. 132명에게 물어봤다〉 이런 기사를 실었고요.《한겨레21》
은 〈위력 유죄판결, 피고인을 검증했다〉,《한국일보》는 〈위력은 소리 내
지 않는다〉,《헤럴드경제》는 〈노라고 말할 수 없는 관계도 있다〉.

이　민변 여성인권위원회에서 낸 의견서에서 제가 발췌한 기사 제
목들이에요.《한겨레》는 물론 이거보다 훨씬 많습니다.《한겨레》와《경
향》이 가장 많고요. 이미 제목에서부터 성명서 수준의 제목을 뽑고 있
어요. 재판부를 일제히 규탄하는 비난 일변도 기사가 많이 나왔죠. 이
게 미투가 일어나고 국민적 관심도가 가장 높은 사건이었잖아요.

황　그렇죠. 제일 컸죠.

이　진보매체뿐만 아니라 보수매체들도 어조 차이는 있지만 많이
비판했습니다. 정치권 반응과 여성, 민변 여성인권위원회 의견서를 정
리해볼게요.

정치권 반응을 보면, 8월 21일 1차 여성가족위원회가 열렸습니다.
8월 14일 1심판결 후 첫 회의고, 미투 폭로 후에 열린 여성가족위원회
회의여서 29건의 미투 관련 법안들이 일제히 상정됐습니다.

주요 발언을 요약해보면, 자유한국당 김현아 의원이 '안 전 지사가
무죄라면 이것은 대한민국 사회가 유죄 아닌가.'라고 했고, 여기에 정
현백 전 장관은 '피해자를 보호하고 무료 법률지원을 적극적으로 하고
있고 앞으로도 적극 수행해 나갈 예정이다.'라고 답했습니다.

이날 회의 특징이, 여야 충돌이나 갈등이 전혀 없습니다. 안희정 1
심판결 성토대회 분위기였어요. 일치단결해서 다른 목소리가 전혀 없
었습니다.

황　유죄였어야 한다는 목소리들이죠.

김 그런데 이게 모양새가 어떠냐면, 문재인 정부가 안희정이라는 사람의 소송과 관련해서 안희정의 다음 재판 패배를 도모하기 위해 예산과 공권력을 동원한다. 이런 그림이 돼버리는 거예요.

이 그렇게 표현해도 할 말 없죠. 행정부답지 못한 행동이라고 봐요. 그다음에 김현아 의원이 이런 질문을 했습니다. 이게 더 중요한데요. '법원에서 무죄판결을 받았는데 피해자가 맞습니까?'라고 질문하니까 정현백 장관이 '저희는 3심 결론이 날 때까지는 피해자라고 생각합니다.'라고 했습니다.

김 뭐야……. 이건 거꾸로 아니에요? 3심 때까지는 무죄추정원칙에 따라서 가해자가 아니라고 봐야 되는 거 아니에요?

황 그러니까요. 피해자라고 생각한다면 가해자가 있기 때문에 피해자가 있는 거 아니겠습니까? 그러면 안 전 지사는 법적으로 결정나지 않은 상태지만 무조건 가해자로 인정되는 건데, 남자라는 성은 도대체 뭐가 되나요?

이 그렇죠. 형사법상 대원칙이기도 하고, 어떤 사건에서 법적 판결이 나기 전까지 무죄추정원칙을 적용하는 건 보편적 인권 측면에서 꼭 지켜야 됩니다. 그런데 행정부처 수장이 3심 결론이 나기 전까지 피해자라고 생각한다는 말을 하고 있는 거예요.

> 어떤 사건에서도
> 무죄추정원칙은
> 꼭 지켜져야 한다

그렇다면 묻고 싶은 게 있어요. 3심 가서 안희정 전 지사가 무죄판결받으면 피해자를 지원했던 여가부는 어떤 근거가 남게 됩니까? 지원했던 거 회수할 겁니까? 이제 피해자가 아니니까? 제가 말하고 싶은 건, 너무나 원칙적인 대전제가 무너지고 있다는 거예요.

황   저희가 지금 유무죄 얘길 하는 게 아닙니다. 국민의 기본권에
대해서 말하고 있다는 점을 유념해주시기 바랍니다.

흔들리는 삼권분립

이   그런데 이런 기조가 회의 내내 계속됩니다. 바른미래당 김수
민 의원은 '1심 무죄판결이 정말 참담하다. 이번 판결은 성적 자기결정
권이라는 권리가 법으로 뒷받침되지 않는다는 게 핵심적인 의미다.'라
고 주장했는데, 성적 자기결정권에 근거해서 1심 재판부가 판결내렸습
니다. 판결문 읽어보셨는지 잘 모르겠지만.

송기헌 더불어민주당 의원은 '양 당사자의 진술밖에 없을 때 여성
피해자를 구제할 수 있는 방안이 있어야 된다.'라고 했습니다. 본인들
이 사건의 실체적 진실을 알고 있다고 생각하고, 안희정은 유죄고 여
성은 피해자라고 판단하는 거죠. 당사자의 진술밖에 없는 성범죄 사건
의 특성 때문에 증거재판주의를 채택하는 우리 법원에서도 성범죄에
한해서는 여성의 진술을 유효한 증거로 채택하고 있습니다. 지금도 이
미 그렇게 하고 있는데 여성 피해자를 구제할 방법이 없단 얘기를 하
고 있어요.

자유한국당 신보라 의원은 '피해자에게 불리한 피고인 측의 일방
적 주장도 여과 없이 보도됐다. 이건 분명 2차 피해니까 여가부가 조치
해라.' 여가부 장관이 '조치하고 있다. 언론에도 계속 가이드라인을 제

시하고 있다. 정부 용역을 줘서 언론 보도를 어떻게 해야 할지 계속 감시하고 있다.'고 했어요. 그러니까 신보라 의원이 '여가부가 보도 가이드라인 같은 것만 발행하지 말고 강제 지침을 시행해야 된다.'고 강하게 요구했습니다.

바른미래당 신용현 의원은 고은 시인이 최영미 시인을 상대로 손해배상청구를 한 일에 대해 '미투운동에 브레이크를 건 거다. 이번 선고 때문에 어렵게 만들어진 미투운동에 잘못하면 사망 선고가 될 수 있다.' 이런 우려를 했습니다.

김 사법부가 판단하겠지만, 고은 시인은 손해배상청구소송을 하면 안 됩니까?

황 연쇄살인마에게도 국선변호인 붙여주잖아요. 당연한 권리니까 최소한 인권을 보장해주는 거 아니겠습니까. 그런 것조차 하지 말라는 건가요?

이 권리의 단위는 개인이잖아요. 개인이 가진 권리, 자기 방어 조치를 할 수 있는 자유와 권리가 있죠.

> 권리의 단위는 개인이고 개인은 자기 방어 조치의 권리가 있다

그다음 더불어민주당 제윤경 의원이 특별한 얘길 했는데요. '가해자, 피해자 성별이 바뀌었다면 과연 그런 판결이 있었겠느냐. 홍대 몰카 사건에서는 가해자가 여성이란 점을 집요할 정도로 부각하고 징역 10개월이란 중형을 내렸다. 그만한 범죄였는지 동의하기 어렵다. 안희정 사건에서는 남성 가해자에게 무죄를 주고, 여성이 가해자일 때는 징역 10개월을 내렸다.' 이렇게 전혀 다른 사건을 붙여서 얘기하면서 판결이 부당하다고 비판했습니다.

오늘 또 표창원 의원 얘기를 하게 되는데요. 표창원 의원이 가장 말씀을 길게 했고, 중요한 발언을 많이 했습니다.

황 들어볼까요?

이 네. 뭐라고 했냐면, '사법부 판결에 대해 행정부 장관이 언급하는 것이 적절치 않다는 말씀으로 일관하고 계신데 그렇다면 여가부의 존재 이유가 뭡니까?'라고 강력하게 질타했어요. '사법부 판결 자체를 정치권이나 장관이 언급하는 게 부적절하고 사법부 독립성을 훼손할 순 있겠지만('훼손할 수 있겠지만'이라고 하면서 하라는 건 뭡니까? 훼손하면 안 되는 건데) 절차에서 위배된 게 있으면 잘못 적용됐다고 충분히 문제제기 할 수 있다. 안희정 전 지사 1심판결에서 위력의 존재에 대해서 행사하지 않았다는 말도 안 되는 법리 적용이 이뤄졌는데 그걸 여가부가 못하게 해야 했던 거 아니냐.' 이런 질타를 했습니다. 여가부가 사법부 판결에 관여할 수 있습니까? 행정부가?

황 삼권분립 아닙니까?

이 삼권분립이죠, 당연히. 또 이미 위력의 존재는 행사하지 않더라도 그 자체가 행사라는 대법원판결이 있다고 했는데, 그런 판결 없습니다. 없는데 다른 인터뷰에서 또 말했더라고요. 우리 사법부가 바보도 아니고 대법원에 그런 판례가 존재한다면 1심판결이 이렇게 나올 수 없는 거죠.

정현백 전 장관이 '안 그래도 대법원장을 만나 1심판결의 문제뿐만 아니라 성범죄 사건에서 강간죄 적용, 양형 문제 등을 적극적으로 개진했다.'고 얘기했습니다. 그러니까 표 의원이 '판결은 하급심 판사가 내리는데 왜 대법원장만 만났느냐. 왜 1, 2심 판사들 다 만나서 적극적으로 막지 못했느냐.'라고 합니다.

김   그게 말이 됩니까??

이   '다음 판결은 제대로 낼 수 있도록 여가부가 적극적으로 판사들을 만나라.'고 요구하면서 '사법부는 성역이라는 조심스러운 태도를 탈피하라.'고 주문했습니다.

이런 발언은 삼권분립 정신을 부정하는 것일 뿐만 아니라 엄격하게 보면 헌정 유린입니다. 행정부가 사법부의 판결에 대해서 의견을 낼 수 없다고 생각하진 않아요. 그럴 수 있죠. 그런데 지금 표 의원 발언은 특정 개별 사건에 대해 1심판결이 잘못됐다고 전제하고 2심판결은 제대로 되도록 행정부가 압력을 행사하라는 요구를 하는 겁니다.

> 위원 전체가 무죄추정원칙과 기본권을 인정하지 않는 여성가족위원회 회의

국회 공식 회의장에서 입법부가 행정부에, 사법부의 개별 재판에 특정 판결이 나도록 압력을 행사하라는 발언을 하는 겁니다. 정말 문제가 있죠. 그 자리에 법률가도 있고, 표 의원은 경찰 출신이잖아요. 그런데도 누구도 그 발언에 문제제기를 하지 않습니다.

황   왜 아무도 문제제기를 안 하는 거죠?

이   문제의식이 없기 때문이죠. 여가부 장관 자신도 3심까지는 피해자라는 태도를 가지고 있으니까. 여성가족위원회 회의 전체가 무죄추정원칙이나 기본권 같은 법적 권리를 전혀 인정하지 않는 전제에서 열리고 있어요.

민변 여성인권위원회 의견서 유감

이   민변 여성인권위원회 반응도 있습니다. 민변은 진보 인권 법률가들이 모인 우리나라의 대표적 인권단체죠. 11월 28일, 민변 여성인권위원회에서 안희정 전 지사 항소심 의견서를 발표했습니다. 24쪽짜리인데 아홉 명의 변호사가 판결분석팀을 꾸려서 판결문과 피해자, 피고인의 진술 내용을 기반으로 두 달여 동안 논의한 결과라고 합니다. 소속 변호사와 외부 전문가 의견을 청취하고 종합해서 항소심 재판부에 의견서를 제출한 다음에 발표했는데요.

첫 번째, 위력은 존재하나 행사되지 않았다는 원심 판단은 오류라고 했습니다. '위력은 그 신분, 도지사라는 신분에 자연스럽게 붙어있는 것이어서 별도로 행사하지 않았다고 행사되지 않은 것이 아니다. 그런 지위와 권세를 가진 사람이 상대방 의사를 무시하고 추행이나 간음에 나아가면 곧 위력을 이용한 추행 또는 간음에 해당한다고 봐야 한다.' 여기서 중요한 건 '별도로 행사하지 않았다고' 하더라도 위력 행사를 했다는 거예요. 그런데 본인들이 쓴 문구를 봐도 '상대방 의사를 무시하고'라는 전제가 있습니다. 재판부는 상대방의 의사를 무시했다는 검사 측 근거가 부족하고, 그걸 배척할 만한 증거를 못 찾았기 때문에 무죄판결을 내린 거거든요. 그러니까 본인들 말에도 핵심 요점이 있는데 그건 무시한 채로 행사하지 않았어도 행사한 거라고 하는 거죠. 그러면서 이미 대법원판결이 있다고 주장했습니다. 98년 대법원판결에 명확하게 판시하고 있다고 하는데요. 민변 여성위에서 언급한 98년 대법원판결은 강제 키스와 추행 등 위력 관계에 있는 자에 대한 행위의

'강제성'이 입증된 케이스이고, 이번 사건에서는 강제성에 대한 입증이 첨예하게 대립하고 있습니다. 대법원 판례가 있다고 말하는 것은 다른 사안을 같은 사안이라고 주장하는 거예요. 별도의 위력 행사가 없더라도 위력간음죄로 처벌한 대법원판결은 없습니다.

황 없습니까?

이 네. 없다는 걸 알기 때문에 이런 의견서를 내는 거예요. 법률가들이니까 스스로 잘 알 겁니다.

두 번째, 성인지감수성 면에서 문제가 많은 판결이라고 했습니다. 민변 여성인권위원회는 '유무죄 판단의 근거로 제시한 판결이 성인지감수성을 제대로 반영하지 못한 것으로 평가될 경우 판결은 설득력을 가지지 못한다.'고 얘기했는데요.

김 성인지감수성이 뭐예요?

이 성인지감수성은 성범죄에서 여성의 진술이 일관되지 않거나 모순적으로 보이거나 사건 이후 행동이 전형적인 피해자의 행동으로 보이지 않는다 해도 그 진술 혹은 그 행동을 배척하면 안 되고, 사건이 일어난 선후 관계와 맥락을 다 살펴서 판단해야 한다는 겁니다.

김 김지은 씨의 경우는 어떤 겁니까?

이 공소사실이 10개인데요. 진술이 번복되거나 진술을 뒷받침하는 근거가 부족한 경우를 1심 재판부가 판결문에 자세하게 썼습니다. 그런데 민변 여성인권위원회 의견서에서는 1심 재판부의 판단 자체가 성인지감수성을 결여했다고 주장하는 겁니다.

김 김지은 씨의 상황을 배려심 있게 지켜봐야 하고 전후 상황에 대해서 관심을 가져야 하는데 재판부가 안 했다……? 그런데 재판부가 꼭 성인지감수성을 판결문에 담아야 합니까?

이 안 한 것도 아니에요. 판결문이 112쪽이에요. 다 읽어보시면 알겠지만, 성인지감수성을 매우 중요하게 적용해서 판결 내렸고 판단 이유도 매우 자세하게 써놨습니다. 성인지감수성은 성범죄 재판에서 이러이러하게 고려하라고 권고하는 요소예요. 대법원 판례에 최근 두 번 언급됐습니다. 손쉽게 배척하면 안 된다고.

감수성이라는 모호한 개념에서 오는 한계

그런데 이게 법적 개념이 아니에요. 성인지감수성이 형사법상 법적 개념으로 규정되고 어겼을 시 처벌이나 양형 조건이 있는 개념이 아닙니다. 형사법상 원칙의 우위에 있는 개념이 아니에요. 지금 형사법상 재판을 하는 거잖아요. 그런데 1심 재판부가 성인지감수성을 곳곳에서 언급합니다. 그런데도 민변 여성위원회에서는 성인지감수성에 못 미쳤다고 주장하는 거죠. 감수성이라는 모호한 개념에서 오는 한계라고 봐요.

세 번째, 의견서에서 중요하게 언급하고 있는 게 있어요. 미투 폭로가 나온 뒤 비서실에서 위력간음이 아니라 합의에 의한 관계였다는 입장을 발표하자, 안희정 전 지사가 페이스북에 합의에 의한 관계였다는 비서실 입장은 잘못이라는 짧은 입장문을 발표합니다. 여성위는 이것이 사건 폭로 직후 피고인이 밝힌 첫 번째 입장이고, 스스로 밝혔고, 법률 검토나 주변 조언을 받지 않은 상태에서 사과한 것이기 때문에 진정성이 담보되고, 입장을 보류하거나 해석의 여지를 남긴 게 아니라 명백하게 합의에 의한 관계를 부인했다는 점 등에 비춰 볼 때 신뢰성 있다고 얘기하는 거죠.

김　합의에 의한 관계가 아니라고 말한 안희정의 말을 재판부가 왜 안 믿나, 민변 얘기는 이거예요?

이　그렇다면 저는 반대로 묻고 싶은 게, 그동안 미투 폭로를 당한 사람들이 첫 일성으로 그런 적 없다고 하면 진정으로 믿어줬습니까? 그럼 무죄인 거잖아요.

그리고 그 입장문 자체는 해석의 여지가 없는 게 아니라 해석의 여지가 있죠. 저는 도의적인 입장 발표로 봤습니다. 정치인이고 유부남인데 도덕적으로 용납할 수 없는 행위를 저질렀다는 부분도 있고, 본인이 아닌 비서실을 통해 섣불리 입장이 나간 것에 대한 책임도 있고요. 그래서 비서실 입장은 잘못이라는 말은 달리 해석할 여지도 있습니다. 달리 해석될 여지가 없다는 것은 민변 여성위 의견이에요. 도의적 사과와 책임을 언급한 말로도 충분히 읽힐 수 있는 건데 그걸 진정성 있으니까 자백의 근거로 수용해야 한다고 주장하는 거예요.

황　첫 번째 입장 표명이었다는 점이 그렇게 중요한가요?

김　법정에서는 처음에 무슨 말을 했느냐에 무게를 실어요.

이　그렇게 판단할 여지가 전혀 없는 발언은 아닙니다. 그렇지만 이렇게 일방적으로 주장할 만한 발언도 아니죠. 여성계는 미투 폭로를 당한 사람이 '미안하다. 기억나지 않지만…….' 이렇게 사과하면 뭐라고 합니까? 전형적인 가해자식 사과라고 또 맹비난합니다.

황　어떻게 해야 되지? '묵비권을 행사하겠습니다.' 이래야 되나요?

이　그리고 '피고인의 주장에 대해서는 너무나 관대하고 수용적인 입장을 취한 반면 피해자의 주장에 대해선 별다른 근거 없이 과도하게 의심하는 이중적 잣대를 보였다.'라고 했어요.

김 이거는 인상 비평이네, 그냥.

이 그런데 112쪽짜리 판결문이 나온 적 있습니까? 그 정도로 1심 재판부가 고민하면서, 검찰 측 증인 김지은 씨 진술이 증거로 삼기에 어떤 이유로, 왜 부족한지 정말 자세하게 다 설시해놨거든요. 어째서 유죄 입증에 충분하지 않은지 자세히 적고 있는데, 별다른 근거도 없이 과도하게 의심했다고 하는 건 김용민 씨 말대로 인상 비평이죠.

그러면서 조선법제편찬위원회 형법 기초요강을 예로 들어 위력간음죄의 입법 취지를 얘기하는데요. '입법 취지로 볼 때 이 법 개념에서 약자의 지위에 있는 부녀의 정조를 농락하는 소행에 대하여 그것이 강간이 아닌 이상 아무런 처벌 규칙도 없는 게 우리 형벌 법규이므로 이러한 행위를 처벌키 위함이라고 설명되어 있다. 강자의 지위 자체를 처벌 근거로 삼은 것이다.' 이렇게 주장합니다. 그런데 주장의 근거로 삼은 조선법제편찬위원회 개념에서도 '정조를 농락하는 소행'이라는 '행위'를 처벌하기 위함이지 강자의 지위 자체를 처벌 근거로 삼은 일은 없습니다.

행위가 있어야지, 행위가 없는데 강자의 지위라고 해서 이 제도를 도입한 게 아니라는 거예요. 왜 법률가들이 눈에 보이는 것을 무시하고 자꾸 이런 주장을 펴는지 모르겠어요.

마지막으로 이런 얘길 했습니다. '본 위원회가 이 사건의 구체적인 증거관계나 기록 내용을 알지도 못하면서 사건의 결론을 단정짓거나 원심판결 내용을 함부로 재단하려는 의도는 없다.' 없으면 1심 판단 오류라는 이런 의견서는 왜 냅니까?

김   우리는 객관적이고 공정한 입장에서 바라본 것이다. 그런 거겠죠.

이   '재판부가 성인지감수성에 근거하지 않고 잘못된 편견에 기반한 중대한 오류를 여러 곳에서 범하고 있다.' 이런 지적을 계속하면서 원심판결의 내용을 함부로 재단할 의도가 없다는 것도 의견서 내용과 모순됩니다. 이건 명백히 2심에서 유죄를 선고하라는 압력을 가하는 의견서예요.

또 왜 김지은 씨 말이 잘못되지 않았는지 의견서에서 여러 번 강조합니다. '피해자가 수행비서 역할을 맡은 지 한 달도 안 된 시점에서(아마 러시아 출장 얘기일 거예요.) 다음 날 공식 일정도 있고 업무가 완전히 완료된 날도 아니고 피고 스스로 인정한 바와 같이 그전까지 어떤 사적 배려나 친분도 없었는데 나이 차이, 혼인 상태, 업무상 관계 등을 모두 뛰어넘어서 온전히 자유의사로 성관계에 동의했다는 건 어떻게 인정될 수 있는가?'라고 했습니다. 이건 흔히 일어날 수 있는 남녀상열지사의 한 형태입니다. 이 사건이 그렇다는 게 아니라, 그럴 수 없다고 전제하는 게 잘못되었다는 거예요.

황   비일비재하다?

이   매우 비일비재합니다. 아니, 원나잇이 왜 있습니까? 원나잇 당연히 있죠. 이 사건 얘기가 아니에요. 민변 여성위원회 의견서의, 그런 일은 존재할 수 없다는 주장에 대해서 얘기하는 겁니다. 그러면 저는 묻고 싶은 게 있어요. 민변 여성위원회든 여성운동가들이든, 그러면 무죄인 경우는 어떤 겁니까?

> 성인지감수성으로 사건을 볼 때 피고인은 어떤 경우에 무죄가 될 수 있는가

황 무죄가 없는 거죠.

이 무죄인 경우가 어떤 건지 얘기하는 사람을 한 번도 못 봤어요. 민변 여성위원회가 매우 중요하게 취급하는 성인지감수성으로 사건을 볼 때 피고인이 무죄를 받을 수 있는 경우는 그럼 어떤 경우인가? 이 질문을, 여러분들도 주변에 안희정은 유죄라고 주장하는 분들에게 한 번 던져보시기 바랍니다. 일관된 증인 진술과 행동의 유효함만을 언급해요. 그런데 법률가라면 반례도 들어줘야죠. 만일 증인이 이러한 행동을 했다면 피고인이 무죄일 수 있으나 그런 행동을 하지 않았다, 이런 게 있어야 하는데 없습니다.

제가 의견서를 쭉 본 느낌은 검찰 공소장과 별반 다를 게 없다는 겁니다. 검찰에서 이미 공소사실로 제기한 것과 다른 별도의 법률 조직 의견서라기보다 운동조직의 정체성이 더 드러나는 의견서였어요.

___

**모든 형사 재판은
개인 대 국가**

___

개별 재판에 대한 법리 해석보다 구체적 공소사실에 대해서 마치 사건 대리인처럼 김지은 씨를 변호하는 문서에 가깝다는 느낌을 받았습니다.

그리고 중요한 건 형사 재판은 안희정 대 국가입니다. 모든 형사 재판은 개인 대 국가예요.

김 그렇죠. 안희정 대 김지은이 아니에요.

이 김지은 씨의 법적 지위는 증인입니다. 검사 측의 증인. 그런데 1심판결문도 김지은 씨를 피해자라고 쓰고 있습니다. 입법부도 행정부도 사법부도 모두 김지은 씨의 법적 지위를 그냥 피해자라고 규정합니다. 그러면 피고인은 반대로 가해자가 되겠죠.

김　범법자죠, 범법자.

이　저는 판결문에 왜 피해자라고 쓰는지 이해가 안 됐어요. 재판 중이고, 법적 지위가 명백하게 증인이고, 증인이 김지은 씨의 법적 정체성을 훼손하는 개념도 아닌데. 다른 형사 재판에서도 모두 증인입니다. 그런데 왜 성범죄에서는 특수하게 피해자라고 설시하는지 이해가 안 됩니다.

신분위력설: 신분만으로 위력 행사다?

이　그리고 언론과 운동단체들의 안희정 유죄 촉구 운동이 있었습니다. '디딤돌 걸림돌 판결'이라고 매해 민주사회를 위한 변호사 모임과 시민단체, 《경향신문》에서 선정위원회를 꾸려서 정하는데 안희정 재판이 2018년 최고의 걸림돌 판결로 선정됐습니다. 선정 이유가 '우리 사회에서 아직까지 해결되지 못한 적폐를 보여주기 때문'이라고 합니다. 그런데 권력형 성폭력 사건은 무조건 유죄라는 추정이 있어야 합니까? 저는 이 선정도 납득이 안 됩니다. 152개 단체가 연계해서 안희정 성폭력 사건 공동대책위원회를 꾸렸고 항소심 재판 방청을 하면서 시위도 벌이고 유죄 촉구 운동을 하고 있습니다.

또 《미디어오늘》에서 얼마 전에 기사가 하나 났는데요. 〈안희정에게 던져야 할 질문 '동의받았습니까?'〉 이렇게 묻고 있습니다.

김　우리 법에 '예스민스예스, 노민스노.' 없잖아요?

이　'재판부가 안 전 지사 상황을 충분히 듣고 피해자에게 얼마나 거부 의사를 밝혔는지 물었다. 피해자가 거부하지 않았으면 성적 자기결정권을 침해받지 않았으니 안 전 지사에게 죄를 묻기 어렵게 된다.'라고 썼습니다. 그러면 거부하지 않았는데 죄를 물어야 합니까?

황 무슨 소리지?

이 '그리고 남성 유력 정치인과 여성 수행비서가 동등하게 성적 자기결정권을 가졌다는 전제 자체가 애초에 위력에 의한 간음을 성립할 수 없게 한다.'라고 썼습니다. 성적 자기결정권은 누구한테나 있는 거예요. 그런데 애초에 둘의 성적 자기결정권이 다르다고 기사를 썼습니다. 민변 여성위원회 의견과 똑같아요. 업무상 위력이라는 것은 그 사람의 신분 자체가 이미 권력이고 위력을 행사한 걸로 보기 때문에 거부 의사가 중요한 게 아니라는 거죠. 이미 행사된 걸로 봐야 한다는 겁니다. 이 주장들이 왜 틀렸는지 지금부터 업무상 위력이라는 쟁점에 대해서 한번 설명해보겠습니다.

황 굉장히 중요한 쟁점이에요.

이 업무상 위력은 일단 형법 303조 1항과 2항에서 규정하고 있는 조항입니다. 업무상 위력 등에 의한 간음. 1항은 업무, 고용, 기타 관계로 인하여 자기의 보호 또는 감독을 받는 사람에 대하여 위계 또는 위력으로써 간음한 자는 7년 이하의 징역 또는 3000만 원 이하의 벌금에 처한다. 2항은 법률에 의하여 구금된 자를 사람을 감호하는 자가 그 사람을 간음할 때는 10년 이하의 징역에 처한다. 법률에 의해 구금된 사람, 감호하는 자는 교도소 얘기죠.

위력 관계에 놓여있는 사람은 상대방의 지위나 권세를 누구보다 잘 알기 때문에 군이 자신의 지위나 권세를 확인시키거나 사용할 필요가 없다. 위력의 존재와 행사를 구별된 개념으로 인식하면 안 된다. 이게 신분위력설이라고 해서 지금 민변과 유죄를 주장하는 사람들이 내세우는 개념입니다.

김 여기서 위계僞計가 나오고 위력威力이 나오는데 같은 위자가 아니에요. 거짓말, 사기치는 걸 위계라고 하고, 위력은 권위에서처럼 힘을 말합니다. 위력, 그러니까 안희정 전 지사가 충남 도지사라는 권력 지위로 권력자가 아닌 사람, 말하자면 비서를 간음했다는 거죠. 위력에 의해서.

이 형법상 위력의 개념은 강간이나 강제추행에 해당하지 않는 정도의 폭행이나 협박, 지위나 권세를 이용하여 상대방의 자유의사를 제압하는 일체의 행위를 말합니다. 애초에 물리적인 폭행이나 협박이 명확하게 있었다면 강간이나 강제추행이지 위력간음으로 넘어오지 않아요. 강간이나 강제추행에 해당하는 물리적인 폭력이나 협박 행위가 없지만, 특수 관계에 있는 상태에서는 의사에 반하는 간음일 수도 있기 때문에 이 조항이 생긴 겁니다.

여기서도 여선히 중요한 건 일체의 '행위'이지 신분을 처벌한다는 조항은 어디에도 없습니다. 사람이 가진 지위 자체가 위력이라는 말은 어디에도 없어요. 우리 형법상 범죄 성립의 요건이 있습니다. 구성요건 해당성이 있고, 위법성, 책임성이라는 유책, 세 가지 요건이 다 성립될 때 범죄라고 합니다. 어느 하나라도 갖추지 못할 때는 성립하지 않아요.

김 구성요건 해당성, 위법성, 책임성. 먼저 구성요건 해당성은 뭡니까?

이 범죄라고 주장하는 그 행위를 말해요.

김 살인, 강도……

이 그런 것도 있고요. 여기서는 위력에 의한 행위가 있어야죠. 위법성이라는 것은 그 행위가 우리 형법 조항에 위법한 행위라고 규정되어 있어야 하는 것. 그리고 어떤 행위가 구성요건에 해당하고 위법성도 있지만, 피고인이 심신미약 혹은 정신병 등이 있을 때 재판부에서 그 행위는 인정하지만 무죄라고 하는 경우가 있잖아요. 그게 책임성입니다. 이 세 요건이 다 갖추어져야 범죄라고 인정하고 처벌할 수 있습니다.

형법은 행위를
처벌하지 마음을
처벌하지 않는다

가장 중요한 게 구성요건의 해당성입니다. 행위가 먼저 있어야 해요. 우리 형법은 행위를 처벌하지, 마음을 처벌하지 않거든요. 행위라 함은 위법하고 유책한 행위를 의미합니다. 그런데 신분 요소는 행위 요소와 중첩되지 않아요. 안희정 유죄를 주장하는 분들은 중첩된다고 하는데, 범죄에서 신분과 행위는 중첩되지 않습니다.

그래서 행위 태양(행위의 여러 형태)이 있어야 하는데, 그게 위력과 위계예요. 위력과 위계를 쉽게 말하면 동사예요.

김 동사?

이 신분이라는 명사에 딸린 거라고 주장하고 있지만 위력과 위계는 동사지 명사가 아니라는 겁니다. 대법원 판례에 지위 있는 자는 간음하면 처벌한다는 판례가 나왔다면 지금 이런 공방은 있을 필요도 없고 있을 이유도 없습니다.

김 그렇다면 안희정 전 지사가 어떤 행동을 해야 위력에 의한 간음으로 유죄가 되는 건가요?

이 간음의 행위를 하기 전에 어떤 보상을 주겠다고 했다든지, '나랑 계속 같이 일하기 싫어?' 이렇게 했다든지……. 행위가 있어야 돼요. 위력, 위계가 주로 장애인이나 아동 대상 범죄에서 일어나기 때문에 판례가 별로 없습니다. 예를 들면 장애인 시설의 관리자가 자기 보호 하에 있는 장애인을 대상으로 간음을 하면서 위력을 행사하는.

황 자기가 있는 자리의 힘을 이용한다는 얘기잖아요.

이 그게 행위라는 거죠. 그래서 위력은 동사라는 거예요. 아직도 좀 어려우실 텐데 아까 말한 형법 제303조 1항과 2항을 비교해보면 명백하게 이해할 수 있습니다. 자, 보세요. 2항은 '법률에 의하여 구금된 사람을 감호하는 자가 그 사람을 간음한 때에는 10년 이하의 징역에 처한다.'고 되어 있습니다. 우선, 신분이 있죠. '감호하는 자'가 신분이고요.

김 '법률에 의해 구금된 사람을 감호하는 자' 이게 신분이고.

이 네. 그다음에 간음이라는 행위가 있어요. 2항에는 위력, 위계가 없습니다. '신분+간음'이에요. 교도소에 있는 사람이 수감자를 간음했을 경우에는 무조건 위력간음죄가 적용된다는 겁니다.

김 둘이 합의해도?

이 네. 합의해도. 그래서 이 조항이 별도로 있는 거예요. 만약에 신분이 위력과 붙어 있는 거라면 별도 조항이 필요 없습니다. 왜냐하면 위력 관계에 있으면 무조건 처벌해야 되니까. 이게 별도 규정인 것 자체가 1항과 2항이 무슨 차별성이 있는지 보여주는 건데요. 1항을 보면 '업무, 고용, 기타 관계로 인하여 자기의 보호 또는 감독을 받는 사람'이라는 내용이 있죠? 신분이 있습니다. 그다음 '위계 또는 위력으로써'라는 행위가 있습니다. 그다음에 간음이 있고. 신분에 '간음＋위력'이라는 행위가 조건으로 따라붙습니다.

두 조항의 차이가 바로 위력의 개념을 명백하게 설명해주고 있는 거예요. 어떤 차이가 있습니까? 교도소라는 공간에는 자유의사가 존재하지 않는다는 겁니다. 다른 공간에서 이런 일을 당한다면 몸을 피할 수 있고 혹은 직장을 그만둘 수도 있고 어떤 선택지가 있단 말이죠. 그런데 교도소에서는 피해자가 도망갈 수도 없고 피할 수도 없어요. 자유의사가 이미 제압된 상태, 공간에 놓여 있기 때문에 어떤 형태를 취했든 간음하면 위력간음이에요. 처벌됩니다.

'신분＋간음＋위력'이라는 명백하게 다른 조건이 왜 법 조항에 있을까요? 여러분이 생각할 때 안희정 전 지사와 김지은 비서 사이에 과연 어떤 조건이 붙으면 무죄라고 판결이 나겠습니까? 어떤 조건이 더 붙으면 위력간음이 아닐지 생각해보세요.

황 둘이 사랑하는 관계였으면 무죄겠죠.

이 그렇죠. 둘이 연인관계라고 칩시다. 그러면 무죄라고 주장할 수 있겠죠. 신분이 곧 위력이라고 주장하는 쪽에서는(민변 의견서에도 나옵니다.) 안희정 전 지사가 연인관계였음을 입증하라고 합니다. 그럼 연인관계 입증하면 무죄라고 할 겁니까? 위력이 신분에 붙어 있다고 했는데 연인관계라고 신분이 달라지나요? 안희정 전 지사가 유력 정치인이고 도지사라는 신분은 변함없잖아요. 신분위력설에 따르면 두 사람이 연인이어도 무죄는 불가능합니다. 그렇죠?

신분위력설에 근거해, 연인관계를 제외한 이외의 간음행위는 유죄라는 법해석이 정당하려면, 1항이 '업무, 고용 기타 관계로 인하여 자기의 보호 또는 감독을 받는 사람에 대하여 연인 관계에 있지 않으면서 간음한 자는 7년 이하의 징역 또는 3천만 원 이하의 벌금에 처한다.'로 바뀌어야 합니다. 신분 자체가 위력이니 위력, 위계라는 행위조항은 없어져야 하지요. 그런데 우리 법 조항에 연인관계라는 말이 있나요? 없죠. 없는 조항을 있는 것으로 해석하는 것은, '범죄의 처벌은 반드시 행위 이전에 성문화된 법률로 규정되어 있어야 한다'는 죄형법정주의 원칙의 위반입니다. 연인관계 제외라는 신분조항이 들어가면 2항의 '감호하는 자'는 또 필요 없습니다.

황 연인이라고 주장하면 무죄가 될 수 있으니까.

이 어차피 신분법이면 1항의 보호감독 관계 안에 포함되죠. 그래서 신분위력설은 틀렸다는 겁니다. 위력이라는 개념이 형사법상 어떻게 규정됐는지 보면 명백하게 답이 나오는데 왜 그런 주장을 하느냐, 이념이기 때문이에요. 이념을 법 위에 두려는 행동입니다. 그래서 대법원 판례가 없음에도 계속 있다고 우기고 하급심 사건을 가져와서 무조건 치벌해야 한다고 하고……

그러면 대한민국에서 상, 하급자 사이 직장인들이 성관계하면 다 위력으로 처벌할 수 있습니다. 연인이든 뭐든 상대 여성이 나중에 부동의에 의한 것이었다고 주장하면 위력간음죄로 처벌할 수 있습니다. 신분위력설에 따르면 사내 연애도 다 잠재적 강간이에요.

적어도 법률가라면 원하는 목적이 있다 하더라도 법적 개념을 무

> 법률가라면 원하는 목적이 있다 해도 법적 개념을 무한 확장하거나 왜곡하면 안 된다

한 확장하거나 왜곡하면 안 되는 거죠. 1심 재판부가 성인지감수성, 2차 피해, 그루밍 등 여성계에서 주장하는 여러 개념을 다 고려했습니다. 그러나 비동의간음죄도 아직 입안되지 않은 상태에서는 형사처벌 조항에 따라서 판단할 수밖에 없다는 고민을 보입니다.

후퇴하는 대원칙들

이 안희정 전 지사 재판을 보면서 우리가 놓치고 있는 몇 가지를 얘기했는데요. 대한민국 헌법 제27조 4항이 '형사피고인은 유죄의 판결이 확정될 때까지는 무죄로 추정된다.'는 무죄추정원칙이에요. 그런데 입법부, 행정부, 사법부 모두 무죄추정원칙을 지키지 않고 있다는 걸 살펴봤고요.

황 헌법 위에 군림하고 있다.

이 네. 또 형사법의 기본 구조를 배척하고 특수한 이데올로기적 개념을 더 우위에 두려는 압박이 법률가 사이에서도 이뤄지고 있다는 거예요. 법 위에 이념이 있지 않습니다. 피해는 상황이지 정체성이 아닙니다.

> 피해는 상황이지 정체성이 아니다

이런 얘길 하면서 저도 고민이 돼요. 성범죄라는 특수성이 있습니다. 그동안 많은 여성이 성범죄 피해를 입고도 증거가 없어서 상대방을 처벌하지 못하는 일들이 반복되어 왔어요. 그래서 우리 사법부도 성인지감수성을 도입한 거고, 증거재판주의임에도 성범죄에 한해선 여성의 진술만으로도 증거능력을 인정하는 변화들이 생겨났습니다.

그런데 그런 변화들이 생기면서 예전에 증거가 없어서 고통받던 여성들과 똑같은 상태에 놓인 남성들이 등장하고 있어요. 여성의 진술만으로 유죄로 추정되거나 범죄자가 되는 남성 피해자들이 나타나기 시작한 거죠. 이 딜레마를 어떻게 극복할 것인가, 저는 그것이 고민이에요.

제가 이런 얘기를 하면 여성 피해자를 무시하는 거냐고 비난하는데 전혀 그렇지 않습니다. 제가 대리인으로 활동했던 성폭력 피해 여성도 있고요. 예전에도 억울한 피해자, 법의 사각지대에 놓인 피해자가 없어야 했던 것처럼 지금도 마찬가지라는 거예요. 인간의 기본적 권리가 침해되고 훼손되거나, 우리 사회에서 최고의 가치로 지켜져야 하는 규범들이 특수한 상황에 밀려서 계속 후퇴하고 있습니다. 결국은 그게 우리 모두의 피해로 돌아오게 돼요.

그래서 제도 시행의 부작용을 고려해야 하는데, 자유한국당 김현아 의원이 2018년 12월 11일에 매우 심각한 위헌 요소를 담은 법안을 발의했습니다. '가정폭력범죄의 처벌 등에 관한 특례법 일부 개정법률안'인데요. 현행법 제5조는 가정폭력범죄에 대한 응급조치 규정입니다. '진행 중인 가정폭력 범죄에 대하여 신고를 받은 사법경찰관리는 즉시 현장에 나가서 다음 각 호의 조치를 하여야 한다.' 이게 현행 법 조문인데 개정안은 '진행 중인'을 '진행 중이거나 발생이 예상되는'으로 바꾸면서…….

황 〈마이너리티 리포트〉 아니야?!

이 또 제5조 5호에 체포에 관한 특례조항을 신설하고, '사법경찰

관리가 가정폭력행위자에 대해서 제5조 5호에 따른 체포를 하는 경우 체포의 필요성이 있는 것으로 추정한다.'고 했어요. 일단 체포를 하면 필요성이 있다고 인정한다는 겁니다. 또 응급조치의무 위반죄 조항을 신설해서 '정당한 사유 없이 이 체포를 이행하지 않은 사법경찰관리는 1년 이하의 징역이나 1000만 원 이하의 벌금에 처한다.'는 법안을 발의했습니다.

김 경찰관도 징역형, 벌금형이네요.

이 네. 현장에서 행위가 없더라도 행위가 예상되면 일단 체포하고 보라는 겁니다.

황 잡아놓고 조사하라니, 이건 안기부 아닙니까?

이 도대체 어떻게 이런 법안을 마구잡이로 발의할 수 있는지……. 정말 〈마이너리티 리포트〉예요. 그러면 어떤 경찰이 안 잡겠습니까? 아무 일이 없어도, 현행범으로 체포할 만한 사안이 없어도 일단 체포하고 봐야죠.

왜 이런 법안이 나왔느냐면, 경찰이 가정폭력 상황이 발생했을 때 출동을 했어요. 그런데 체포할 정도의 사안이 아닐 경우에는 얘기만 하고 돌아가는데, 그 뒤에 살인이나 폭행사건이 일어나는 일이 있단 말이죠. 만약 경찰이 격리했다면 그런 사건이 안 벌어졌을 거라는, 이런 차원에서 나온 겁니다. 이해는 가요. 그렇지만 현재 범죄 행위가 아닌데 범죄 행위를 예상하고 체포하라는 건……. 공권력에 그렇게 무한한 자의성과 남용할 권한을 주면 우리의 기본권은 어디로 갑니까? 지금 이런 법을 발의하고 있는 겁니다. 어떤 경우에도 국가권력에 우리 권리를 종속시키거나, 자의적으로 남용할 수 있는 권한을 주어선 안 됩니다.

황 그렇죠.

이 그런데 입법부가 어떻게 성범죄 영역에서는 아무런 문제의식 없이 헌법정신을 훼손하는 이념적 법안을 발의하는지 이해가 안 가요. 어떤 사안이든 우리는 모든 사안을 다 개별적으로 판단해야 합니다.

김 개별적으로.

이 네. 익숙하게 보아온 구조 안에 있는 범죄라 할지라도 모든 사건은 다 개별성을 갖습니다. 그리고 그 안에서도 더 세분화할 필요가 있어요. 같은 사안 안에서도 이건 인정할 점이 있고, 저건 아닐 수 있어요. 모든 걸 싸잡아서 한 가지 판결, 판단으로 귀속할 수 없다는 거죠.

> 익숙한 구조 안에 있는 사안이라 해도 우리는 모든 사안을 개별적으로 판단해야 한다

그런데 지금은 '안희정은 유죄'라고 하고, 여가부 장관이 검찰 증인인 김지은 씨를 '3심까지 피해자'라고 미리 규정하면서 한 사람의 권리를 침해하고 있어요. 한 사람이 어떤 권한을 가졌든 형사재판에 가면 국가라는 거대 권력과 맞서는 한 개인에 불과해요.

황 그게 내가 될 수도 있잖아요.

이 네. 그 개인을 보호하는 것이 헌법이나 형사법이 존재하는 이유이고 목적입니다. 그런데 원하는 결과를 얻기 위해 자의적으로 계속 법을 왜곡, 변형하려는 움직임에 대해 저는 문제의식을 갖고 있어요. 지금 많은 성범죄 폭로가 이뤄지고 있는데 그런 사건에서도 개인이 판단력을 가지고 각각의 사안을 보셨으면 하는 바람입니다.

황 알겠습니다. 기본권은 지켜져야 한다. 어떤 권력이나 이념이

헌법 위에 군림해서는 안 된다.

김 그렇지. 제가 지금까지 만나본 법률가나 변호사들은, 물론 마이크가 꺼졌을 때 한 말이지만, 한결같이 김지은 씨가 이길 수 있는 재판이 아니라고 하더라고요.

이 판결이 나와봐야 알겠죠.

김 일선 법률가도 다 김지은 씨가 이길 수 있는 재판이 아니라고 했다면 정치인, 법률가가 모르겠습니까? 민변이 모르겠어요? 더불어민주당 국회의원들 모르겠어요? 압니다. 그들한테 지금 필요한 건 미투 때 우리는 피해자 편에 섰다, 이런 이미지가 필요한 거죠.

황 명분입니까?

김 법률을 잘 모르는 저도 이거는 쉽지 않겠다……. 신분만 갖고 그렇게. 어떻게 도지사 말을 거역할 수 있느냐고 하는데 그건 아니거든.

이 그렇죠. 1심 재판부가 판결문에 성적 자기결정권에 대해 이렇게 썼습니다. '여성은 독자적인 인격체로서 자기 책임 아래 성적 자기결정권을 행사할 수 있음이 당연하고 이러한 여성의 능력 자체를 부인하는 해석은 오히려 여성의 존엄과 가치에 반하고 나아가 여성의 성적 주체성의 영역을 축소하는 부당한 결과를 가져온다고 할 것이다.'

재판부가 성적 자기결정권을 매우 많이 고민한 결과예요. 저는 위력은 있으나 행사하지 않았다는 이 판결문에 동의하진 않아요. 위력에 대한 개념 때문에. 그렇지만 재판부가 고민 없이 재판했다는 평가는 부당하다고 봅니다. 어떻게 똑같은 판결문을 읽고 이렇게 다른 관점으로 볼 수 있는지 신기해요.

운동이기 때문에 그렇다고 생각해요. 그렇지만 법치를 근간으로 하는 민주국가에서 이념을 법 위에 적용하려고 하는 시도는……

황 시도 자체를 해선 안 되죠.

이 운동조직은 그럴 수 있죠. 하지만 법리적 판단 영역에 들어왔을 때는 법리를 통해서 반박하는 게 우선되어야 하지 않을까 합니다.

황 그래서 '마이너리티 리포트 법'은 통과 안 됐죠?

이 발의된 상태고요. 소속 상임위, 법사위 토론 과정이 있어요. 논의 과정이죠.

황 조절이 되겠죠.

이 이후에 어떻게 될진 모르겠습니다. 저는 통과될 수 있다고 봐요. 요즘 분위기가 워낙 미투 관련 법안들에 대해서 초당적으로, 조속한 심의와 통과를 하고 있어요. 미투 관련 법이 넓게 보면 200개가 넘습니다.

황 200개가 넘어요?

이 네. 발의되고 심의 중인 것까지 다 포함해서. 통과된 〈여성폭력방지기본법〉이 있고요. 문화예술계 성폭력 관련해 〈예술인복지법 개정안〉이 본회의 통과했어요.

황 법을 요소요소 잘 만들어서 사회적으로 위력을 행사하고 나쁜 짓 하는 사람을 단속하는 기능을 했으면 좋겠습니다. 선의의 피해자가 나오지 않게끔.

이 그런데 〈여성폭력방지기본법〉에서 보듯 졸속 법안이 많고요. 위헌적 요소도 있어요. 어떤 사건이 있을 때 이렇게 우르르 일어나는 법안에는 포퓰리즘적 법안이 많습니다. 그래서 우리가 정말 매의 눈으로 감시해야 합니다.

황 　 목소리를 내야 됩니다. 여러분의 목소리가 들려야 됩니다.

이 　 황현희 씨 트레이드 마크. 아무것도 안 하면······.

황 　 아무 일도 일어나지 않습니다. 여러분의 목소리가 크게 들릴 수 있도록 계속 목소리를 내셔야 된다는 점 분명히 인지해주십시오. 오늘 오랜 시간 〈우먼스플레인〉을 함께 해주셨네요.

이 　 오늘 법률 얘기라서 재미없었죠?

황 　 재밌었습니다. 이렇게 다뤄주는 데가 없어요. 〈우먼스플레인〉만 가능한 얘기였습니다. 오늘도 이선옥 작가님 수고 많으셨습니다.

10장

성인지감수성?
대법원에 이의 있습니다

2019년 02월 07일 22화 방송

황 오늘 특별히 긴급 편성으로 〈우먼스플레인〉 마련해봤습니다. 이유가 있죠?

김 그렇습니다. 안희정 전 충남지사에 대한 항소심 판결이 나왔는데, 그사이 새로운 증거가 나온 것도 전혀 없는데, 해석만 달리해서 1심 무죄에서 2심 징역 3년 6개월에 법정 구속됐습니다.

황 아니, 어떻게 이렇게 180도 바뀐 것에 더해 형량도 높게 나올 수가 있나요? 그런데 설날이 껴서 그런가요? 지금 너무 잠잠해요. 법률가들 코멘트라도 있어야 하는 상황 아닌가요?

이 2심판결 나고 시사 프로나 뉴스에서도 굉장히 조심스럽게 코멘트합니다. 이런 판결에 문제를 제기했다가는 반여성주의자로 찍히는 위험을 감수해야 하니까요. 양형은 조금 세지 않았나, 성인지감수성에 대한 법적 논란이 있을 수 있다는 식으로 굉장히 조심스럽게 얘기합니다.

김 나는 좀 슬퍼요. 지금 모든 사람이 다 정의로운 판결인 것처럼 얘기하는 이런 분위기가 무서워요. 이게 전체주의 사회 아닌가요?

이　저도 좀 무서워요. 그런 분위기가 우리 사회를 지배하고 있으니까 지금 법률가들은 다 입을 꾹 다물고 있고 저 같은 사람이 이렇게 방송을 해야 하는 상황이에요. 여성 문제에 대해서는 다른 어떤 의견도 개진할 수 없고. 판결에 대해 아무도 얘기 안 하잖아요. 저는 정말 문제가 많은 판결이라고 생각해요. 안희정 개인에 대한 호오와는 별개로 사건 자체만 봤을 때요.

뒤바뀐 2심판결의 근본 원인은 대법원

황　뭐부터 이야기할까요? '성인지감수성? 대법원 이의 있습니다.'로 제목을 뽑아봤어요.

이　2심 재판부가 내린 판결이지만 근본 이유는 대법원에 있어요. 그래서 오늘은 대법원 얘기를 집중적으로 해보려고 합니다.

황　대법원판결은 아니었지만 대법원 이야기를 해보겠다는 말씀이시죠?

이　네. 대법원이 근원적 문제를 만들었다고 봅니다. 왜냐하면 대법원이 성인지감수성이라는 개념을 판결문에 도입함으로써 이런 일이 생긴 거거든요.

김　그런데 말이죠. 그 판사가 누구냐! 진보적 판사? 페미니스트 판사? 아니에요. 적폐 판사로 불렸던 권순일이란 사람이 만든 겁니다.

이　2018년에 성인지감수성을 거론한 대법원의 판결문이 두 개

나왔습니다. 4월에 하나, 10월에 하나. 4월에 나온 판결에서 권순일 대법관이 주심이었어요.

황 알겠습니다. 우선 성인지감수성부터 짚고 넘어가 볼까요? 이 단어가 굉장히 포괄적이고 애매할 수도 있어요.

이 '할 수도 있어요.'가 아니라 포괄적이고 애매합니다. 성인지감수성은 성범죄 사건에서 당사자 진술이 엇갈릴 때 피해자라고 주장하는 여성 입장에서 판단해야 할 필요성이 있다는 겁니다. 그동안 피해자라고 주장한 여성들에게 법원이 성인지감수성 없이 판결을 내림으로써 무고한 피해 여성을 양산했다는 반성으로 도입했다고 하는데요.

전에는 진술의 일관성을 신빙성과 연관해서 중요하게 봤어요. 그런데 이제는 진술이 일관되지 않더라도, 성범죄 이후에 여성이 상대 남성에게 친근한 행동을 보였다든지 친밀하게 또 만났다든지 하는 행동을 보였다 해도, 여성의 입장에서 필요했기 때문에 한 것일 수 있다고 봅니다. 예를 들면, 그 상황을 빨리 벗어나기 위해 좋아하는 척하고 나왔다, 이런 진술을 하거든요. 그러니까 맥락을 충분히 고려해서 증거의 증명력을 배척하지 말라는 게 성인지감수성입니다.

김 어떤 법률가가 얘기해줬는데 과거에는 사건이 일어난 즉시 현장을 떠나 신고하지 않으면 성범죄로 인정 안 해줬다는 거예요. 이런 경우도 있었답니다. 사건 다음에 여성이 남성한테 라면을 끓여줬대요. 그래서 무죄가 됐다고.

이 네. 그런 경우들이 있죠.

김 그래서 여성계에서는 피해자한테 피해자다움을 요구하는 거냐, 판사들이 피해자 입장에서 성인지감수성을 갖고 판단을 해야 된다,

라고 주장합니다.

황 궁금한 게, 모든 걸 피해자 입장에서 이해해야 한다는 성인지 감수성으로 잣대를 들이댄다면 예전 연애 경험이 범죄로 바뀔 수도 있다고 해석해야 할까요?

이 그럴 가능성도 있죠. 대법원판결이 나온 후에 하급심 판결 56개가 성인지감수성을 언급하면서 무죄에서 유죄로 바뀌거나 새로운 증거 없이도 다시 수사하고 있어요. 판결 지형이 바뀌고 있습니다. 혹은 말씀하신 대로 연인관계였든 아니든 정황증거가 쉽게 배척당하는 거죠. 검사의 공소사실을 배척할 수 있는 증거를 법원이 인정하지 않는 거예요.

안 전 지사 사건을 얘기하자면, 검찰 측 증인인 김지은 씨가 했던 사건 전후 행동, 문자, 주변인 증언이 있잖아요. 성인지감수성에 따르면 2심 재판부는 충분히 그럴 수 있다고 본 거예요.

김 김지은 씨가 이모티콘으로 애정을 표시하는 뭘 보냈다 하더라도?

이 문자도 있었고 주변의 증언도 있었잖아요. 상화원 사건 같은 것도 아예 증거에서 뺐더라고요. 여성에게 불리한 정황증거나 증언이 있고, 그게 사실이라 해도 성인지감수성에 따르면 여성의 말을 증거로 채택할 수 있다는 거예요. 그걸 반박할 수 있는 증거에 대해선 사실상 증명력을 배척한 거죠.

상황은 1심 때와 똑같아요. 검찰이 새롭게 제시한 증거는 없다고 봐도 되고요. 오히려 안 전 지사 측에서 새로운 증거를 더 제출했다고 합니다. 항소심에는 텔레그램과 카카오톡 문자를 더 보강해서 제출했다고 하는데 그럼에도 2심 재판부는 다른 판단을 한 거죠.

김 그런 증거를 내거나 말거나.

만능 치트키가 된 성인지감수성

이 중요한 건 성인지감수성이란 개념이에요. 증거가 아니라 관점과 해석에 따라서 판결이 반대로 뒤바뀌는 상황이 일어난 거죠. 성인지감수성이라는 게 만능 치트키가 됐어요. 개별 피해자마다 상황을 대하는 방식이 다 다르다고 하는데, 그러면 성인지감수성에 의해서 남성이 무죄를 받을 수 있는 상황은 어떤 겁니까. 여성마다 다 다른데. (가해자로 지목된) 상대에게 친밀한 행동을 해도, 애정표현을 해도, 문자나 이메일이 있어도, 다 그럴 수 있다고 하면 어떤 경우에 남성이 무죄가 나올 수 있습니까?

> 증거가 아니라
> 관점과 해석에 따라서
> 판결이 뒤바뀌는 상황

김 이거는 가능하지 않겠어요? 여성과 남성이 권력 관계가 아니라면 그냥 일상적 연애사로 보지 않을까요?

이 지금 성인지감수성으로 일상적 연인관계에서도 무죄가 유죄로 바뀌고 있다니까요. 하급심들에서 판결이 바뀌거나 재수사하는 식으로 계속 바뀌고 있어요. 왜냐하면 그동안 성범죄 사건에서 진술의 일관성, 신빙성과 정황증거 등의 합리성을 따져서 종합적으로 판단했다면, 지금은 성인지감수성이라는 치트키를 넣으면 무력화되는 거죠.

피해 여성의 태도는 정형화되지 않는다. 피해자다움을 강요하지 말라고 하면서, 오히려 '여성들은 다 다르다는 또 다른 정형'을 만듭니다. 그러면 다 다른데 거기에서 무죄를 받을 수 있는 경우는 어떤 거냐는 거예요. 과연.

김 미투 문제로 굉장히 시끄러울 때였는데, 한 친구가 자긴 걱정 없다는 거예요. 아주 대단한 카사노바였거든요. 다음날 카톡으로 서로 주고받은 게 있다는 거야. 어젯밤 행복했다, 이런 거였는데, 이건 연애에 의한 성관계였다는 입증 아닌가요?

이 그것도 왜 안심할 수 없는지 잠시 후에 캐나다 사례 소개하면서 말씀드릴게요.

황 '나도 사랑해.' 이런 내용을 가지고 있으면 되는 겁니까?

이 가지고 있는 게 유리하지만 그 증거능력도 이제는 배척 가능성이 높아졌다는 거죠.

김 그러면 예스민스예스 이것도 불필요하겠네. 계약서 써도 그냥 강압에 의해서 어쩔 수 없었다고 하면.

이 이번 판결이 사실상 예스민스예스입니다. 노민스노 수준도 아니에요. 노민스노는 비동의 의사를 표현했는데도 성관계하면 강간이라는 거고, 예스민스예스는 명시적인 동의의 말이 있을 때에만 강간이 아니고 나머지는 모두 강간이 됩니다. 이게 더 수위가 높은 거예요.

지금 이 사안은 명시적인 비동의 의사가 없어요. 그걸 입증하지 못했어요. 그런데 예스라고 하지 않았다는 것이죠. 예스라고 하지 않아서 강간이 된 거예요. 그러면 사실상 판결 자체가 예스민스예스예요. 비동의간음죄 입안을 안 해도 그냥 이렇게 판결로 가능한 거죠.

김 1심 판결 나왔을 때 예스민스예스룰을 도입해야 한다고 했었는데 무의미하게 됐네요.

이 도입하지 않아도 대법원 판결문에 성인지감수성을 넣음으로써 사실상 예스민스예스가 판례화되는 거죠.

대법원에 이의 있습니다

이 이제 왜 제가 대법원을 비판하는지 그 얘기를 할게요. 대법원이 2018년에 두 차례 성인지감수성이란 단어를 판결문에 넣었습니다. 4월 10일 선고와 10월 25일 선고인데요. 판결문에 성범죄 판단에서 성인지감수성을 적용하는 근거로 〈양성평등기본법〉 제5조 1항을 들었습니다. 그런데 〈양성평등기본법〉의 제5조 1항은 단지 이겁니다.

황 들어볼까요?

이 '제5조(국가 등의 책무). ① 국가기관 등은 양성평등 실현을 위하여 노력하여야 한다.' 이 조항에서 곧바로 성인지감수성이란 개념을 만들어서 형사법상 판결 근거로 도입한 거예요. 이 조항에서 어떻게 바로 성인지감수성을 도출할 수 있습니까? 양성평등을 위해서 노력해야 한다. 여성 피해자의 입장에서 보고 남성 피고인에게 유죄 내리는 게 양성평등을 위한 노력입니까? 사법부가 개념을 이런 식으로 쓰면서 유죄판결 내리는 게 양성평등인가요? 사법부는 증거에 의해 판단을 해야지요.

황 성인지감수성에는 증거 개념이 포함 안 되는 겁니까?

이 그 자체로 증거법칙을 도입한 겁니다. 우리나라 최고 사법기관이 법리적 논증 없이 새로 만들었어요. 성범죄에서 법률상 새로운 증거법칙을 만들려면 입법부가 비동의간음죄를 입법하거나, 성범죄 처벌에 관한 법률을 제정 혹은 개정하거나, 대법원에서 전원합의체 판결을 통해 새로운 판례를 만들거나 하는 정당한 절차가 있습니다. 그런데 어떤 절차도 통하지 않고 그냥 〈양성평등기본법〉을 인용하면서 판결문에 이 개념을 도입해버린 거예요. 〈양성평등기본법〉에는 성인지감수성이란 단어조차 없습니다.

우리나라 사법부 최고 기관인데 비약을 넘어서 이렇게 허술하게 법리를 도입해서 적용할 거라고는 상상 못했습니다. 작년에 두 개의 판결이 나왔을 때 제가 만나는 하급심 변호사들이 대법원이 갑자기 성인지감수성을 언급해버리면 도대체 어떻게 하라는 거냐고 얘기했어요.

황 변호사들 사이에서도 혼란이 일어나는 거군요.

이 그렇죠. 법적 개념이 아닌데 당연히 혼란스럽죠. 그러니까 하급심 판결이 계속 바뀌고 수사 다시 하고 이런 혼란이 생기는 거예요.

황 성인지감수성이 형법에 있는 내용도 아니고, 새로 만든 신조어 같은 건데 이게 법적 판결을 뒤집을 수 있느냐?

이 저는 사실 행정부를 더 걱정했거든요. 무고죄 수사를 유예할 때도 입법을 통하지 않고 행정부 지침을 통해 검사와 경찰에게 적용하고, 성범죄 사건이 수사에 들어가면 직장에 알려서 즉시 불이익을 주라고 대통령이 발언하고 이러니까요. 입법부도 위헌 요소가 가득한 비동의간음죄나 미투 법안을 쏟아내고 있고. 행정부나 입법부의 행동을 사법부가 보완하고 문제점을 바로잡아야 할 의무가 있는데 오히려 사법부가 선두에 서 있는 상황이에요. 법 위에 이념이 있는 거죠. 페미니즘에서 만든 개념이 어느날 법안에도 들어가더니 갑자기 대법 판결로 등장해 실제 판결에 영향을 끼치고 있어요.

황 생각보다 심각한 문제네요.

이 왜 심각한가 하면, 김경수 지사 사건처럼 보수, 진보도 아니고, 적폐 판사로 불리는 분이 그런 개념을 쓰는 상황이기 때문이에요. 그리고 증거재판주의나 죄형법정주의 같은 사법적, 형사법상의 대원칙이 거의 형해화하고 있는 게 더 심각한 문제라고 봅니다.

> 페미니즘의 개념이 실제 판결에 영향을 미치는 것은 법 위에 이념이 있는 것

김 성인지감수성이 무분별하게 활용될 경우에는 사람 하나 범죄자 만드는 건 일도 아니에요. 성범죄자는 파렴치범 아닙니까. 회복 불능 상황이 되는 거예요.

이 한국 사회에서 성범죄는 굉장히 다른 종류의 범죄예요. 그런데 법률적 판단에서 매우 허술하게 낙인을 찍고 처벌하는 상황이 됐다는 거죠.

황 저는 오히려 다르게 해석해요. 예전에 성범죄 기사가 나오면 지금보다 훨씬 비난이 심했고 그 사람은 사회생활 못합니다. 그런데 요즘에는 오히려 뭐랄까요, 끝까지 지켜봐야 한다는.

이 억울한 피해자가 계속 나오다 보니까 그렇죠.

김 사실 또 이게 저에겐 기회가 될 수 있겠다.

황 무슨 소리죠?

김 이 세상에 살아남을 남자는 나밖에 없어. 나는 연애를 해본 적

이 없습니다. (웃음)

이 아니, 펜스룰 얘기할 때 말씀드렸잖아요. 친밀한 관계에서 벌어질 수 있는 위험에 대해서는 여전히 사람들이 인식하지 못하고 있다고요. 안심할 수 있는 경우는 없다고 봐도 무방합니다.

현재 〈성폭력처벌법〉에서는 성폭력 범죄의 구체적 구성요건을 규정하고 있습니다. 형법에서 정한 범죄, 성매매와 성적 착취를 목적으로 한 제반 범죄, 강간과 추행, 강도강간 등의 죄, 성폭력 처벌법에서 별도로 규정하고 있는 죄. 이렇게 처벌할 수 있는 범죄 구성요건이 명시되어 있어요. 그런데 지금 성범죄 사건을 보면 물리적 강제력에서 성적 불쾌감이나 수치심이라는 개념까지 성범죄로 인정하는 변화가 진행 중입니다.

김 그런 것까지 다 성범죄로?

이 성인지감수성이 급속하게 진행시켰죠. 성인지감수성의 가장 큰 문제는 증거가 아닌 관점과 해석으로 판결하는 것이기 때문에 사법부의 판단에 따라서 결과가 뒤바뀐다는 겁니다. 그러면 사법부를 신뢰할 수 없게 되죠. 왜냐하면 법원이 일관된 원칙을 따른다면, 어떤 형을 받든지 같은 유형의 범죄에서 받을 수 있는 양형 범위에 들어가면 덜 억울하거든요. 그래서 이건 오히려 사법 신뢰를 저하하는 개념이라고 보고요.

안 전 지사의 경우 2심은 해석을 달리하는 걸로 판결이 바뀐 거예요. 그래서 문제제기 할 수밖에 없습니다. 그리고 같은 재판부에서 낸 다른 판결(2월 6일)에서는 남성에게 무죄를 내렸어요. 피해 여성이 미성년자 여중생인데 진술이 일관되지 않았다는 게 무죄 판단의 근거예요.

김　지금 안희정 2심 판결 낸 판사가 비슷한 시기에 다른 판결에서는 여성 피해자로 알려진 그 여성의 진술이 일관되지 않다는 이유로 남성 손을 들어줬다는 거네요. 남성 무죄. 이게 뭡니까? 같은 재판부, 같은 판사인데.

이　진술이 일관되지 않을 때 어떤 경우에는 유죄, 다른 경우에는 무죄를 내린다면 국민들은 당연히 어떤 판사를 만나느냐에 따라 유죄도 될 수 있고, 무죄도 될 수 있다고 생각하죠. 그러면 신뢰가 생기겠습니까?

김　1심, 2심이 180도 다른 판결이 비일비재하다면 누가 사법부를 믿겠어요.

이　무죄를 판결한 그 사건에서 재판부가 이렇게 말했습니다. '형사재판에서 유죄의 인정은 법관이 합리적 의심을 할 여지가 없을 정도로 확신을 가지게 한 증거에 의해야 한다.' 무죄추정원칙이죠. 증거가 없다면 피고인에게 설령 유죄의 의심이 간다고 해도 피고인의 이익으로 판단할 수밖에 없다고 밝혔습니다.

김　이걸 왜 안희정한테는 적용 안 해?

이　'의심스러울 때는 피고인의 이익으로'는 형사법의 대원칙입니다. 형사소송은 국가 대 개인이기 때문에, 피고인에게 보장하는 기본권이고 방어권입니다. 확정적인 증거로 판단할 수 없을 경우에는 설령 의심의 여지가 있다 해도 피고인의 이익으로 판결해야 됩니다. 그런데 이 논리를 얘기하는 재판부가 안 전 지사 판결을 보면 아예 의심을 하지 말라는 수준입니다. '의심의 여지가 있는데'가 아니라 '의심을 하지 않았다.'입니다.

김 김지은 씨를 의심하지 말라.

이 네. 김지은 씨의 진술의 신빙성, 일관성 등을 의심하지 않았다는 거죠. 의심하지 않은 근거는 성인지감수성이고, 성인지감수성을 만든 것이 대법원판결입니다.

황 대법원에 가도 결과가 그렇게 달라지진 않을 것 같다는 생각이 드네요.

이 성인지감수성을 언급했던 주심 대법관 권순일 대법관과 박정화 대법관이 같은 소부에 있고요. 다른 소부에는 또 젠더법학회를 만들고 활동한 여성 대법관이 있어요. 그리고 현재 대법관 구성이 진보적인 분이 다수잖아요.

김 조금 더 많습니다.

이 그리고 진보, 보수 할 것 없이 여성 대상 성범죄라는 관점에서 성인지감수성을 이미 대법원판결에서 거론해왔기 때문에 안희정 전 지사 변호인단이 법리논쟁을 정말 치열하게 벌이지 않으면 불리할 거라고 생각합니다. 성인지감수성 자체가 법률적 근거가 없기 때문에 대법을 상대로 치열하게 논쟁을 벌였으면 좋겠어요.

> 법률적 근거 없이
> 새로운 증거법칙이 된
> 성인지감수성

안 전 지사 변호인단 인터뷰를 보면 2심 재판부가 증인 김지은 씨의 증언이 증거능력이 있다고만 말할 뿐 피고인 안희정 전 지사 측 증거에 대해선 법리적 판단을 언급하지 않았다고 합니다. 새로운 증거를 제시하고 안 전 지사 심문을 한 차례 더 했는데.

김 선입견이 섰다는 의심을 가질 수밖에 없네요.

이　그래서 성인지감수성 자체가 무죄추정원칙을 위반하는 개념이에요. 피해자 입장에서 판단하라는 건 여성을 피해자로 전제하고 보라는 건데, 재판은 그 사람이 피해자인지 아닌지를 판단하는 과정이잖아요.

사법부는 어디로 가고 있나

이　대법원이 주로 문제이긴 하지만 2심 재판부 얘기를 안 할 수 없는 이유도 몇 가지 있습니다. 일단 반인권적인 판사의 태도. 재판부가 안희정 전 지사를, 피고인을 1시간 20분 동안 세워놓고, 판결문을 훈계하듯이 낭독했다는 보도가 여러 매체에서 나왔습니다. 그래야 할 법적 근거도 없고 이유도 없습니다. 판사는 판결을 하는 사람이지 개별 인간을 인격적으로 심판할 권한을 가진 존재가 아닙니다. 법정에서 그런 행동을 보인다는 건 문제입니다. 인권 침해라고 봐요.

> 판사는 판결을 하는 사람이지 개별 인간을 인격적으로 심판할 권한을 가진 존재가 아니다

양형도 과도합니다. 과도하다는 의견은 법률가들도 조심스럽게 공적으로 발언하더라고요. 왜냐하면 보통 위력간음죄는 거의 다 장애인이나 아동을 대상으로 한 케이스예요.

김　1심에서는 김지은 씨한테 성적 자기결정권이 있다 그랬던 거 아니에요.

이   검찰이 4년 구형했는데 3년 6개월 판결했죠. 물론 양형 범위 안에는 있습니다. 그런데 심석희 선수 폭행한 조재범 코치 사건을 보세요. 1년 6개월 받았거든요.

물리적 폭행이 존재하고 지속적 폭행 사실도 입증됐고 성폭행 혐의까지 추가되었는데, 성폭행 혐의는 따로 재판할 거지만, 검찰은 2년 구형했는데 1년 6개월을 판결했어요.

신체에 지속적인 물리적 상해를 입힌 범죄가 1년 6개월입니다. 그런데 안희정 전 지사 사건을 보세요. 일단 물리적 상해 없습니다. 아무 상해 없이 사건 후에도 같이 일을 하면서 보냈고 심지어 친밀해 보이는 행동도 한 관계에서 벌어진 성인 사이의 성행위가 3년 6개월 구속되는 형을 받았어요. 성범죄가 그만큼 우리 사회에서 특수한 취급을 받고 있고 사법부도 엄벌주의로 가고 있습니다. 그래서 양형의 과도함을 얘기할 수밖에 없고, 이렇게 예측 가능성을 잃은 사법부의 판단은 결국 사법 불신으로 이어질 수밖에 없다는 거죠.

대법원 문제에서 또 중요한 게 성범죄에 대해서만 부당한 절차를 통해서(입법부를 거치지 않고, 전원합의체 판결도 안 거치고) 새로운 증거법칙을 만들었다는 거예요. 지금 대법원판결로 보면 사실상 피해자라고 주장하는 증인의 진술과 배치되는 증거는 허용하지 않는다는 증거법칙을 도입한 것과 다름이 없어요. 형사소송법 조항을 사실상 바꾼 겁니다. 그런데 법률 형태가 아니기 때문에 헌법소원을 제기할 수도 없습니다. 피고인이 피해를 입으면 보통 변호인단이 헌법소원을 제기하는데 그런 절차적 가능성도 막아놓은 거예요.

황   왜 그렇게 되는 건가요?

이 예를 들면 우리 법에서는 영장 없이 압수수색을 할 수 없어요. 그런데 사법부가 어떤 특수한 범죄에 한해서 영장 없이 집행할 수 있게 해줬다고 해봐요. 하지만 법률 조항은 그대로 있어서 영장이 있어야 수색할 수 있는 거예요. 그럼 이 조항을 문제 삼을 수가 없잖아요. 그러니까 하급심에서 법률을 자의적으로 해석하면 그걸 바로 잡는 기능을 하는 것이 대법원인데, 오히려 대법이 앞장서서 자의적인 해석이 가능하도록, 그것도 정당하지 않은 절차로 한 겁니다.

저는 사법부가 해서는 안 될 행동이라고 봅니다. 법률가들이 이런 걸 지적하지 않으니까 사법부가 '안희정은 유죄다. 위력간음죄에 대해선 엄벌을 해라.' 이런 여론에만 귀기울이고 있어요. 사실 입법부와 행정부는 정치 논리 혹은 여론에 영향을 많이 받잖아요. 입법부나 행정부가 흔들릴 때 바로잡을 수 있는 최후의 보루가 사법부예요. 그런데 사법부가 이렇게 나오니까 도대체 우리 사회가 지금 어디로 가고 있나? 상식적으로 말이 안 되는데 이게 어떻게 가능하지? 의문이 듭니다.

일부 법률가는 그런 얘기도 합니다. 성범죄에 연루되면 그냥 국선 쓰라고요. 어차피 유죄 받을 거 변호사 사서 돈 들이지 말고 국선 쓰라는 얘기죠.

황 무서운 얘기인데요?

이 그렇게 얘기합니다. 법률가들이 그렇게 얘기할 정도로 성범죄는 사실상 유죄추정이라는 얘기를 많이 해요. 이번에는 아주 쐐기를 박는 판결인 거죠. 그동안 그래도 진술의 일관성 같은 걸 고려하고 신빙성을 판단했다면 이제는 그거조차도 성인지감수성에 따라 판단하라고 하니까.

황　이 판결이 쓰나미처럼 밀려올 것 같은데⋯⋯. 입법부에서도 법 조항으로 넣을 가능성이 높아요.

이　이미 200개 정도 법안이 대기 중입니다.

황　그런데 지금 국회에는 20-30대 남성을 대변할 수 있는 의원이 아무도 없어요.

이　이게 20-30대 남성만의 문제가 아니에요. 전체 남성에 관련된 문제고, 전체 남성과 관련된 연인이든 배우자든 가족이든 여성도 다 포함되어 있는 문제입니다.

황　곰탕집 사건에서 느낄 수 있었죠.

이　그 사건을 처음 청와대 청원에 올린 것도 배우자였잖아요. 아내가 〈제 남편의 억울함을 풀어주세요〉라고 올렸죠. 스튜디오 성폭력 사건에서도 피의자로 지목된 분이 자살을 했잖아요. 스튜디오 실장이었던 그분의 여동생이 지금 소송을 하고 있습니다. 그래서 이게 남성이 피해 입을 확률이 매우 높은 사안이지만 남성과 연관되어 있는 가족, 연인, 배우자, 여성 모두에게도 해당해요.

> 남성의 피해는 남성과 연관되어 있는 가족, 배우자, 연인, 곧 여성에게도 영향을 미친다

안희정 전 지사가 유죄냐, 무죄냐가 문제가 아니에요. 어떤 근거로 판결이 내려졌는가, 판결이 의미하는 게 뭔가, 우리 사회가 어디로 가는가, 우리나라 최고 헌법기관 중 하나인 사법부가 어떻게 가고 있는가. 한숨밖에 안 나옵니다. 입법부도 그렇고, 행정부도 그렇고, 삼권이 다 한숨 나옵니다.

국민의 기본권이나 권리 같은 것에 대해서, 개별 인간이 아니라

여성이라는 집단으로 해석합니다. 권리의 단위는 개인이에요. 그런데 여성이라는 집단 전체를 약자로 놓고 여성의 권리를 증진시키겠다는 명분으로 인권과 기본권을 계속 후퇴시키고 있습니다. 그걸 좀 아셔야 돼요.

캐나다의 지안 고메시 사건

이 여성의 주장을 거의 다 수용하고 있는 게 캐나다인데요. 성범죄에서 굉장히 급진적인 판결로 가고 있습니다.

황 어떤 일들이 벌어졌을까요?

이 지안 고메시Jian Ghomeshi라는 방송인 사건입니다.* 캐나다 CBC라는 방송사 유명 라디오 방송인이고 잘생겼어요. 그런데 2014년 여성 세 명에게 성폭행, 강간죄로 피소당합니다. 방송사에서는 해고됐죠. 2015년에 한 건이 추가되어 총 네 건으로 기소됐는데, 성관계 도중 목을 조르고, 머리칼을 세게 뽑고, 심하게 폭행했다는 증언이 있었어요. 가학적 성 취향을 가진 사람이었던 거죠.

고메시 씨는 침실 안에서 벌어진 일은 다 상대방과 합의한 관계였다고 무죄를 주장했습니다. 2016년 판결이 났는데요. 재판부는 합리적 의심을 넘어선 범죄사실을 입증할 수 없다고 무죄판결을 내립니다. 그

지안 고메시 방송인 사건 이선옥닷컴의 "캐나다의 강간법을 바꾼 지안 고메시(Jian Ghomeshi) 사건" 참조. (http://leesunok.com/archives/1099)

러면서 재판부는 '증인들의 비일관성과 철저한 기만이 검찰의 공소사실을 돌이킬 수 없게 약화시켰다.'라고 말합니다. 증인들이 법정에서 증거를 숨기거나 숨기려고 했다는 거예요. 고소인 1은 성폭행당했다고 주장하는 사건 후에 고메시와 아무 접촉도 없었다고 했습니다. 그런데 1년 후에 두 통의 이메일을 보냈어요. 고메시한테 비키니 입은 자기 사진을 보냈어요. 그 이메일을 고메시 측에서 증거로 제출한 거예요. 메일이 증거로 제출된 걸 보고 그 여성은 고메시가 자기를 왜 공격했는지 설명하게 하려고, 미끼로 보낸 거라고 얘기합니다.

황　낚시였다?!

이　네. 또 고소인 2 여성은 성폭행사건 몇 시간 뒤에 당신은 지난밤에 정말 끝내줬다, 이런 메일을 보냈고, 이후에도 몇 년 동안 계속 이메일을 보냈습니다.

황　그런 말을 했어요?

이　네. 맥주병을 펠라치오 하는 사진도 보냈는데 그게 증거로 제출됩니다. 그러니까 고소인 2 여성이 뭐라고 주장했냐면, 그건 고메시를 기쁘게 하고 달래주려고 한 거였다. 강간을 당했기 때문에 자책해서 체념 상태에서 보냈다고 증언했습니다.

고소인 3, 이 여성은 앞선 두 사례에서 증거가 제출되는 걸 본 다음에 처음에 부인했던 새로운 사실을 실토했어요. 성폭행 이후에도 고메시와 만나서 합의에 의한 성관계를 했다고. 그런데 고소인 2와 3은 친구 사이로 밝혀졌고 재판을 앞두고 서로 수천 건의 문자를 주고받은 사실이 드러납니다.

황　이게 어떻게 된 거예요? 둘이 짰다?

이　모의해서 거짓 증언을 한 게 아니라 재판에 같이 임하면서 서로에게 유리한 진술을 하기 위해 작전을 짠 거죠. 이런 것들이 총체적으로 입증되니까 재판부가 무죄를 판결한 겁니다. 그런데 검사는 '고소인 세 명의 신빙성은 그들이 강간 사건 이후에 어떻게 행동했는가와 아무런 관계가 없다.'라고 했어요.

김　중요하지 않다.

이　중요하지 않다고 얘기합니다. 그리고 무죄판결 뒤에 캐나다 여성단체들이 일제히 판결을 비난합니다. 한국과 비슷하죠. 판사가 여성이 어떻게 행동해야 하는지에 대해서 고정관념을 갖고 있다.

김　피해자다움.

이　네. '스테레오 타입에 일치하지 않게 행동했단 이유로 피해자들을 비난했다. 다른 여성이 나서서 범죄를 고소하는 데 장애가 될 것이다.' 한국 여성단체의 주장과 똑같습니다. 그래서 그 여성단체는 판결 후에도 지안 고메시는 과거에도 유죄였고 여전히 유죄이며 미래에도 여전히 유죄라고 주장하면서 여성들을 피해자라고 부르고 있습니다.

그런데 중요한 건, 사건 후 여성단체들의 압력으로 캐나다 입법부가 〈Bill-C51〉이라는 새로운 법안을 만듭니다. 이 법안을 입안하게끔 여당을 압박해서 의회가 법안을 통과시켰어요. 〈Bill-C51〉은 성범죄에서 사건과 무관한 성적 이력에 관한 증거 제출을 금하는 거예요. 원래 강간죄에서도 여성의 성 이력을 추궁하지 말라는 법안이 있었는데 수정하고 대폭 강화한 법안이에요.

황　성적 이력이라고 하면 어떤 걸 말하죠?

이　여성이 성범죄로 신고했는데, 성매매를 했거나 혹은 성범죄 무고로 유죄판결을 받은 적이 있다, 이런 것들 있잖아요.

그런데 법안이 이미 있는데 그걸 어떻게 수정해서 강화했느냐면, 성범죄 재판에서 변호인 측이 고소인의 성적인 행동과 관련된 증거를 재판에 제출하려면 먼저 검사에게 보여주고 난 다음에 판사가 승인하면 그때 증거를 낼 수 있다고 한 거예요. 여기서 성적인 행동과 관련된 증거라는 건 고메시 사건의 이메일 같은 거예요.

황 검사라 하면……. 나를 기소한 사람한테 증거를 먼저 보여주라는 거예요?

이 네. 검사한테 보여주고, 법정에 제출해서 증거로 볼지 말지 여부는 판사가 승인해야 합니다. 그런데 검사한테 증거를 보여주면 검사 측 증인이 대응 전략을 짤 수 있도록 해주는 거죠.

황 이런 증거가 나왔으니 이렇게 대답을 하자, 이런 식으로. 말이 돼요? 적장한테 내 목숨 맡기는 거 아닙니까, 그게.

이 말이 안 되죠. 형사소송법의 대원칙은 검사 측은 증거를 미리 피고인에게 공개해야 되지만 피고인은 법정에 증거를 제출하기 전에 검사 측에 증거를 공개할 필요가 없습니다. 이건 어느 나라 불문하고 형사법의 대원칙이에요. 국가를 상대하는 피고인의 방어권을 보장하는 겁니다.

이제 지안 고메시 사건처럼 증거가 드러나서 극적으로 뒤집히는 일이, 성범죄 재판에서 일어날 가능성은 사라졌다고 볼 수밖에 없어요. 캐나다는 이걸 입법을 통해서 했습니다.

김 그럼 아무개가 어떤 여성하고 연애하는데 열 번 성관계를 가졌어. 그런데 그중에 다섯 번째는 아무래도 강간이었던 것 같아. 그러

면 그 이후 다섯 번의 성관계가 합의하에 이뤄졌다고 해두, 다섯 번째
는 성폭행이기 때문에 남성을 고소할 수 있고 처벌할 수 있는 거네요.

이   그건 합리적으로 생각해도 그럴 수 있어요. 왜냐하면 내가 열
번을 했지만 한 번은 동의하지 않았는데 강제로 당할 수 있잖아요. 그
래서 다른 사건들이 영향을 끼치지 않을 수 있죠.

고메시 경우에는 성폭행이었다고 주장하는 그 사건 이후에 '너무
좋았다, 당신하고 어떻게 하고 싶다.' 그런 메일을 보냈잖아요. 그런데
앞으로는 이 증거를 바로 법정에 못 내게 하겠다는 거예요. 이건 말이
안 되죠. 검사한테 내 패를 먼저 보이라는 건데.

또 캐나다 여성단체 비난이 한국 여성단체와 똑같아요.

김   매뉴얼이 있는 것 같아.

이   페미니즘이기 때문에 그렇습니다. 피해자가 사건 전후에 어떤
행동을 했든 피해자의 진술을 탄핵할 수 없다는 증거를 바로 법정에 주
장하는 것이 똑같아요. 한국에서는 성인지감수성으로 캐나다와 똑같은
상황이 벌어지는 거죠.

여성이 상대방에게 너무 좋았다든지 하는 이메일을 보냈어도, 상
대방을 유인하기 위한 것이었다, 성범죄 피해자이기 때문에 자책에 빠
져서 한 거였다, 피해자 증후군에 빠져서 계속 합의 섹스를 한 거였다고
주장하면, 성인지감수성에 따라 그 맥락을 고려해야 돼요.

캐나다 사례가 매우 급진적이라고 얘기를 드렸지만 한국 사법부가
더 급진적이에요. 캐나다는 적어도 입법이라는 행위를 거쳤습니다. 정
당한 절차를 거쳤고, 또 판사가 증거를 채택할 수 있는 가능성, 여지를
여전히 남겨뒀어요.

황　이러다가는 나중에 재가 날 보고 이상한 상상을 했다, 이것도 성범죄다, 이렇게 갈 수도 있을 것 같아요.

이　불쾌감이 성범죄 영역에 들어가니까요.

페미니즘은 성역이 아니다

이　범죄 억제나 국민 안전을 보호한다는 중대한 목적은 다 인정합니다. 그렇지만 헌법이나 형사법은 그런 중차대한 목적을 위해서 재주형되고 재구성될 대상이 아니에요. 중대한 목적이 있음에도 여전히 지켜야 할, 그리고 제한해야 할 것들을 보장하는 것이 헌법과 형사법입니다. 이 개념을 잊지 마셨으면 해요.

황　사법부가 생각해야 된다는 건가요?

이　헌법과 형사법이 여성의 권리와 안전을 위해서 존재하는 법이 아닙니다. 특정 목적이 정말 중대하다 해도 국민의 보편적 기본권을 수호하고 어떤 목적에 따라서 휘둘리지 않도록 제약을 설정하는 게 헌법과 형사법입니다. 그래서 사법부가 이 원칙을

> 중대한 목적이 있음에도 여전히 지켜야 할 제약을 설정하는 것이 헌법과 형사법

놓치지 않았으면 해요. 여지가 없을 만큼 유죄를 입증하지 못했을 때는 무죄를 선고해야 되고, 의심스러울 때는 피고인의 이익으로 판단해야 되고, 영장 없이는 당장 단두대에 매달아도 시원치 않을 정도로 악인이어도 불법으로 구금하거나 체포할 수 없는 것. 이게 원칙 아닙니까.

황 기본권이죠.

김 그게 법치주의예요.

이 단순히 성범죄 사건만의 문제가 아니라 그 원칙이 지금 형해화되고 있어요. 법조인들이 나서지 않으면 사실상 방법이 없어요. 전문가의 비판적 의견이 나와야 해요. 페미니즘은 성역이 아닙니다. 법 위에 이념이 있을 수 없고요. 그래서 안희정 전 지사 측 변호인단이 대법원에서는 좀 더 치열하게 논쟁을 벌이셨으면 합니다.

황 단순히 안희정 전 지사만의 문제는 아니니까요.

이 그렇죠. 일반 국민의 삶에 더 영향을 끼치는 사건이에요. 성범죄에 대해 많은 국민이 경각심을 가질 필요가 있어요. 그래서 이 판결이 중요하다고 생각하고요.

성범죄 사건에서 가해자로 지목된 사람이 기억이 안 난다거나 본인 기억에 따르면 그렇지 않다고 하면, 페미니스트들이 펴는 논리가 있습니다. 가해자는 잊어도 피해자는 절대 잊지 못한다. 이런 얘기 들어보셨죠?

김 피해자의 눈물이 증거입니다.

이 증거라는 걸 넘어서 당시 상황, 상대방의 행동, 그날 공기의 촉감까지도 기억한다, 이런 말을 씁니다. 피해자는 절대 잊지 못한다는 거죠. 그런 피해자가 어떻게 거짓말을 하느냐는 논리예요. 그런데 법정에 가면 피해자가 진술을 번복하거나 진술이 일관되지 않은 경우가 많아요. 그러면 페미니스트들은 피해자이기 때문에 그렇다고 합니다. 어느 것 하나 잊지 않고 공기의 감촉까지 기억한다고 주장했던 피해자가 막상 법정에 가면 세밀한 기억이 자꾸 헷갈려 진술이 달라지거나 번복

되는데, 페미니스트들은 정형화된 틀은 없고 피해자이기 때문에 그렇다고 주장합니다.

김 그것에 대해 집요하게 얘기하면 성인지감수성이 없는 거야.

이 그러면 2차 피해라고 하죠. 개별 인간에 따라서 반응이 다르다고 해요. 그것만 봐도 피해자에게 정형화된 틀은 없고 개별 인간에 따라 반응이 다 다르다는 것을 인정한 거잖아요. 그렇다면 증거능력이 피해자마다 다 다른 거고, 결국 진술의 일관성, 신빙성, 객관적 정황 등에 대해 종합적으로 판단할 수밖에 없습니다. 페미니스트들의 논리에 따라서도 그렇지 않습니까? 개별 인간마다 반응이 다 다른데 뭘 갖고 처벌의 기준을 만들 거예요?

아무튼 안희정 전 지사에 대한 공소사실이 10개였어요. 그중에 9개가 인정돼서 유죄를 받았고요. 한 개만 배척됐습니다.

황 뭐였죠?

이 집무실에서 있었던 강제추행인데요. 진술이 일관되지 않다는 이유로 기각됐어요.

김 그러면 말이죠. 대법원 가서 단 하나라도 인정되지 않으면 파기환송 되지 않습니까.

이 그렇죠. 대법원은 법리판단만 하니까 법리판단에 문제가 있다고 하면 파기환송 하죠. 그래서 제가 법리논쟁을 좀 더 치열하게 하면 좋겠다고 하는 거예요.

치열한
법리논쟁이
필요하다

김 저는 무엇보다 '안희정이 중형을 받아서 쌤통이다.' 이런 분위기가 너무 무서워요.

이　우리 프로 처음 할 때부터 김용민 씨는 엄벌주의나 규제로 가는 것에 대한 우려를 굉장히 많이 하셨어요.

김　특히 엄숙주의.

이　네. 거기 동의했기 때문에 저도 시작한 거고요. 더 강해지고 있어요. 〈우먼스플레인〉을 6개월 넘게 했지만 점점 더 강화되고 있습니다. 입법, 행정, 사법 다 강화되고 있습니다. 국가권력이 비대해지는데, 문제는 진보나 전통적 좌파들이 여성 문제를 통해서 여기에 기여하고 있다는 거예요.

황　래디컬 페미니스트들은 본인들이 하는 이 운동이 예전의 노예 해방운동과 비슷한 거라고 생각하나 봐요.

이　그렇죠. 가부장제 사회에서 여성은 기본적으로 2등 국민의 지위에 있기 때문에 여성의 지위를 온전하게 끌어올리기 위한 운동이라고 여깁니다. 그런데 실제로 지금 보세요. 가부장제라는 보이지 않는 개념 말고요. 지금 사법적으로 저는 남성이 2등 국민이 됐다고 생각합니다. 실제 정책들을 보세요. 평등원칙을 위반하는 정책들이 많습니다. 서울시에서 박원순 시장이 하는 정책 중에 차별적인 정책이 많습니다. 민주당 소속 시장이나 구청장들이 특히 많아요. 왜냐하면 상대적으로 진보적이니까 여성 인권에 더 민감하고 다 거기 매몰되어 있는 거예요. 페미니즘이 곧 여성 인권이고 페미니즘이 곧 평등이라는 개념을 벗어나지 못합니다. 그래서 언더도그마 얘기도 하고 페미니즘이 곧 성평등이 아니라는 얘기를 계속해도 쉽게 바뀌지 않아요.

> 사법적으로
> 남성은 2등 국민이
> 되고 있다

244

그래서 정말 외롭습니다. 여러분들이 '내 문제의식이 혹시 틀렸나? 사회 분위기가 이런데 내가 잘못된 건가?' 이렇게 생각을 하실 수 있는데요. 여러분의 문제의식이 정상입니다. 외롭지 않다는 걸 아시면 좋겠어요. 우리가 있어요.

페미니스트들도 이 문제가 단순하게 여성 권리에 해당하는 문제가 아니라 우리 사회가 나아갈 가치나 방향을 총체적으로 담고 있는 문제라는 인식이 있으면 좋겠습니다.

황 급하게 편성했는데, 많이 봐주셔서 감사합니다.

2차 가해를 생각한다

2019. 02. 26. 25화 중에서

　　안희정 전 충남도지사의 법정구속 후 아내 민주원 씨가 페이스북에 잇달아 글을 올렸습니다. 그러자 150여 단체가 모여 만든 안희정성폭력사건공동대책위원회(이하 공대위)는 당장 2차 가해를 멈추라고 요구했습니다. 민주원 씨의 페이스북 글을 따돌림 및 괴롭힘에 대한 커뮤니티 정책 위반이라며 집단 신고해 삭제하기도 했습니다. 민주원 씨는 이 사건은 성폭행이 아니라 불륜이라고 주장합니다. 자신의 경험과 김지은-주변인, 안희정-김지은-주변인 사이의 대화 내용과 증언들을 근거로 제시했습니다. 공대위는 민주원 씨의 행위가 성폭력 피해자에 대한 전형적인 2차 가해로, 그녀가 올린 안희정-김지은 사이의 문자 대화는 사생활을 침해하고 짜깁기로 맥락을 거세한 악의적인 행위라며 강도 높게 비난했습니다.

　　2차 가해는 성폭력 혹은 성범죄 피해자들에게 고려되어야 할 개념입니다. 그러나 최근 성폭력 사건에서는 피해자라고 주장하는 사람에게 불리한 행위까지 모두 2차 가해로 규정해 오남용 문제가 제기되고 있습니다. 사건의 실체적 진실을 규명하고 판단하기 위한 행위까지 2차 가해로 비난받거나 처벌당하기도 합니다.

　　안희정-김지은 사건은 이미 공적 사안이 되었다는 점이 중요합니다. 만약 김지은 씨가 수사기관에 신고하고 상대방이 권력을 가졌으니 본인 신원이 드러나지 않게 보호되길 원한다며 비공개 방식을 택했다면, 수사기관, 언론, 시민 모두 당사자의 보호받을 권리를 존중해야 합니다. 그러나 김지은 씨의 경우 방송에 나가 실명을 공개하는 방식을 택했고, 그 순간 이미 공적 사안이 되었습니다.

의견이 있으면 변호사를 통해 재판부에 제출하라는 공대위의 요구는 부당합니다. 1심에서 무죄판결이 난 후 공대위는 모든 수단을 통해 1심판결에 이의를 제기하면서 안희정은 유죄라고 주장했습니다. 자유롭게 자신들의 의견을 개진했습니다. 공적 사안이 된 사건에 대해서는 누구든 견해를 피력할 수 있습니다. 자유롭게 얘기하되 다만 인신공격이나 모욕, 사실관계를 왜곡하는 발언들은 주의해야 하고, 주장에 대해서는 분명한 근거가 있어야겠지요. 특정인의 이야기만을 사실로 고정하려는 건 공론장에서 특권적 지위를 누리려는 발상입니다. 여기에 동원되는 논리가 2차 가해와 피해자 중심주의인데, 두 개념의 적용방식에 대해서는 여성계 내부에서도 문제제기가 있습니다.

피해와 가해를 다투는 과정에서는 사실관계 확인, 증거 수집, 객관적인 추론을 위한 논의, 공정한 수사와 재판 등의 과정이 불가피합니다. 당연히 매 순간 권리침해가 없도록 주의해야 하지만, 그걸 넘어서 피해자라 주장하는 사람이 불편해하는 모든 행위를 2차 가해로 규정하는 것은 개념의 왜곡이고 자의적 확장입니다. 민주원 씨의 아랫글에 2차 가해와 피해자 중심주의에 대한 중요한 시사점이 있습니다.

"저는 오랜 세월 여성 인권을 위해 여성단체가 흘린 땀과 고통스러운 노력을 기억합니다. 기울어진 여성 인권이라는 운동장에 의미 있는 변화가 지속되고 있음을 한 명의 여성으로서 감사한 마음으로 응원하고 지지하고 있습니다. 그러나 저는 어떠한 주장도 객관적 사실과 진실에 부합하지 않는다면 그 힘을 상실한다고 생각합니다. (…) 진실이 진실로 밝혀지고 받아들여지는 것이 바로 여러분이 수십 년 동안 바라고 추구해온 가치가 아닙니까? 피해자라고 주장한다고 해서 그 주장이 모두 사실인 것은 아닙니다. 사실을 출발점으로 삼아야 합니다." 출처: 민주원 페이스북. 2019년 3월 22일

11장

문재인 정부에
실망한 2030 남성들

2018년 11월 27일 12화 방송

황 〈우먼스플레인〉 인사드립니다. 이선옥 작가님, 김용민 씨와 함께합니다. 안녕하세요.

김/이 반갑습니다.

황 이번 주도 여론조사 결과가 발표되면서 뺄 수 없는 젠더이슈 이야기들이 있습니다.

김 '이영자'라고 20대, 영남, 자영업자 층에서 문재인 대통령 지지율이 떨어진다는 얘기가 나왔습니다.

황 여론조사 전문기관인 갤럽에 따르면 20대의 문 대통령 지지율이 지난 6월에는 83%였습니다. 굉장히 높았죠. 그런데 11월 첫째 주에 65%, 둘째 주에 59%, 셋째 주에는 56%로 하락했습니다. 관심을 끄는 게 20대 중에서도 남성 지지율 하락이 전체 지지율 하락을 견인하고 있다는 점이에요.

김 지난 6월에 비해서 27%포인트가 빠졌습니다. 어마어마한 거죠. 흥미로운 건, 40-50대 남성들 지지율은 변동이 없는데 20대 남성

시지율이 폭락 수준이에요.

황 30대 남성 지지율도 많이 빠졌어요. 82%에서 59%로.

김 20-30대 남성들의 지지율 이반이 매우 심각하다. 이게 젠더이슈 때문이란 분석도 나왔고요. 이준석 바른미래당 최고위원이 얼마 전 신지예 녹색당 공동위원장과 토론 붙었다가 대승을 했잖습니까. 기세등등해서 손학규 대표한테 '우리가 젠더이슈 선점해야 된다. 당 지지율이 정체를 보이는데 젠더이슈로 20대 남성 지지율을 끌어모아야 된다.' 이런 얘기를 했어요. 그랬더니 손학규 대표가 뭐라고 그런 줄 아세요? 트랜스젠더 문제는 교회가 싫어한다고.

황 농담하지 마시고. 진짜로요?

김 진짜야. 이준석이 얘기해준 거야.

20대 남성들의 이유 있는 분노

황 작가님, 어떻게 보셨습니까? 젠더 문제가 이제 현실로 다가왔습니다.

이 깜짝 놀랐어요. 우리가 〈우먼스플레인〉을 하면서 20대 남자들의 분노가 심상치 않다는 얘길 해왔잖아요.

김 이선옥 작가님한테 처음 들은 얘기였어요. '에이, 그래도' 이런 마음이 있었는데 며칠 후에 신문에 실린 거예요.

이 제가 3년 전부터 얘기한 건데.

황 민주당에서 20-30대 남자 지지율이 떨어진다는 건 자유한국당에서 60-70대 남자 지지자가 떠나는 것과 비슷한 거예요. 절대적인 지지를 보냈으니까.

이 20대 지지율 하락에 병역 문제도 컸다고 봐요. 6월에 헌법재판소가 대체복무제 없는 병역법에 대해 위헌 결정을 내리고, 그다음에 대법원에서 양심적 병역거부자들에게 무죄판결 내렸어요. 병역도 젠더 이슈와 무관하지 않거든요.

지금 20대들은 따로 불만을 표출할 창구가 없잖아요. 그러니까 현정권에 대한 지지율 하락으로 의사표시를 했다고 봐요. 그런데 이에 대해서《중앙일보》가 '이영자'라고 다루었고 다른 매체들은 조용한 편이에요.

황 진보매체 말씀하시는 거죠?

이 진보매체들은 여론조사 결과를 그다지 중요한 이슈로 다루지 않고 있습니다. 20대 남성 지지율 급락이 문제인 정부 지지율 급락을 견인한다는 분석이 나오는데도 언급하지 않는 건 특이한 반응이에요. 진보매체들은 20대 세대 문제에 굉장히 민감했어요. 우리 사회의 가장 큰 문제 중 하나가 청년 고용, 실업이라고 늘 주장해왔단 말이에요.

거꾸로 지지율 대폭 하락의 주체가 20대 여성이고 남성의 2배 이상 폭락을 보였다면 과연 진보매체들이 이렇게 조용했을까 하는 생각도 듭니다. '20대 여성들 왜 등 돌렸나' '20대 여성 민심 심상치 않다' '정부가 20대 여성들에게 무슨 잘못을 하고 있는가?' 분석이 쏟아졌을 거예요.

황 그렇다면 언론에서 왜 다루지 않는다고 보세요? 20대 남성을 강자로 규정해서?

이   저는 이게 그동안 진보매체들이 쭉 주장해왔던 논조에 대한 역풍이라고 생각해요. 여성이 약자이기 때문에 여성을 더 많이 배려해야 한다, 여성우대정책을 펴야 한다. 이런 주장을 해온 것에 대한 반작용이 나타난 거잖아요.

황   역풍이다.

이   20대 남성들이 갑자기 이탈했고 정부에 불만을 표하고 있다면 이것에 대해서 애길 해야 하는데, 그동안 해온 주장에 따라서 간단히 백래쉬라고 규정할 거예요.

김   반발, 반대.

이   반동. 그동안 이것이 시대착오적인 역행이고 남성들이 타깃을 잘못 잡았다는 식의 분석을 견지해왔거든요. 지금까지 해온 여성 편향 정책이라든지 남성들의 불만 포인트를 진지하게 분석해야 됩니다. 저는 이제라도 했으면 좋겠는데…….

> 불만을 표출할 창구가 없는 20대 남성, 그들의 불만 포인트를 진지하게 분석해야 한다

황   20대 남자들이 취업에 무슨 특혜를 받고 강자 입장입니까? 대학 진학률은 여성에 역전당했잖아요. 이런 상황에서 여성우대정책으로 간다고 하면 반발 일으키죠.

이   병역 문제와 젠더 문제뿐만 아니라 20대 남성들이 가지고 있는 불만 중에 세대 간 갈등이 있습니다. 최근 성별 대립 국면에서 50대 남성들, 이른바 86세대들이 보인 사다리 걷어차기식의 태도에 대해서 불만이 있어요.

김   사다리 걷어차기가 뭡니까?

이　50대 남성은 어릴 때부터 여성의 희생을 기반으로 한 시대를 살았어요. 그때는 대학 진학률도 남성이 월등히 높았고요. 누이나 어머니가 희생하는 이야기들이 드라마에도 많이 나오잖아요. 그래서 특혜를 누렸다는 죄책감이 있어요. 그리고 이분들은 민주화 과정을 겪었고 자기들이 견인했잖아요. 인권, 민주화 개념을 얘기하다 보니 여성들이 당해온 차별이나 억압을 개선해야 한다는 의지가 있었죠.

이분들이 지금 20대 남성들이 여성들한테 공격받는다고 하소연하면 '여자가 그동안 차별받아온 역사가 있으니까 남자가 이해해야지. 우리는 이해하고 지지한다.' 이런 태도를 보였거든요. 여성의 희생이나 억압의 혜택은 자신들이 입었지 지금 20대는 아닙니다. 그런데 여자들이 그러는 건 당연하니 이해하라고 하니까 20대 남성들이 86들에 엄청나게 분노하는 거예요. 저는, 그렇게 자신이 혜택을 입었다는 죄책감이 있으면 누이들한테 집문서 하나

> 여성들의 희생과 억압으로
> 혜택을 받은 것은 86들.
> 지금의 20대는 아니다

씩 주고 재산도 나눠주고 하시라는 거예요. 자신들이 개인적, 사회적인 혜택을 입었다고 생각하면 희생한 누이와 어머니에게 직접 갚으시라고요.

지금 20대 남성은 대부분 자녀가 하나 혹은 둘인 사회에서 남녀 차별 없이 컸어요. 부모들이 예전 같은 성차별적 의식을 가지고 키우지도 않았고. 대학 진학률은 이미 역전됐고, 여성의 사회 진출에 명시적인 제도적 차별은 없어요. 그런 상황이 되었는데 남자는 여전히 군대 가야 하잖아요. 병역은 20대 남성에게 아주 예민한 문제예요. 그런

데 성별 임금 격차지수를 봐도 20대는 거의 차이가 없거나 여성이 약간 높습니다. 남성은 군대에 가니까 갭이 있잖아요. 군대 갔다 오면서 도태기를 겪는데 가산점 같은 보상체계는 없어졌어요. 가산점이 옳다 그르다를 떠나 일단 보상체계가 없어졌다는 상실감이 있는 거예요. 데이터를 봐도 현실에서 겪는 피해나 억압이 있으니까 여성들의 주장이 와닿지 않죠.

황 그게 포인트인 것 같아요. 지금 20~30대 남성들이 실제 피해를 입을 수 있는 상황이 오고 불합리함을 겪으면서 정치적으로 마음이 떠나는 거.

이 본론으로 들어가 볼까요. 20대 남성 지지율 폭락 원인은 무엇보다 사회경제적인 불안이 크다고 봐요.

김 86세대들은 대학 다닐 때 데모만 했어도 졸업할 때쯤엔 너덧 개 직장 중에 어디 갈까 고민했어요. 지금은 SKY대 나와도 안 돼요.

이 당시는 경제 성장기였잖아요. 당연히 지금하고 다르죠. 그리고 우리가 IMF 이후로 성장세는 유지하고 있지만, 사람들이 경기 상승을 체감하지 못하는 불황이 계속되고 있잖아요. 그 직격탄을 맞는 게 청년이고. 지금 청년들은 취업난이 심각하니까 현재도 불안하고 미래도 불안해요.

최근 문재인 정부 지지율 하락에서도 중요하게 봐야 할 수치가 통계청에서 발표한 분기별 가계소득 조사예요. 1분위(소득 1분위가 하위 20%예요.) 가구 근로소득이 1년 전보다 22.6% 포인트 감소했어요. 통계 작성 이래 최악입니다. 양극화가 심각한데 가장 빈곤층에 청년 세대가 있다는 거죠.

이렇게 불안 요인이 깔린 상태에서 성별 전쟁이 붙은 거예요. 치열한 취업 시장에서는 대등한 지위의 경쟁자인 여성들이 자신들을 기득권자로 규정하죠. 윗세대 남성들은 20대 남성의 처지를 이해하려는 노력보다 '여자가 약자인데 너희가 참고 이해해야지.' 그러고. 평등한 세상을 위해서 목소리를 내고 있다면서 여자들만 지지하니까 화가 난 거죠. 그런데 이걸 체계적으로 풀 수 있는 제도나 정치세력이 없으니까 대통령 지지율 폭락으로 나타난 거라 봅니다.

성별따라 달라지는 정부의 온도계

이   2030 남성들의 민심 이반 사례를 몇 가지 소개해볼게요. 2016년에 이른바 '메갈리아 사태'가 있었어요. 그때 〈클로저스〉라는 게임에 참여한 성우가 메갈리아 티셔츠 입고 인증을 했어요.

김   소녀는 왕자가 필요 없다.

이   그 인증으로 정말 작은 일이 큰 사태로 번졌는데, 정의당이 크게 내홍을 겪고 당원들이 대거 탈퇴했고, 《시사IN》도 정기구독 독자들이 탈퇴해서 타격을 입었어요. 당시 메갈리아 사태 때 정의당 문예위원회가 남성들의 분노에 대해 논평을 냈어요. 여성혐오를 비난하면서, 여성이 페미니스트 선언으로 자기 목소리를 내서 해고당했다는 프레임으로 성명서를 냈는데, 남성들이 거기 또 분노한 거예요. '오늘의 유머'(오유) 유저 중에는 정의당 지지자들도 있었거든요. 심상정 의원 후원금도 걷어주고 지지했었어요. 아무튼 오유를 위시해서 당내에서도 논평에 반발이 있었어요. 당내 갈등이 계속되니까 논평을 철회하기에 이릅니다. 그러자 논평을 철회한 것에 대한 반발이 일어나는 내홍을 겪었어요.

정의당 당원들이 그때 지지 철회를 하면서 당원과 후원자가 많이 빠졌어요. 당시에 지지율이 3%가 빠졌어요. 정의당 입장에서 지지율 3%는 크잖아요. 그 정도로 타격이 있었죠.

황　그 정도면 반 정도 나간 건데요.

이　《시사IN》에도 '분노한 남자들'이라는 기획 기사가 있었어요. 남성들이 왜 이렇게 분노하는가를 데이터로 분석했는데, 결론은 여성들이 미러링으로 하는, 성기 비하 같은 조롱 언어에 분노한 남성들의 찌질한 반응이라는 거였어요. 남자들이 그동안 우월한 지위에 있다가 이런 조롱과 멸시를 당하고 특히 성기 비하를 겪으니까 거기에 발끈해서 찌질하게 대응했다는 거죠.

김　한남들은 성기 크기가 작다, 이런 얘기죠.

이　아니죠. 크기에 대해서 민감한 게 아니에요. 맥락을 보면, 겨우 성기 사이즈 같은 거에 부들부들하는 초라한 남자라는 남성상을 만든 거죠. 한국 남자를 그렇게 취급하니까 '내가 그런 사람이 아닌데 나를 성기 사이즈나 민감하게 생각하는 찌질한 남자로 여기다니!' 하는 반작용이 나온 거죠.

> 동의하지 않는 프레임으로 성별갈등을 규정하는 시도에 대한 남성들의 반발

황　그래서 요즘 젠더이슈에 대해서 정의당이 조용하잖아요. 논평도 잘 안 하고.

김　대중 정당으로 가려다 보니까 그런 거겠죠.

이　그때《시사IN》에서도 정기구독자가 엄청 빠졌어요. 매출에 큰 타격이 있다고 할 정도로. 20대 남자뿐만 아니라 다른 연령대 남성 독자들도 분노했어요. 성별갈등을 자기가 동의하지 않는 프레임으로 규정하는 시도에 남성들의 반발이 계속 있었습니다. 그게 진보진영 전체에 대한 반발로도 이어졌어요.

제가 2016년에 정의당 당원들을 만날 기회가 있었어요. 그때 한 이야기가 뭐냐면, 이렇게 분노한 사람들이 진보진영에 등돌리고 떠난 에너지가 바로 자한당이나 우익으로 가진 않겠지만 제대로 분노를 이해해주는 정치세력이 계속 없다면 트럼프 같은 인물이 나왔을 때 표를 줄 수도 있다. 등돌린 사람들의 마음을 얻을 수 있는 정책이나 발언을 해야 한다는 거였어요.

> 분노한 사람들이
> 진보진영에 등돌리고 떠나면
> 그 에너지는 어디로 갈 것인가

김　그래서 이준석이 영악하게 바른미래당이 젠더이슈를 주도해야 한다고 말한 거 아니에요.

황　피드백이 바로 오니까 이쪽을 노리는 것 같은 생각도.

이　사실 늦게 온 거죠. 3년 동안 이어지다 이번에 터지니까 이준석 씨나 하태경 씨가 발언한 것만으로도 바른미래당 찍어주겠다는 얘기들이 막 나오잖아요.

황　왜 여기까지 왔는지 얘기해봐야 돼요. 이런 사건이 한두 개가 아니었어요.

이　청와대 청원 게시판 답변의 온도 차이도 들 수 있어요. 불만이 굉장히 높습니다. 청원 게시판이 생긴 이래 답변 기준선 20만을 넘긴

게 젠더이슈가 많아요. 60-70% 정도 같은데 이것도 기원이 있습니다.

온라인 문화를 면밀히 살펴보면 흐름을 알 수 있는데요. 저는 글을 써야 해서 계속 관찰해 왔어요. 초기에 올라왔던 청원 중에 많은 동의를 받은 게 남녀 공동병역의무 청원이었어요. 그때 12만 정도 갔습니다. 그때만 해도 5만이 넘으면 해당 게시물 색깔이 다르게 바뀌었어요.

과연 청와대가 어떻게 답변할까, 이런 궁금증을 가지고 이슈가 많이 됐어요. 문재인 대통령이 청와대 수석회의에서 병역 같이 하자는 청원이 게시판에 올랐다고 언급할 정도였고, 기사에도 많이 나왔어요. 대통령이 언급할 정도로 관심 있는 이슈여서 사람들은 과연 정부가 어떤 답을 내놓을까 기대를 했죠. 그런데 답변을 하지 않았어요. 그러면서 갑자기 20만이라는 가이드라인을 제시합니다.

황 청와대가 답변을 하려면 20만 명이 넘어야 된다는 기준을 잡은 거죠.

이 가이드라인을 제시하면서 20만 명이 넘는 사안에 대해서만 답변을 하겠다고 얘기한 거예요. 그러면서 이 청원은 묻혔죠. 20만이라는 숫자의 합리적인 근거를 대지도 않았어요. 갑자기 가이드라인이 생긴 거예요. 그러니까 앞서 그 청원을 했던 사람들은 기대가 무너졌죠.

그런데 페미니즘 교육을 의무화해야 된다, 무고죄 수사에 대해서 대검찰청 매뉴얼을 폐지해야 된다 등 여성들의 요구사항과 관련한 답변은 윤영찬 수석, 박형철 반부패비서관처럼 중요한 위치에 있는 분들이 나와서 했어요. 반면 곰탕집 성추행 사건이라고 불린, 사법부 유죄추정원칙에 항의하는 청원에 대해서는 청와대 뉴미디어 비서관인 정혜승 비서관이 답변했는데 내용이 정말 짧았어요. '1심 재판이 끝났고 사법부가 2심 재판을 진행 중이다. 청와대가 사법부가 재판하는 사건에 관여할 수 없다. 앞으로는 사법부 관련한 것은 청와대 청원에 올리지 않았으면 좋겠다.' 이렇게 답변한 거예요. 거기서 또 한 번 터진 거죠.

그 전에 판사 한 명을 탄핵하라는 청원이 20만을 넘겨서 청와대가 답변한 적이 있습니다. 그때는 대법원에 이런 민심을 전달했다고 기사가 나왔어요. 다른 사안에서는 사법부 관련 답변을 꼭 피한 것만은 아니었어요. 그러니까 이런 상대적인 온도 차이에서 공정하게 취급받지 못한다는 신호를 받는 거죠. 청원 게시판 답변 하나 가지고도 여러 온라인 커뮤니티에서 남자는 어떻게 이렇게 취급할 수 있냐는 불만이 계속 쌓입니다. 이런 사례들이 계속 누적되어 있다가 병역 문제가 맞물리면서 터지지 않았나 이렇게 분석합니다.

황 문재인 정부의 여성정책에 대한 불만은 여자를 더 우대하느냐 남자를 더 우대하느냐가 아니라, 공정함에 대한 문제라고 볼 수 있겠네요.

20대 남성들의 시대정신은 억울함

이 문재인 정부는 대통령 자신이 페미니스트 대통령이 되겠다고 공약하고 시작하지 않았습니까. 그러니까 여성들은 여성들대로 기대가 있고 남성들은 페미니스트 대통령이 되겠다는 공약을 굳이 반대하진 않았어요. 그에 대한 반감이 아니라, 현 정부와 민주당 지자체장들이 시행하는 여성우대정책에 불만이 있어요. 지금 20대 남성들은 공기업 같은 취업 시장에서는 자신들이 페널티를 받는다고 생각합니다.

황 2년 정도 뒤처져 있고.

이 여성 쿼터제를 시행하거든요. 그리고 정부가 계속 여성을 우대하라는 압력을 주니까 남성들은 오히려 페널티라고 생각해요. 지금 20대 남성들이 가진 시대

> 정부의 여성우대정책이
> 20대 남성들에게는
> 페널티로 다가온다

정신이 억울함이라는 얘기를 많이 해요. 억울함에는 두 종류가 있어요. 하나는 내가 하지 않을 걸 했다고 할 때, 다른 하나는 내가 하기는 했지만 한 거에 비해서 과한 책임을 물을 때. 20대 남성들은 두 가지가 다 있는 거예요. '내가 무슨 기득권이야? 자라면서 한 번도 남자라고 이익 받은 게 없고 지금은 오히려 불리한데.'라는 게 있고요. 그리고 성범죄 얘기를 할 때 가해자가 대부분 남성입니다. 그래서 남성 전체가 성범죄자 집단으로 취급받잖아요.

황 잠재적 가해자.

이 그런 취급을 받으니까 '남성들이 성범죄에서 가해자인 것 맞아. 맞는데 내가 그런 건 아니잖아. 왜 그러지 않은 나까지 그런 취급을 받아야 돼?' 하는 억울함이 있죠. 그런데 정부가 억울함을 해소해주기보다 계속 공정하지 않은 신호를 준다고 생각하니까 억울함이 분노 에너지로 가는 거예요. 억울한 사람이 어디에서도 자기 말을 들어주지 않을 때 체념해서 무기력한 상태가 되거나 분노하게 되는데, 저는 분노 단계라고 봅니다. 이걸 그저 일시적인 상황으로 여기지 않았으면 좋겠어요.

황 분노 다음은 뭐라고 봐야 하나요? 실제 실행에 옮긴다?

이 분노 다음에는 실제 증오범죄로 갈 수도 있습니다. 묻지마 범

죄도 사회경제적 불안과 무관하지 않다는 분석을 하잖아요. 여의도에서 지나가는 행인을 마구 찌른 범죄자가 있었는데, 자기는 취식도 못 하는데 여의도에 다니는 직장인들이 너무 행복해 보였다는 거예요. 어느 사회나 리스크를 안고 있어요. 이것을 제도나 정책으로 보완해서 리스크를 줄이는 게 국가의 의무잖아요.

그리고 증오범죄가 지금 남성에게서만 드러나는 게 아니에요. 최근 이수역 폭행사건을 보면 증오범죄까지는 아니지만 혐오의 언어들이 현실에서 쌍방 간에 부딪친단 말이죠. 그것이 격화되면 어떤 범죄로 이어질지 알 수 없는 거예요. 또 한 가지, 혜화역 시위를 얘기하지 않을 수가 없습니다.

김 그때 장관들이 다 나섰지요.

이 혜화역 시위 때, 여성들이 거리로 뛰쳐나와서 이렇게 절박하게 호소할 때는 그 얘기를 들어줘야 한다는 게 문재인 정부의 기본 기조였어요. 그래서 지방선거 앞두고 급하게 행정안전부에서 분석을 의뢰한 보고서도 하나 나왔는데, 보고서를 보면 여성들의 말을 들어야 하고 공적인 테이블에서 여성의 주장을 수용해야 하고 사회적인 존재로 인정해야 한다고 권고하고 있습니다. 그 권고대로 했어요.

처음에는 여가부 장관과 경찰청장이 만나줬고 그다음에 행정안전부, 여성가족부를 넘어서 법무부, 교육부, 과학기술정보통신부, 방송통신위원회, 경찰청의 과장급들이 모여서 요구 조건을 경청하고 이행하겠다고 하면서 정말 성심성의껏 대해 줬거든요. 이렇게 여성들이 요구하는 것은 다 수용하고 있다는 신호를 계속 주는 거죠. 그런 데다가 각종 여성우대정책이 계속 이어지니까 이번 지지율 조사에서 병역 이슈와 맞물려서 터졌다고 봅니다.

이런 분노들이 쌓이니까 남성들이 온라인에 여성들을 우대하는 게 얼마나 이상한 것인지를 보여주는 게시물을 끊임없이 올립니다. 예를 들어서 여경이 팔굽혀펴기를 못하는 영상, 교통사고가 났는데 남성 시민이 피해자를 구하고 있고 여경들은 옆에서 교통정리를 하는 영상, 이런 영상들을 계속 찾아내서 올리는 거예요.

황 경찰 시험은 공무원 시험이니까……．

이 체력 기준을 하향 적용해서 여성에게 인센티브 주는 것에 대한 불만이에요. 그렇게 하면 치안은 누가 담당하느냐는 거고. 온라인에서는 늘 전쟁이에요. 여성을 뽑았을 때 일어날 수 있는 부조리한 장면들을 계속 찾아냅니다.

황 범죄자 한 명 제압 못 하는 게 무슨 경찰이냐.

이 그렇죠. 혜화역 시위의 '불편한 용기'에서는 현재 전체 여경 비율이 낮으니까 여경 채용 비율을 9대1 정도로 획기적으로 늘려서 전체 여경 비율을 높이라고 해요.

황 여경을 9로 뽑으란 얘기인가요? 놀라운 얘기네요.

이 그렇게 하라는 게 공식 입장서에 나와 있어요. 그리고 경찰청장, 검찰총장을 여성으로 교체하라는 요구도 있고요. 여성의 주취 사건들 있잖아요. 그러면 남자 경찰은 손을 못 댑니다. 경찰이나 시민이 구조했다가 성폭행범 누명을 쓴 사례들이 도니까요.

여성들이 주장하는 고용평등에 대해서 남성들은 그것의 역효과, 부작용을 계속 끄집어내요. 그러면서 성별 전쟁은 계속 격화되는 거죠.

황 이거는 진짜 해결될 수 있을까, 하는 생각이 들 정도네요.

이　저희가 어쨌든 해법을 얘기해야 되지 않겠습니까.

김　문재인 정부 지지율을 높일 수 있는 대안도 되겠죠. 20대 남성의 지지율을 다시 높일 수 있는 해법들.

가치와 이념은 다르다

이　무엇보다 중요한 건 정부가 현 사태의 심각성을 인지해야 한다는 거예요. 이게 온라인에 존재하는 허수의 감정이 아니라 오프라인에서 실재하는 여론이라는 사실을 인식하셔야 됩니다.

김　혜화역 집회만큼 남성들이 나오면 인식할 수 있을 거예요.

이　세계적으로도 남성들이 자신의 권익을 위해서 개인이 아니라 집단적으로 의사를 표현하는 집회 같은 게 없습니다.

황　그런 집회에 나가는 것을 창피하다고 생각하는 남성이 있을 거예요.

이　여성이 약자라는 인식을 공유하고 있기 때문이에요. 여성은 자기가 약자라는 인식과 이에 더해 페미니즘이라는 이즘으로 무장해 있잖아요. 이념을 가진 집단은 조직화가 굉장히 쉽습니다. 그런데 남성은 그런 이데올로기가 없고, 또 파편화되어 있습니다. 결집할 수 있는 게 없죠. 그래서 남성들이 택할 수 있는 최선의 방법은 표로 자신들을 대변할 정치세력을 만드는 길밖에 없습니다.

저는 본질적으로는 정부의 국정철학에서 기본권과 여성 인권을 동등하게 여기면 안 된다고 봅니다. 페미니즘이 곧 성평등이 아닙니다.

성평등은 가치고, 페미니즘은 이즘이에요. 이념. 정부가 추구해야 하는 것은 가치이지 이념이 아닙니다. 문 대통령이 페미니스트 대통령이 되겠다고 한 것은 성평등과 인권을 소중하게 생각하고 사회적 약자를 배려하겠다는 뜻이라고 전 이해합니다. 이념적 의미로 페미니스트 대통령이 되는 것과는 다르다고 생각해요. 페미니즘은 이념이고 성평등이라는 가치를 추구하는 한 가지 방안이에요. 페미니스트들은 페미니즘을 통

> 성평등은 가치이고 페미니즘은 이념 정부가 추구해야 하는 것은 가치이지 이념이 아니다

해서 성평등이라는 가치를 구현하려고 하는 거고요.

황 성평등이라는 대전제 안에 있는 하나의 이즘이다.

이 가치와 이념의 차이인 거죠. 성평등은 우리가 추구해야 할 가치이고 성평등을 추구하는 방법에는 여러 가지가 있습니다. 그중 하나가 페미니즘인 거죠. 둘을 동급으로 생각하는 건 착각이에요. 페미니스트들의 주장이 성평등의 가치에 부합할 때는 정책에 반영할 수도 있고 그렇지 않을 때는 안 할 수도 있는 거예요.

정부는 구성원들의 갈등과 대립 상황을 조정하는 조정자로서 역할을 해야지, 오히려 갈등을 조장한다는 인식을 주면 안 됩니다. 그리고 정부가 갈등을 조정할 때 적용해야 하는 것은 규범입니다. 규범은 헌법일 수도 있고 법률일 수도 있고 제도일 수도 있어요. 거기에 집중해야지, 여성이 약자니까 요구를 들어주겠다는 언더도그마에 정부가 빠지면 안 된다는 겁니다.

정부는 기본권을 훼손해서는 안 됩니다. 법치를 근간으로 하는 근

대 민주주의 국가에서 정부가 가장 우선순위에 두어야 할 것은 헌법이라는 규범과 법률이라는 제도예요. 위헌성이 있는 여성 편향 정책은 폐지하거나 개선해야 됩니다. 단적으로 무고수사유예지침은 위헌 요소가 다분하거든요. 그리고 지금 여가부가 추진하려는 인터넷 표현물에 대한 규제 정책도 심각한 문제예요.

김　적어주신 것 보니까 심각해요. 페미니즘 성평등 정책에 대한 적대감과 비난, 남성이 역차별을 겪고 있다고 주장하거나 미투운동을 비난하는 등 성평등 정책을 무효화하고자 하는 시도를 규제한다는 거 아닙니까.

이　여가부가 규제하고 싶어하는 내용에 지금 말씀하신 것들이 들어 있어요.

황　지금 몇 년도예요? 2018년이에요. 1988년이 아니에요.

이　이건 표현의 자유에도 위배돼요. 위헌적 요소를 가진 정책을 추진하거나 추진하겠다는 발언은 신중해야 합니다.

공정하다는 신호가 필요하다

이　경찰청도 여성들이 몰카 범죄 애기를 하면 '우리가 잘못했다. 더 철저하게 하겠다.' 합니다. 그런데 저는 그것도 중요하지만, 정부가 잘하는 것마저 적극적으로 홍보하지 않는 것도 문제라고 봐요. 여성들이 가진 공포에는 실재하는 공포가 있고 만들어진 공포가 있습니다. 우리나라는 치안이 좋은 국가예요. 공식적인 지표로, 안전지수로 보면 꽹장히 안전한 국가입니다.

황 한국 여성이 외국 여성과 대화하다가 '요즘 한국 밤길 무서워서 못 돌아다닌다.' 했더니, 외국 여성이 '미쳤어? 밤에 왜 다녀?' 그랬다는 얘기가 있죠.

이 잘하는 것은 그것대로 얘기하면서 공포 확산을 막아야죠. 여성들이 계속 공포에 관련된 기사만 접하면 직접 피해가 없는데도 공포를 갖게 돼요. 그러면 계속 공포가 확산되고 정부에 대한 불신으로 이어집니다. 객관적인 지표로 정부가 잘하는 정책에 대해서는 좀 더 적극적으로 알릴 필요가 있어요.

청와대 게시판도 공정하다는 신호를 줄 수 있게 재정비할 필요가 있어요. 기회는 평등할 것이고, 과정은 공정할 것이고, 결과는 정의로울 것이다. 이게 문재인 정부의 대표 슬로건 아닙니까. 지금 남성들은 기회 평등, 과정의 공정함 모두 피부로 느끼지 못하고 있습니다.

> 기회는 평등하고,
> 과정은 공정하고,
> 결과는 정의로운가?

지금 20대 남성은 무엇보다 공정한 룰의 적용을 중요하게 생각해요. 경쟁 시장에서 자랐고, 지금도 취업이라는 무한경쟁에 놓여 있기 때문에 공정한 룰이 적용되는가 아닌가에 엄청나게 민감합니다. 이게 무엇보다 중요합니다. 정부는 어떤 상황에서도 2등 국민을 만들지 않는다는 확고한 신호를 줘야 하는데, 그걸 못 주고 있는 거예요.

김 '한국에서 여성의 괴로움은 문제가 되는데 남성은 문제가 되지 않는다. 경청해주는 사람도 지원해주는 단체도 없다. 불법체류자도 심지어 유기견도 보호해주는 단체가 있는데 남성에겐 아무것도 없다.

사회적 고아 상태다. 유기 남성은 갈 곳도 표현할 곳도 없다.' 유기 남성이래, 허허.

이　사회적 고아라는 표현이 맞아요. 고립됐다고 느껴요. 결국 보편적 권리 의식을 강화하는 방향으로 나가야 합니다. 우리가 약자나 소수자의 권리를 특별히 배려하고 강화하는 건 보편적 권리를 더 탄탄하게 하기 위함이거든요. 그런데 최근 정체성 정치가 유행하면서 정체성에 의한 차이를 시민이라는 공통분모보다 더 강조하는 경향이 있습니다. 정체성 정치는 성별이든 종교든 한 사람이 가진 근원적인 정체성으로 그의 약자성을 판별하는 운동인데, 진보진영이 여기에 많이 빠져 있어요. 보편적인 권리 의식, 우리 모두 시민이라는 공통분모를 강조하는 공동체를 지향한다는 방향성을 설립할 필요가 있습니다.

> 정체성 정치의 유행으로 정체성에 의한 차이를 시민이라는 공통분모보다 강조하는 경향

마지막으로 진보매체, 진보진영에 한마디 하지 않을 수가 없는데요. 언더 도그마에서 빠져나와서 이런 불만 에너지가 극우적인 갈등, 배제의 정치로 나가지 않도록 책임 의식을 가져야 합니다. 난민 문제에서는 여성들의 분노, 공포와 극우세력이 만나기도 했었죠. 분노 에너지와 정부에 대한 불신이 사회적 약자에 대한 배려심이 없는 정치세력으로 넘어가지 않도록 하는 게 매우 중요합니다. 우리 사회가 계속 낙인찍고 갈등하고 배제하는 사회가 되지 않도록 진보진영에서도 경각심을 가져야 된다고 봅니다.

김　성 대결은 있을 수 없는 일이에요. 이걸 막는 게 정부와 공공의 역할입니다. 지금 못하고 있잖아요. 그냥 손 놓고 있고.

황　실제 20·30대 남성들이 사회적으로 많이 유기되고 있어요. 그들의 목소리를 어느 정도 들어줘야 그들도 해소가 되지 않겠습니까.

이　온라인 문화를 보면 문재인 정부 지지자들 많아요. 그 남성들이 다음에는 '자한당은 안 찍어도 안티 페미 하면 다 찍는다.' 이렇게 말해요. 처음엔 언사가 격하지 않았거든요. 지금은 3년 동안 피로도가 쌓이니까 더 격한 언어로 표출돼요. 우리 방송만 봐도 댓글에 문재인 정부가 페미 정책을 왜 이렇게 하는지 모르겠다고 답답함을 토로하는 글들이 많잖아요.

여성우대정책을 하지 말라는 의미가 아닙니다. 사회적 약자를 배려하는 정책을 펴는 건 당연하죠. 어떤 철학으로 할 것이냐를 얘기하는 거예요. 국가나 정부가 견지해야 할 태도, 기본적인 철학이 보여야 되잖아요. 가장 중요한 건 공정함이란 신호고요. 지금 자한당은 아무 생각이 없어서 이 영역에 관심이 없는데, 머리를 조금만 굴리면 표로 끌어갈 수 있다고 봐요. 이수역 폭행사건 국면에서 바른미래당은 표 좀 챙겼어요. 바른미래당만 그때 대응하는 게 보였잖아요. 정책적 대안을 누가 내놓느냐, 이게 매우 중요합니다. 저는 이 정부가 잘 되길 바라는 마음이고요. 여성을 들여다본 만큼, 이제라도 남성들의 분노가 사회의 나쁜 에너지로 작동하지 않도록 잘 살피고 보듬는 게 필요하다고 생각합니다.

황　오늘도 이선옥 작가님 수고하셨습니다.

12장

평등사회를 위해
여성가족부가 해야 할 일

2018년 12월 07일 13화 방송

황 〈우먼스플레인〉으로 인사드리겠습니다.

김/이 안녕하십니까? 반갑습니다.

황 하루가 멀다고 젠더이슈가 나오는데, 지난주에는 가수 산이 씨 콘서트 기사가 많이 났어요. '무대에서 나 싫냐, 좋냐'부터 시작해서 거의 모든 기사가 산이 씨의 말에 초점을 맞춰서 쏟아졌어요.

이 메갈, 워마드, 정신병, 너네 왜 날 싫어해. 이런 제목들을 언론에서 접하는데, 사실관계를 정확하게 전달해주지 않으니까 현장 상황과 맥락이 전혀 전달 안 되잖아요.

황 가만히 있던 관객들에게 산이 씨가 말한 것처럼 전달됐죠.

이 브랜뉴콘이라고 산이 씨 소속사의 연말 콘서트 같은, 다른 뮤지션들도 출연하는 콘서트였어요. 거기 산이 씨도 출연하니까 지난번 사태의 여파로 여성 관객들이 산이 씨를 비난하는 플래카드 들고 야유를 한 거예요. 그러니까 산이 씨가 마이크 잡고 대응하면서 얘기한 거죠.

황 '산이야 추하다'를 약간 바꿔서 '추이야 산하다' 이런 식으로 야유하고, 6.9cm 이야기도 나오고, 말하자면 대거리를 한 거지요. 공연장에서.

이 분위기가 안 좋았지요. 관객이 그렇게 하는 행동은 옳으냐, 그렇다고 뮤지션이 그렇게 대응한 건 옳으냐, 이런 이야기가 나왔어요.

김 아니, 그런데 공연장까지 가서 그러는 건 좀 아니라고 봐요.

이 언론에는 '페미니즘은 정신병' 이런 이야길 했다는 게 많이 부각됐어요. 그래서 동영상을 봤는데, 산이 씨가 '그거는 정신병이지 페미니즘 아니야'라고 메갈, 워마드에 대한 반감을 강하게 드러낸 건데 그런 식으로 보도가 났더라고요.

또 따끈한 이슈로는 어제 인터넷 서점 예스24에서 회원들한테 '어쩌면 그렇게 한남스럽니?'라는 제목으로 작가 인터뷰를 메일링한 게 문제가 됐어요. 남성 비하 표현에 화난 회원들이 예스24 탈퇴 러쉬를 하면서 인증하는 사건이 있었죠.

김 아, 저도 자주 가는 채널아이 게시판에 예스24 탈퇴했다는 글들이 올라와서 무슨 일인가 했는데 그거였군요.

이 네. 그래서 예스24가 공식 사과를 했어요. 워낙 민감한 상황에서 그런 제목으로 메일을 보내니까 화난 회원들이 있었던 거지요. 하여튼 하루에도 몇 개씩 젠더이슈가 터집니다.

황 이상하게 젠더이슈는 네이버, 다음 뉴스에서 항상 상위에 있어요. 사람들 관심이 많으니까 많이 접할 수 있는 것 같아요.

이 예전에는 성별갈등으로 안 본 것까지 이제는 다 성별갈등으로 보니까 뉴스도 쌓이고 피로도도 쌓이지요.

황 이걸 접하는 저희도 피로감이 쌓입니다. 본격적으로 들어가서, 오늘은 어떤 주제로 이야기를 나눠볼까요?

이　저희가 지난주에 '문재인에 분노한 남자들'이라고 제목을 다는 바람에 댓글이 1,000개가 넘었어요.

김　제목만 보고 프로그램과 콘텐츠의 성격을 규정하는 분들이 많습니다. 우리더러 반反문 아니냐고 하는데, 아닙니다. 한번 들어보세요.

이　조회 수에 비해서 댓글이 너무 많았죠. 하여튼 오늘은 '진선미 장관에 분노한 남자들'이라는 주제로 이야기를 해보겠습니다.

급부상해 주류가 된 페미니즘이라는 현상

이　지난 11월 29일에 진선미 장관이 〈뉴스공장〉에 출연해서 한 발언 때문에 많은 분노가 있었지요. 진 장관이 상황을 제대로 인식하지 못하는 게 아닌가 하는 생각이 듭니다.

김　무슨 말을 했습니까?

이　몇 가지 이야기를 했어요. 이수역 폭행사건 얘기도 했고 메갈리아나 워마드에 대한 이야기도 했고. '균형 잡힌 정책을 추진하겠다. 내가 균형을 잘 잡고 있다.' 이런 이야기도 했는데, 진선미 장관 인터뷰를 비판하는 의견이 많이 있었습니다. 그중에서 몇 가지를 다루려고 하는데요. 이 이야기를 하는 이유는 진 장관에게 악감정이 있어서가 아니고요. 민심과 여론을 전달해드리고, 앞으로 정책

민주당 의원들이 〈우먼스플레인〉을 꼭 보길 바란다는 댓글들의 의미

274

에 제대로 균형을 잡아주셨으면 좋겠다는 차원에서입니다. 지난주 저희 방송에도 '민주당 의원들이 이것 좀 꼭 봤으면 좋겠다.' 이런 댓글이 많더라고요. 민주당 지지하는 분들이니까 그런 얘기를 하시겠지요.

황　지난주 영상은 제가 볼 때 성지순례 영상이 되지 않을까 싶어요.

김　그런데 일주일 새 지지율이 또 떨어졌어요. 사실 20대 남성의 마음을 살 수 있는 아무런 액션이 없었어요. 20대 남성이 지금 실망한 단계지 절망을 느끼고 '안 되겠다. 반대해야겠다.' 이런 입장은 아직 아니라고요. 이런 생각을 해봤어요. 만약에 박근혜가 워마드 회원이라면 어땠을까?

이　(웃음) 그 얘기를 제가 〈다스뵈이다〉에서 좀 했는데요. 지금 워마드 보면 태극기 부대와 함께 집회합니다. 구호가 '문재인 탄핵, 박근혜 복권'이거든요. 이렇게 몇 가지 이해관계가 겹친 이슈들이 있어요. 그래서 우파나 극우 쪽의 작전세력이 들어와서 워마드, 여성운동을 몰고 가는 게 아니냐 하는 의견이 있는데, 저는 그렇진 않다고 봐요. 워마드라는 한 커뮤니티만 보고 그렇게 판단하기는 어렵죠. 다른 여초 커뮤니티에도 광범위하게 그런 현상이 일어난다면 의심해볼 수도 있겠지만, 워마드는 여성운동 중에서도 가장 극단적인 포지션이잖아요.

래디컬 페미니스트들이 가지고 있는 입장이 있어요. 그게 지금 문재인 정부를 반대하는 쪽과 이해관계가 맞아떨어지는 거예요. 워마드는 성별 환원주의자들이니까 문재인이라는 남자 대통령과 진보세력이 (운동권 굉장히 혐오합니다. 진보편충, 이런 말을 써요.) 여성 대통령을 쫓아냈다, 이런 반감이 하나 있고요.

황　잠깐만요, 태극기 부대와 워마드가 공동 집회했다고 댓글이 올라왔는데, 이거 팩트입니까?

이 네. 처음이 아니에요. 몇 차례 같이 했어요. 또 난민 이슈가 있습니다. 현 정부가 난민을 받아들일 때 제일 처음 반대하고 나선 게 여성주의자들이었어요. 이슬람 남성들이 강간 문화를 한국 여성을 대상으로 재현할 수 있다는 공포 때문에 난민이 오는 걸 극렬 반대했어요.

지금 정권이 추진하는 남북화해 모드, 평화 모드 때문에 남북이 교류하고 통일이 되면 가난하고 가부장제에 쩐 북한 남성들이 내려와서 한국 여성을 강간하거나 착취할 거라는 공포도 있습니다. 워마드와 우익 세력이 그런 이슈를 공유하는 거예요.

우익 세력이 워마드에 와서 더 적극적인 여론전을 펼 수 있다는 생각은 해요. 그런데 정교한 작전세력이 작업한 결과라기보다 최근 3-4년 동안 극단주의 여성운동이 흥하면서 우파의 코드와 맞아떨어진 거지요. 그런데 워마드만 보고 판단할 수는 없는 거예요. 어쨌든 지금은 두 반反문재인 세력이 그렇게 맞아떨어지니까 같이 집회도 하고 같은 구호를 외치는 거죠.

작전세력의 유무가 아니라 현상을 봐야 하고 타개할 방법을 이야기해야 한다

그런 현상을 보고 작전세력 생각을 하시는 분도 있을 수 있어요. 페미니즘이나 여성운동이 비정상적으로 갑자기 부상했고 지금 우리 사회에 너무 많은 일들이 벌어지고 있으니까 이상한 거지요. 그런데 작전세력이 있다고 해봐요. 그러면 지금 모든 정당과 의원, 특히나 민주당은 작전세력에 놀아나고 있는 거고 광범위한 여성들에게 다 먹히고 있는 거잖아요. 작전세력의 뭐든 아니든, 여성운동의 극단적인 주장이 왜 먹히고 있는가

를 봐야 해요. 작전세력이 아니라 여성운동의 극단적인 주장이 먹히고 있는 현상을 봐야 하고, 어떻게 타개할 것인가를 이야기해야 합니다.

황 그러면 자유한국당하고 녹색당은 어떤 사이가 되는 거예요?

이 다른 나라에서도 여성운동이 보수적인 정치세력과 손잡는 건 특별한 일이 아니에요.

김 미국에서도 그런 일이 있었어요.

이 네. 미국은 기본적으로 기독교 국가니까 가족공동체라는 가치를 굉장히 중요하게 여겨요. 프랑스 같은 경우도 마린 르 펜Marine Le Pen이 가장 극우인데 20% 득표를 합니다. 그리고 페미니스트라고 선언해요. 그러면서 여성운동세력을 흡수합니다. 급진적인 페미니스트들이 주장하는 여성보호, 포르노와 성매매 규제, 강간의 공포에 대한 보호나 규제가 중요 이슈가 돼요. 가장 강력하게 여성을 보호하는 국가, 정책, 엄숙주의, 보호주의, 이런 것들에서 여성운동과 보수 정치세력이 쉽게 만납니다.

우리나라에서도 《여성신문》 이계경 사장처럼 자한당(당시엔 한나라당) 쪽에 간 여성운동가들이 있었어요. 비례대표로 간 경우도 있었고. 그때 여성운동가들이 페미니스트들이 보수정치와 손잡는 것을 비판하니까, 여성운동의 대모라고 칭해지던 이효재 선생님이 '아무 데나 가라. 거기 가서 네 이야기를 하면 된다. 문제가 아니다.'라고 말씀하셨죠.

과거 우리나라 여성운동은 진보세력의 자장 안에 있었어요. 조직적으로 보호해줄 세력이 필요했고 그 안에서 같이 간다는 분위기가 있었는데, 지금 넷 페미니스트 운동은 질적인 변화를 이룬 거죠. 그런데 우리가 이런 현상이 처음이에요. 여성운동이 이만큼 주류화되고 전면에 부상해서 사회 정책이나 제도를 움직일 정도로 세력화된 걸 다 처음 경험하는 거거든요. 그러니까 어떻게 해석해야 될지 잘 모르는 거예요. 혼란이 있을 수 있죠.

> 여성운동이 정책과 제도를
> 움직일 정도로 주류화되고
> 세력화된 것은 처음 겪는 일

어쨌든 드러난 결과로 보자면 지금의 페미니즘 뉴웨이브를 주도하는 여성들은 지금 진보냐 보수냐가 중요하지 않습니다. 이들은 '여성에게 국가는 없다.' 이런 말을 하잖아요. 누구든 자기주장을 받아주면 좋은 거고 아니면 욕하는 거예요. 특정한 정치 세력에 기반하지 않는 운동이기 때문에.

황 정치적 지향과 상관없이 그냥 우리의 목소리를 들어주면 지지하겠다는 거군요. 그럼 오늘 주제에 대해 이야기를 나눠볼게요. 진선미 장관이 방송에 나와서 어떤 말을 했습니까?

소라넷이 메갈리안의 미러링 때문에 폐지되었다고?

이 몇 가지 있습니다. 첫 번째가 이수역 폭행사건인데요. 김어준 씨가 여가부는 이수역 폭행사건을 젠더폭력 문제로 보느냐고 질문했어요. 그러니까 진선미 장관이 여가부도 참 곤혹스러웠다고 했어요. 하룻밤 사이에 여성들이 30만 명 넘게 청원하고 여가부 장관은 지금 뭐 하느냐, 병원에는 가봤냐, 이런 비난이 올라왔는데 여가부도 당연히 파악하고 있었겠지요.

황　곤혹스러웠겠네요.

이　그리고 팩트 체크를 우선으로 생각했다고 했어요. 그 동영상을 다 본 거지요. 그런데 진 장관이 '사실 젠더폭력 사건으로 보기 어렵다. 어려운데 언론이 너무 몰아가서 키웠다.' 이렇게 말했어요.

황　그건 좀 정확하게 봤네요.

이　언론이 문제인 건 맞는데, 그걸 젠더폭력으로 몰고 간 원인은 처음 여성들이 올린 글이잖아요. '내가 탈코르셋 한 페미니스트라 남자한테 맞았고 경찰도 보호 안 해줬다.' 그렇게 규정하고 판을 시작하니까 여론이 젠더 프레임으로 간 거지요. 탈코르셋 여성에 대한 공격으로 규정하고 시작해서 30만 명 청원을 불러온 그 여성들에 대해 한마디 하셨어야지요. 언론뿐만 아니라 그 여성들의 문제도 동시에 이야기했어야 한다는 거예요.

황　어떻게 생각해도 그 여성의 말 한마디에 전 국민이 놀아났다는 생각이 들어요.

이　여성들이 맨 처음 사소한 술집 시비를 젠더폭력 문제로 만든 거잖아요. 그러면 '앞으로 여성들도 이런 문제에 대해서 꼭 성별갈등이나 혐오범죄로만 생각하지 말고 우리 조금 더 침착하자. 이런 갈등을 최대한 줄이도록 노력하자. 언론도 그렇게 갈등을 부추기지 마라.' 이렇게 이야기했어야 하는데 중요한 이야기는 비껴가면서 언론이 문제라고 이야기하니까 사람들이 비판한 거죠.

그다음 메갈리아, 워마드에 대해 물었어요. 어쨌든 지금 선을 넘었다는 문제제기가 많이 나오고 있지 않냐고. 그러니까 '충분히 알고 경청하고 있다. 그래서 메갈리아, 워마드에 대해 균형 잡으려고 노력하고 있다.'라고 말했어요. 그런데 '메갈의 미러링이 아니었다면 소라넷 폐지와 디지털 성범죄는 이슈화되지 않았을 거다. 여성들의 피해의식을 살필 필요가 있다.' 이런 말을 덧붙인 거예요. 여기에서 터진 거지요.

제가 소라넷 폐쇄에 관해 이야기를 좀 하겠습니다. 2016년에 소라넷을 폐쇄했지요. 아직 운영자 네 명 중 세 명은 검거하지 못했고 한 명만 검거한 상태입니다. 2015년에 진선미 장관은 소라넷 폐지를 주도했던 메갈리아와 함께하면서 천만 원 넘는 후원금을 받았고, 정치인으로서 중요 업적으로 이야기하기 때문에 그렇게 말할 수 있다고 봐요.

그런데 소라넷이 어떻게 폐지되었는지는 객관적으로 나와 있습니다. 2015년 8월에 메갈리아가 생겼고요. 9월에 메갈리아가 소라넷 이슈를 가지고 당시 강신명 경찰청장을 상대로 아바즈Avaaz라는 국제 청원사이트에서 청원 운동을 시작합니다. 10월에 소라넷 폐쇄, 관련자 처벌을 걸었는데 7만 여명이 동참했어요.

2015년 11월에 당시 진선미 의원 소속 상임위가 행안위였는데 전체회의에서 소라넷 수사 어떻게 할 거냐고 경찰청장을 질타합니다. 그러니까 청장이 '알고 있고 수사하고 있다. 이번에는 발본색원하려고, 서버가 미국에 있으니까 미국 수사당국과 협조해서 서버 폐쇄를 하려고 하고 있다.'라고 답변했어요. 그런데 거기서 문제가 터진 거예요.

전에도 경찰이 소라넷에 불법 음란게시물을 올린 유저들을 검거하는 과정이 있었는데 서버가 미국에 있다 보니까 잡으려고 하면 서버를 계속 옮기는 거예요. 소라넷이 그렇게 대처하니까 서버 자체를 폐쇄하려고 미국과 비밀리에 공조하고 있었던 거지요. 그런데 경찰청장 답변이 언론에 나오면서 서버를 폐쇄하려는 움직임이 외부로 노출된 거지요.

당시 경찰 내부에서도 업무를 담당한 사람이 누구인지 모를 정도로 극비리에 공조하고 있었는데 청장이 국회에서 답변하는 바람에 노출된 거죠. 당시에 '소라넷 도망가라고 알려준 강신명 경찰청장'이라는 보도가 났을 정도입니다. 극비수사 중이니까 언론에 나가지 않도록 해달라든지 조치해야 했는데 못 한 거죠. 어쨌든 소라넷 운영자 네 명중 한 명이 검거됐어요. 공교롭게도 여성입니다.

김 아, 그래요?

이 네. 부부 두 쌍이 운영했다고 해요. 그런데 그중 세 명이 외국 시민권자라서 검거에 애로사항이 있었어요. 여성 한 명만 한국 국적이라 정부에서 여권을 무효화해서 해외 도피를 못하게 하니까 자진 귀국해서 검거된 상태예요.

저는 소라넷 사건에서 메갈리아가 한 일이 없다고 말하려는 게 아닙니다. 우리가 아무리 운동을 하더라도 실제 검거하고 처벌하는 것은 행정, 사법기관 몫이거든요. '메갈리안의 미러링이 없었다면 검거는 없었다.'라고 말하는 건 잘못된 겁니다.

황 이미 수사를 하고 있었던 상황인데 그걸 왜 미러링 때문이라고 하는 거죠?

이 소라넷 폐쇄 운동에서 메갈리안이 한 일을 말씀드릴게요. 일단 국제 청원을 했고 스티커 붙이기 같은 불법 몰카 근절 캠페인을 벌였어요. 그리고 기부 팔찌를 만들어서 성범죄 피해 여성들에게 기부하고, 국회의원을 압박하는 캠페인을 벌였습니다. 아주 정상적인 방식으로 했어요.

김　그렇지. 좋았네.

이　미러링은 없었습니다. 합법적이고 정상적인 방식으로 성과를 이루었는데, 왜 굳이 혐오 방식의 미러링을 택해서 비판받는 쪽을 택합니까? 정말 미러링으로 소라넷을 잡았다면 그런 방식을 고무해야지요.

소라넷 폐지는 미러링이 아닌 방식으로 이룬 성과다

미러링이라면 소라넷 같은 사이트를 하나 만들어서 거기에 남성에 대한 성범죄 영상을 계속 올려야 되잖아요. 실제로 일부 여초 커뮤니티에서 우리도 소라넷 같은 걸 만들자고 한 일도 있었어요. 미러링이 아닌 방식으로 운동 성과를 얻었으면서 미러링 때문에 소라넷 잡았다고 말하는 것은 부적절한 거지요.

황　현직 여가부 장관이 말한 거면 '미러링해라.'라고 받아들여도 되는 겁니까?

이　그렇게 받아들이게 만든 거지요. 그래서 부적절하다는 거예요. 당시에는 의원이었지만 지금은 장관이잖아요. 그리고 행안위 소속이어서 경찰이 어떤 노력을 했는지 아실 거예요. 그렇다면 일단 장관으로서 '경찰이 고생했다. 성과를 이뤘는데 여성운동이 기여한 게 있다. 나도 여성운동 때문에 경찰청장에게 질의할 수 있었다. 공은 인정하는데 이제 미러링이라는 방식에 비판이 제기되고 선을 넘었다는 비판도 있으니까 여성들도 그 방식에 대해서 성찰해보자.' 이 정도 이야기를 해야지요.

황　그런데 아이러니하지 않아요? 소라넷을 털어서 잡았는데 범인이 여자야. 이거 진짜 아이러니하네.

이　못 잡은 한 명도 여자예요.

김　전에 워마드의 운영자가 남자냐 여자냐 누가 물어봤는데 자기가 그건 말할 수 없다고 그래서 남성 아니냐는 소문이 있었어요.

이　그리고 업소 다니는 여성들 신원 노출하는 강남패치가 한창 유행한 적이 있었어요. 성매매한다는 이유로 여성의 신상을 올려서 폭로하니까 잡았는데, 여자였던 거예요.

황　그것도 여자예요?

이　그러니까 또 여자라서 잡았다 그리고. 그런 해프닝이 계속 있었습니다.

황　모르겠네요. 어떻게 해석해야 할지는 시청자 여러분에게 맡기겠습니다.

여가부 장관은 여성운동가가 아니다

이　미러링에 대해서는 그 정도 이야기할 수 있고요. 워마드 등이 선을 넘었다는 우려에 대해서 진선미 장관이 이런 이야기를 했습니다. '그런 우려 알고 있는데 자정 노력을 할 거다. 예전에 호주제 폐지 운동할 때 나라가 시끄러울 정도로 달아올라서 큰일날 줄 알았는데 부글부글 끓던 임계점을 지나니까 괜찮아지더라. 마찬가지로 워마드도 고비를 넘기면 괜찮아질 거고 자정 분위기가 올 거라 생각한다.' 이 발언에는 강력하게 문제제기 하고 싶습니다.

자정 노력, 좋습니다. 그러면 역으로 여가부가 추진하고 있는 성차별 온라인 게시물 규제 같은 정책은 왜 자정 노력으로 풀지 않고 규제합니까? 대중들은 워마드나 메갈리아를 혐오세력으로 인식하고 있어요. 그런데 페미니즘 운동 비판에 대해선 이제 자정 노력을 할 거라고 하면서, 페미니즘을 비판하는 인터넷방송이나 콘텐츠에 대해선 왜 성차별 게시물로 규제하겠다고 들고나오느냐는 거예요. 거기도 자정 노력에 맡겨야지요.

황 자정 능력에 맡기면 되는데, 왜 한쪽만 허락하고 다른 쪽은 규제하느냐?

이 명백하게 이중적이지요. 똑같이 규제하라는 건 아닙니다. 규제에는 반대해요. 페미니즘 비판도 당연히 있을 수 있지요. 표현의 자유는 가장 근본적인 인간의 본질적 자유이고 권리예요. 그런데 자기들 노선에 맞지 않는다고 규제하라고 요구하는 사람들이 있고, 또 그걸 받아서 규제하겠다는 현 정부 부처의 수장이 있잖아요. 그런데도 자정할 거라고 말하는 건 사태 인식을 못하고 있는 거지요.

황 자정 노력으로 해결될 문제가 아니라고 생각하십니까? 어떻게 생각하세요?

이 선을 넘은 혐오행위에 대해서는 현행법에 모욕죄도 있고 명예훼손죄도 있어요. 그런데 혐오가 아니라 표현을 규제해서 없애겠다는 발상이 부적절하다는 겁니다. 현행법상 위반인 건 대부분 규제하지 않아도 처벌 대상이에요. 그 외는 자유롭게 열어놔서 자정이든 뭐든 공론장에 맡겨야 해요.

황 일부 여성들, 페미니즘 운동하는 여성들의 의견에 따르면 남성과 여성은 동일 선상에 놓을 수 없다. 기울어진 운동장이기 때문에 무조건 여지가 약자다.

이 여가부 장관이라는 분이 그렇게 말하면 안 된다는 겁니다. 장관은 행정부처의 수장이지 여성운동가가 아닙니다. 당연히 중심을 지켜야지요. 여성들이 하는 혐오는 처벌 대상이어도 처벌하면 안 됩니까? 한남이든 김치녀든 모욕죄로 고소해서 법적 제재로 가면, 똑같이 처벌받아요. 이미 사례가 있어요. 법적으로도, 대중들이 생각하는 규범에서도 똑같아요. 한쪽은 규제로 입을 막고 다른 한쪽은 자정해라. 이건 안 맞는 거지요.

> 한쪽은 자정 노력에 맡기고 한쪽은 규제로 입을 막겠다는 발상은 잘못

황 작가님한테 많이 배우고 있습니다. 워마드 얘기 다음에는 또 어떤 이야기가 있었나요?

균형, 균형, 균형

이 진 장관이 놓치는 것에 대해 몇 가지 더 말해볼게요. 진 장관이 '균형자로서 국가 안에서 모두 보호받도록 하겠다. 20-30대 청년들이 일자리 부족 문제로 소외당한다고 생각한다. 여성정책에 반감이 있는 걸로 확인하고 있는데 잘 새겨듣고 있다. 그래서 여성 문제가 복잡하다.' 이런 이야기를 했습니다.

그런데 최근 여가부 국감 때 자유한국당 의원이 역차별적 정책에 대해 질의를 했어요. 그때 진선미 장관이 '굉장히 용기 있으시네

요. 이런 말을 여가부 국감에서 하시다니.' 이렇게 약간 비꼬듯 답변한 거예요.

황　아니, 말하면 안 됩니까?

이　'요즘 분위기가 어떤데 여성정책에 이런 식으로 공격해?' 하는 분위기죠.

황　'당신, 감당할 수 있어?' 이런 느낌.

이　그런 거지요. 비록 보수정당의 나이 많은 남성 의원이라 해도 여가부 정책에 대해 성차별적이라고 지적할 수 있잖아요. 가뜩이나 여성우대정책, 차별정책이라고 사회 분위기가 안 좋은데, 그런 태도는 점령군처럼 오만해 보이는 거죠.

이건 에피소드고, 본질적인 균형에 대해서 말씀드릴게요. 진 장관이 계속 균형을 강조했어요. 그런데 여가부는 여성부가 아니라 여성가족부예요. 2019년 예산이 1조 원이 넘었습니다.

황　가족 구성원에는 아들도 있고, 아빠도 있고, 오빠도 있는 거 아니겠습니까?

이　네. 예산 1조 원이면 이제는 미니 부처로 볼 수 없어요. 그리고 성인지예산제도라는 걸 도입했기 때문에 각종 부서 예산과 정책에도 성인지예산이 들어가요. 굉장히 액수가 커요. 34조 원이 편성되어 있습니다.

김　성인지예산이 뭡니까?

이　정부의 각종 정책에 성인지, 젠더감수성 말하자면, 성적인 차별이 없고 평등하도록 균형 잡는 예산으로 쓰라는 정부 정책이에요. 여성 관련 예산이 꼭 여가부에만 해당되는 게 아닙니다. 성인지예산을 통해 성부가 싱평등정책을 추진하고 있어요. 그런데 균형이라는 관점에서, 여가부에서 추진하는 정책 외에도 비판받을 수밖에 없는 정책들이 있습니다. 한 가지 예를 들자면 여성안심주택이라는 정책이 있는데요. 이건 여가부 정책은 아니고 SH공사에서 추진한 정책인데 지금 서울시와 지자체들이 이런 정책을 추진하려고 하고 정부도 하고 있습니다.

김　여성안심주택이면 귀갓길이나 뭐 그런 건가요?

이　여성에게 분양하는 임대주택이에요. 귀갓길은 여성안심귀가고. 여성안심주택은 설계 단계부터 독신 가구 여성의 주거 안정을 특별히 고려해요. 천왕동에 있고, 잠실도 분양을 해서 곧 입주를 앞두고 있어요. 이것이 왜 문제냐면⋯⋯.

예를 들면 저상버스를 도입할 때 저상버스가 모든 교통약자를 위한 것이라고 홍보했습니다. 실제 저상버스 도입은 장애인운동 쪽에서 계속 주장하던 거였어요. 버스 턱이 높으니까 장애인이 휠체어나 신체 보조도구를 들고 오르기 어렵잖아요. 그래서 저상버스를 도입해서 지금 많이 확대되었습니다. 그런데 저상버스가 장애인만을 위한 것인가요? 비록 정책 설계는 장애인을 배려해서 한 거지만, 그게 생김으로써 모든 교통약자, 어린이든 노인이든 일시적으로 부상을 당한 환자든 모두에게 유익하잖아요.

> 주거나 안전 등 공공의 이익 관련해서는 차별적으로 특혜를 준다는 인식을 주면 안 된다

고용, 주거, 교통, 안전 같은 공공의 이익에 관련된 이슈에서는 차별적으로 특혜를 준다는 인식을 주지 않아야 해요. 그런데 지금 청년들이 남녀 불문하고 고시원에서, 원룸에서 열악한 주거환경에 놓여 있

잖아요. 여성에게 특별히 문제되는 건 안전 문제라고 하는데, 과연 1인 가구의 안전이 여성에게만 해당하는 문제인가요? 그건 아니지요. 쪽방촌에도 1인 독거노인들이 엄청 많습니다. 1인이 거주하는 형태에서 안전에 대한 위험은 똑같거든요. 그런데 여성들은 특별히 더 공포를 느낀다고 건의하는 거예요.

사각지대에서 위험을 느끼는 많은 저소득층이 있어요. 그런데 차이가 뭡니까. 여성들은 해달라고 말할 수 있잖아요. 실제로 여성들에게, 그것도 아주 소수의 여성들에게 혜택이 갑니다. 근로 능력이 있고, 소득이 있고, 그다음에 젊어야 해요. 분양 기준 나이가 어려요. 어릴수록 우대해요. 젊고, 중소기업 다니는 여성을 우대하니까.

황 이건 여성들 사이에서도 목소리가 나올 수 있겠는데요. 거기 들어간 사람한테만 혜택이 되는 거 아니에요.

이 소수의 여성에게만 혜택이 가는데도 모든 일반 여성에 대한 특혜처럼 보이는 정책인 거지요. 얼마 전에 종로구 고시원에서 불이 나서 많이 사망했잖아요. 거기 거주하는 분들이 대부분 일용직에 종사하는 장년 여성, 남성들이었어요. 주거 문제는 전 계층, 전 연령, 사회구성원 모두에게 개선이 필요하고 예산이 투입되어야 할 정책이에요. 그런데 여성안심주택은 근로 능력이 있는 성인, 그리고 소득 기준은 평균소득으로 삼는 70%에 해당해야 돼요.

주거가 곤란한 다른 사회구성원보다 여성이 더 혜택을 받아야 하는 이유는 무엇인가

황 70%면 0-70%까지라는 거지요?

이 네. 그런데 임대료는 싸요. 보증금 7백만 원대에 월 12만 원.

싸게 분양되고, 약 100여 명의 여성에게 혜택이 가요. 도대체 여성이 주거가 곤란한 다른 사람들보다 더 혜택을 받아야 될 이유가 뭐냐는 거예요. 안전 문제가 있다 그러면, 안전하게 시스템을 갖춘 저소득층을 위한 임대주택을 만들면 돼요. 그리고 일부 몫을 여성, 남성, 노인, 한부모 등등에 분양하면 되거든요. 그러면 다양한 1인 가구가 입주할 수 있지요. 그렇게 하면 되는데 여성안심주택, 직장여성 안심주택, 여성전용 임대주택, 이런 식으로 계속 여성을 붙여요. 실제 혜택을 받는 여성은 소수인데, 여성만 우대한다고 비난은 엄청 많이 받아요. 실제로 전 차별적이라고 생각해요.

김 대신에 내가 이렇게 여성 같은 약자를 위했다.

이 주거뿐만 아니라 고용시장에서도 여성을 우대하라는 압박이 있고 실제 제도도 있습니다. 고용, 주거, 교통 같은 이해관계가 얽힌 많은 공공 분야에서 여성에게 특혜를 준다는 신호만 주는 게 아니라, 실제로 제도가 기능하고 있는 거예요. 이런 정책들을 재고해야 된다고 봅니다. 모두의 안전이 확보되면 여성 안전도 당연히 확보되는 거죠. 그다음에 여성 귀갓길이나 여성 택배안심, 이런 제도를 하라는 거예요. 공통으로 적용한다면 거기서 여성을 배려해도 불만이 나오지 않거든요. 그런데 이걸 정부가 놓치고 있어요.

예를 들어, 산재 사고로 1년에 1700-1800명가량 사망합니다. 하루에 4-5명꼴로 거의 세계 최고 수준인데 90% 이상이 남성입니다. 여성 사망자는 60-70명으로 5-10%입니다. 그렇다고 이걸 젠더 문제로 봐야 하는 건 아니잖아요. 특수하게 남성이 사고가 많이 나는 영역이 있지만 젠더 문제로 해결할 순 없어요. 그리고 여성 사망자도 소수지만

> 모두의 안전이 확보되면
> 여성 안전도 당연히 확보된다
> 이 관점으로 정책을 설계해야 한다

똑같이 중요해요. 그래서 모두의 안전을 고려한 정책을 설계해서 약자 배려도 같이 자연스럽게 올라가도록 해야 해요. 치안 문제도 치안 지수가 전반적으로 높아지면 여성 안전도 확보할 수 있거든요. 이 관점으로 정책을 설계해야 된다는 겁니다.

황 정책이 균형 있게 적용되어야 한다.

성평등교육 매뉴얼, 괜찮은가?

이 그렇지요. 그런 게 진짜 균형이지 그냥 말만 균형 잡힌 정책 하겠다고 하면 와닿지 않아요. 그리고 한 가지, 최근 숙명여대 게시판 사건도 있었는데요.(5장 참고) 지금 여가부에서 시급히 점검할 게 성평등교육 매뉴얼입니다. 학교에서 남자아이들이 이미 혐오문화를 다 알고 있어요. 중학교, 초등학교까지 내려갔다고 하는데 지금 성평등교육이나 성차별 강사로 뛰는 분들이 달라진 상황에 맞게 업데이트되었는지 의문입니다. 1990년대, 2000년대 들어서 성평등교육을 해야 한다고 주장해서 전국의 직장, 학교에서 교육을 했어요. (저도 강사로 나간 적이 있어요.) 오래전에 도입된 매뉴얼이 과연 얼마나 업데이트되었는지, 지금 청소년들이 느끼는 혐오문화에 적합한 방식으로 되었는지 점검해야 합니다. 최근에는 어떤 학교에서 데이트폭력 교육을 하는데 남학생만 대상으로 해서 문제가 됐어요.

황 왜 남학생만 하죠?

이 학교에서는 장소가 협소해서 남학생 듣고 순차로 여학생 교육을 진행할 계획이었다고 해명했어요. 저는 학교가 실제로 그랬을 거라고 보지만, 교육은 같이 해야 한다고 생각합니다. 그런데 성폭력 영역 중에 여성이 가해자일 확률이 가장 높은 게 데이트폭력입니다. 데이트폭력의 범주에는 때리는 것뿐만 아니라 정서적인 관여, 간섭, 학대, 상대에 대한 규제 같은 게 다 들어가거든요. 여성 가해자가 더 많다는 뜻은 아니에요.

황 상대방 핸드폰 보고 이런 거 다 있잖아요.

이 제 주변만 봐도 남자친구 폰 다 들여다보고 행동을 간섭해요. 그러니까 여성이 가해자일 확률이 높은 영역이 데이트폭력이에요. 그런데 지금 강사들은 여성 청소년은 피해자이고 남성 청소년은 잠재적 가해자라는 시각으로 교육합니다. 그래서 남자아이들한테는 여자들한테 어떻게 하지 말라고 하고 여자아이들한테는 피해를 입었을 때 어떻게 하라고 해요. 이런 매뉴얼이 과연 얼마나 업데이트되었을까요. 빨리 점검하셔야 됩니다.

황 이제 시대가 많이 바뀌었지요.

이 학교 현장에서 남자아이들이 느끼는 차별 정도는 여자아이들보다 심각해요. 그리고 남자아이 키우는 부모의 우려가 큽니다. 내 아이가 남자인데, '아들이 성범죄자 안 되게 조심해라. 아들 잘 키워라.' '아들을 페미니스트로 키워라.' 같은 기사들이 납니다. 도대체 어떻게 해야 할지 모르는 거예요. 남자아이들이 느끼는 온도는 그게 아닌데. 평등교육 강사로 뛰는 분들이 예전부터 페미니스트나 여성운동을 한 사람들이 많아요. 그분들이 지금 달라진 사회현실에 맞게 잘하고 있는지 점검하고 프로그램 매뉴얼을 좀 바꿀 필요가 있다고 생각해요.

황　아, 하나만 여쭤볼게요. 여성가족부잖아요. 왜 '여성'을 넣느냐. 그냥 가족부나 가족지원부로 해도 되지 않느냐는 사람들이 있습니다.

이　김대중 대통령 시절 처음 생길 때는 여성가족부가 아니라 여성부였어요. 영어로는 성평등부, The Ministry of Gender Equality. 그런데 보수 정권이 되면서 '가족'이 붙었고 그게 지금 그대로 있는 거예요.

황　박근혜 정부 때 여성가족부가 되지 않았습니까? 이명박 정부 땐가?

이　여성가족부였다 여성청소년가족부 이렇게 한 번 더 바뀌었을 거예요. 보수 정권 때 진보 정권에서 추진했던 여성부라는 걸 없애고 싶었던 거지요. 그래서 가족 업무까지 붙었죠.

차별적 정책과 '따뜻한 내 편' 사이의 간극

이　진선미 장관이 여성운동을 했고 지금도 많이 매진하고 있으니까 여성들의 지지를 무시할 수는 없겠지만, 행정부처 수장으로서 정말 위치를 잘 잡아야 해요. 모두를 위한 균형이란 말을 하는 만큼 정책들이 한쪽 성별 혹은 다른 구성원에게 차별로 인식되는지 점검해야 합니다.

최근 있었던 일 중에 두 가지 사례를 말씀드릴게요. 성범죄 가해자로 신고당해서 재판받은 남성분이 있어요. 그분이 1심에서 무죄판결을 받았습니다. 그래서 상대 여성을 무고죄로 고소했어요. 그런데 여성이 여가부 지원으로 법률지원 서비스 같은 것들을 받았습니다. 그래서 남성이 국가인권위원회에 진정을 한 거예요.

황 왜? 무고죄인데…….

이 그 남성이 '나는 무죄판결을 받았고 상대 여성은 무고로 고소당한 피의자다. 국가 예산인데 왜 나는 지원받을 수 없고 상대 여성은 가해자로 고소를 당했는데도 지원받느냐, 차별정책 아니냐?' 이렇게 국가인권위원회에 진정했어요. 그런데 '민원인의 안타까운 심정은 이해하지만 여가부가 우리 사회에서 주로 성범죄의 피해자인 여성들이 고소 시 겪게 되는 어려움 때문에 만든 게 제도의 취지이고, 무고 피해자(성범죄 피의자)와 무고 피의자(성범죄 피해자)가 동일한 상황에 있다고 보기 어려워 무고 피의자(성범죄 피해자)만 법률지원을 하는 것을 차별행위로 보긴 어렵다.'라고 답변했어요. 답변도 늦게 했어요. 답변에도 여성을 '무고 피의자(성범죄 피해자)'라고 썼어요.

황 이게 말이 맞나요? 무고인데 성범죄 피해자라는 게…….

이 무고는 아직 판정이 안 난 거고 무고 피의자 상태인 거지요. 재판을 통해 남성이 성범죄 무죄판결을 받았고, 무고의 가해자로 고소된 상태인 사람을 여가부가 지원하는 것 자체가, 여가부는 이미 여성은 죄가 없다고 판단하는 거잖아요. 재판을 해야 알 수 있는 건데. 이런 식의 예산 지원 문제가 있습니다.

그리고 홍대 몰카 피해자 남성 있었잖아요. 그분이 워마드에 자기 사진이 올라갔을 때 여가부 산하 디지털성범죄지원센터에 도움을 요청했어요. 센터 매뉴얼을 보면 그런 일을 겪었을 때 신고하면 어떤 지원을 해준다는 프로세스가 쭉 있습니다. 그런데 이분이 남성 피해자라서 도움을 못 받은 거예요.

황 남자라는 이유로.

이 그러니까 센터에서도 당황했을 것 같아요. 여성 피해자를 위해서 만들어진 제도인데 남성 피해자가 신고 접수를 하니까.

황 왜 남자는 피해를 받지 않을 거라고 가정하나요?

이 그러니까 남성이 이런 피해를 입었을 때 도움을 요청할 수 있는 기관이 없는 거지요. 여가부는 여성을 상대로 정책을 설계하니까 여성은 상담하고 지원 절차를 쭉 밟을 수 있는데, 남성이 신고하니까 어떻게 할 줄 모르는 거예요. 그래서 그분이 답변도 늦게 듣고 실제로 도움도 못 받은 그런 안타까움을 토로하셨어요.

황 우리도 가족입니다. 우리도 가족의 한 구성원인데.

이 디지털 성범죄 피해자가 꼭 여성이라는 것만 전제하고 설계할 필요는 없잖아요. 남성이든 여성이든 똑같이 피해를 입은 대상에게 실질적인 도움을 줄 수 있는 서비스로 가야죠. '왜 여자만 우대하고 특혜를 주느냐. 차별이다.' 이런 반발 없이 모두에게 작용할 수

> 남성이 디지털 성범죄 피해를 입었을 때 도움을 요청할 기관이 없다

있는 이로운 정책이어야지요. 그래서 이런 제도를 정비해서 모두에게 열어두라는 겁니다. 모두 세금이 투여되는 예산이고 정책이니까. 약자 배려, 당연히 해야 됩니다. 그런데 약자 배려라는 것은, 모두의 안전이든 고용이든 보편적인 것이 다 올라갈 때 거기에서 약자 배려도 같이 올

라갈 수 있어요.

황 저는 무고 피의자를 여성가족부에서 지원해줬다는 것 자체가 납득이 안 가요. 이거는 정말 문제 아닌가 생각합니다.

이 그런 문제제기가 지금 많아요. 미투운동이 일어나면서 미투 피해자를 지원하라는 게 정부의 강력한 방침이에요. 대통령도 이야기했고 여가부 장관, 국회의원이 미투 피해자 지원 법률도 만들고. 그런데 법률이 입법되기까지는 시간이 걸리니까 우선 당장 필요한 사람에게 지원하는 건데, 근원적으로는 무죄추정원칙으로 보면 맞지 않는 제도지요. 행정부는 그렇잖아요. 입법을 통해서 할 수 없는 현실의 간극을 매우는 게 행정부의 역할이니까 바로바로 정책이 시행되고 있어요. 그런데 왜 차별적인 조치로 인식되는 것까지 시행하느냐는 비판을 새겨야 한다는 거예요. '모두가 따뜻한 내 편이라는 마음이 들도록 하겠다.'라고 진선미 장관이 얘기했어요. 그러면 과연 지금 다른 구성원이 내 편이라는 인식을 하고 있는지를 먼저 봐야지 계속 한쪽에 있다는 식의 말과 신호를 주시면 안 된다는 겁니다.

> 행정부가 왜 차별적인 정책을 시행하는가

황 오늘 너무 와닿는 이야기를 해주셨습니다.

김 국가와 공공기관이 젠더 문제를 이제 과거의 잣대로 봐서는 안 되겠습니다.

황 저희는 여기서 인사드리도록 하겠습니다. 〈우먼스플레인〉이었습니다. 감사합니다.

우먼스플레인

초판 1쇄 발행 | 2019년 6월 10일
초판 2쇄 발행 | 2019년 6월 20일
지은이 | 이선옥
펴낸이 | 이은성
편 집 | 구윤회, 김무영
디자인 | 최승협
펴낸곳 | 필로소픽
주 소 | 서울시 동작구 상도동 206 가동 1층
전 화 | (02) 883-9774
팩 스 | (02) 883-3496
이메일 | philosophik@hanmail.net
등록번호 | 제379-2006-000010호

ISBN 979-11-5783-150-0 03330

필로소픽은 푸른커뮤니케이션의 출판브랜드입니다.

이 도서의 국립중앙도서관 출판시도서목록(CIP)은 서지정보유통지원시스템
홈페이지(seoji.nl.go.kr)와 국가자료공동목록시스템(www.nl.go.kr/kolisnet)
에서 이용하실 수 있습니다. (CIP제어번호: CIP2019018292)